#중학기본영문법
#내가바로문법강자

바로 문장 쓰는 문법

바로 시리즈 검토에 도움을 주신 분들

홍정환 선생님(영어의 힘)
박용철 선생님(PK대치스마트에듀)
원영아 선생님(멘토영어)
원지윤 선생님(아잉카영어)
이성형 선생님(해윰학원)
김란숙 선생님(샘앤아이영어)
이차은 선생님(BOB영어)
박주경 선생님(PK대치스마트에듀)
주은숙 선생님(원클래스 학원)
김도희 선생님(원클래스 학원)
Kyle 선생님(한스터디)
윤지원 선생님(고려학원)
김현욱 선생님(동광학원)
이형언 선생님(훈성학원)
박은영 선생님(PK대치스마트에듀)
김지혜 선생님(Epic English)
박지혜 선생님(다이나믹 학원)
이민정 선생님(BMA 어학원)
채효석 선생님(빅터 아카데미)

원어민 검토

Stephanie Berry, Matthew D. Gunderman

Chunjae Makes Chunjae

[바로 문장 쓰는 문법] LEVEL 2

기획총괄 남보라
편집개발 김미혜, 신현겸
디자인총괄 김희정
표지디자인 윤순미, 안채리
내지디자인 디자인뮤제오
제작 황성진, 조규영

발행일 2022년 5월 15일 2판 2024년 8월 15일 3쇄
발행인 (주)천재교육
주소 서울시 금천구 가산로9길 54
신고번호 제2001-000018호
고객센터 1577-0902
교재 구입 문의 1522-5566

쓰기가 쉬워지는 중학 기본 영문법

바로 문장 쓰는 문법

LEVEL 2

CONTENTS

BACKGROUND KNOWLEDGE 문법 기초 확인하기

중학교 교과서 문법 연계표 2학년

단원	천재(이재영)	천재(정사열)	동아(윤정미)	동아(이병민)	미래엔(최연희)	능률(김성곤)	비상(김진완)	YBM(박준언)
1	• 주격 관계대명사 [31] • 접속사 if [42]	• to부정사 형용사적 용법 [14] • 접속사 that [39]	• 4형식 문장 [2] • both A and B [37]	• to부정사 형용사적 용법 [14] • 명령문, or [38]	• 주격 관계대명사 [31] • 접속사 while, after [41]	• 동명사 [17/18] • 감각동사+형용사 [1]	• 동명사 [17/18] • 5형식 문장_동사+목적어+형용사 [3]	• to부정사 형용사적 용법 [14] • 접속사 that [39]
2	• 목적격 관계대명사 [32] • 의문사+to부정사 [13]	• 접속사 if [42] • 지각동사 [4]	• have to [10] • to부정사 부사적 용법 [15]	• 현재완료 [7/8] • 5형식 문장 [3]	• 현재완료 [7/8] • each [23]	• 주격 관계대명사 [31] • 빈도부사	• 접속사 if [42] • 5형식 문징_동사+목적어+to부정사 [3]	• 의문사+to부정시 [13] • 원급 비교 [44]
3	• It ~ to부정사 [12] • to부정사 형용사적 용법 [14]	• 현재완료 [7/8] • 접속사 though [42]	• 수동태 [25/26] • 5형식 문장_동사+ 목적어+to부정사 [3]	• 수동태 [25/26] • 접속사 if [42]	• to부정사 형용사적 용법 [14] • It ~ to부정사 [12]	• 현재완료 [7/8] • so ~ that [42]	• 수동태 [25/26] • to부정사 형용사적 용법 [14]	• 사역동사 [4] • 접속사 if [42]
4	• 수동태 [25/26] • 원급 비교 [44]	• 주격, 목적격 관계대명사 [31/32] • 관계대명사의 생략 [32]	• 주격 관계대명사 [31] • 접속사 if [42]	• 주격 관계대명사 [31] • 최상급 [46]	• 목적격 관계대명사 [32] • so ~ that [42]	• 수동태 [25/26] • 비교급 강조 [45]	• 주격 관계대명사 [31] • 지각동사 [4]	• 주격 관계대명사 [31] • 대명사+형용사 Special 1 • 간접의문문 [40] • 최상급 [46]
5	• 5형식 문장_동사+목적어+to부정사 [3] • 접속사 before, after [41]	• 의문사+to부정사 [13] • 5형식 문장_동사+목적어+형용사 [3]	• 목적격 관계대명사 [32] • 5형식 문장_동사+ 목적어+명사 [3]	• It ~ to부정사 [12] • 지각동사 [4]	• 접속사 if [42] • 원급 비교 [44]	• 목적격 관계대명사 [32] • 감정을 나타내는 과거분사 [19]	• 목적격 관계대명사 [32] • 현재완료 [7/8]	• 수동태 [25/26] • so ~ that [42]
6	• 사역동사 [4] • too ~ to부정사 [16]	• 수량 형용사 a few • 수동태 [25/26]	• 지각동사 [4] • so ~ that [42]	• 원급 비교 [44] • 접속사 although [42]	• 수동태 [25/26] • 대명사+형용사	• It ~ to부정사 [12] • 간접의문문 [40]	• It ~ to부정사 [12] • 원급 비교 [44]	• It ~ to부정사 [12] • not only A but also B [37]
7	• 현재완료 [7/8] • 명사를 꾸미는 분사 [19]	• 현재분사 [19] • It ~ to부정사 [12]	• 현재완료 [7/8] • It ~ to부정사 [12]	• so ~ that [42] • 목적격 관계대명사 [32]	• 5형식 문장_동사+목적어+형용사 [3] • 사역동사 [4]	• 5형식 문장_동사+목적어+to부정사 [3] • 접속사 if [42]	• 간접의문문 [40] • 사역동사 [4]	• 목적격 관계대명사 [32] • 5형식 문장_ 동사+목적어+to부정사 [3]
8	• 최상급 [46] • 간접의문문 [40]	• so ~ that ... can't [42] • 사역동사 [4]	• 간접의문문 [40] • because of [41]	• 대명사+형용사 [4] • 간접의문문 [40]	• 지각동사 [4] • 5형식 문장_동사+목적어+to부정사 [3]		• so ~ that ... can't [42] • 명사를 수식하는 분사 [19]	• 현재완료 [7/8] • 조동사 may [9] Special 2 • 지각동사 [4] • too~to부정사 [16]
9								

YBM(송미정)	지학사(민찬규)	능률(양현권)	금성(최인철)	다락원(강용순)
• 최상급 [46] • to부정사 부사적 용법 [15]	• one ~ the other [23] • 접속사 if [42]	• 선택의문문 • 재귀대명사 [24]	• 접속사 if [42] • 부가의문문	• 수량 형용사 a few • so that [42] • 비교급 [45]
• to부정사 형용사적 용법 [14] • 사역동사 [4]	• 의문사+to부정사 [13] • 주격 관계대명사 [31]	• 수동태 [25/26] • not only A but also B [37]	• 의문사+to부정사 [13] • so that [42]	• 병렬 구조 • 지각동사 [4] • to부정사 부사적 용법 [15]
• 의문사+to부정사 [13] • 주격 관계대명사 [31]	• 목적격 관계 대명사 [32] • 5형식 문장_ 동사+목적어+to부정사 [3]	• It ~ to부정사 [12] • 형용사 +enough	• to부정사 형용사적 용법 [14] • 강조 do	• each [23] • It ~ to부정사 [12] • 분사구문 [21/22]
• 현재완료 [7/8] • 접속사 if [42]	• 대명사+형용사 • 현재완료 [7/8]	• 현재완료 [7/8] • so that [42]	• 간접의문문 [40] • 수동태 [25/26]	• 현재완료 [7/8] • 접속사 though [42] • 5형식 문장_ 동사+목적어+형용사 [3]
• 부가 의문문 • 수동태 [25/26]	• 수동태 [25/26] • 조동사가 있는 수동태 [25]	• 주격 관계대명사 [31] • had better [10]	• to부정사 부사적 용법 [15] • 현재완료 [7/8]	• 주격 관계대명사 [31] • 동명사 [17/18] • too ~ to부정사 [16]
• so ~ that [42] • 목적격 관계대명사 [32]	• so ~ that [42] • 원급 비교 [44]	• 간접의문문 [40] • 도치_Here+동사+주어 [1]	• 주격 관계대명사 [31] • It ~ to부정사 [12]	• 간접의문문 [40] • 비교급 강조 [45] • 사역동사 [4]
• 지각동사 [4] • It ~ to부정사 [12]	• It ~ to부정사 [12] • How come ~	• to부정사 형용사적 용법 [14] • 조동사 must [10]	• 목적격 관계대명사 생략 [32] • 관계대명사 what [35]	• 의문사+to부정사 [13] • don't need to [10] • 원급 비교 [44]
• 5형식 문장_ 동사+목적어+to부정사 [3] • 명사를 수식하는 분사 [19]	• 사역동사 [4] • 접속사 although [42]	• 5형식 문장_ 동사+목적어+to부정사 [3] • 수량 형용사 a few	• too ~ to부정사 [16] • 가정법 과거 [47]	• not only A but also B [37] • both A and B [37] • one, the other [23] • 대동사 do
• 관계부사 [36] • 간접의문문 [40]				• used to [10] • so ~ that [42] • 접속사 as [41]

바로 쓰는 문법 LEVEL 2 목차

바로 쓰는 문법 공부 계획표

실력을 키우는 계획표 세우기

1 Level 2는 총 48강입니다. 하루에 몇 강씩, 일주일에 몇 번 공부할지 생각해 보세요.
2 공부한 날을 쓰고, 내가 성취한 항목에 체크(✔)하세요.
3 체크(✔)하지 않은 항목은 복습할 때 꼭 확인해서 빈칸이 없도록 하세요.

단원	목차	공부한 날	복습한 날	나의 성취도 체크 ✔				
		월 / 일	월 / 일	개념이해	문제풀이	오답점검	누적복습	단원평가
UNIT 1 문장의 형식	01 1형식과 2형식							
	02 3형식과 4형식							
	03 5형식 1							
	04 5형식 2							
UNIT 2 시제	05 과거, 현재, 미래 시제							
	06 진행 시제							
	06 현재완료 시제 1							
	08 현재완료 시제 2							
UNIT 3 조동사	09 can / may / will							
	10 must / should / used to							
UNIT 4 to부정사	11 to부정사의 명사적 용법							
	12 It ~ to / to부정사의 의미상 주어							
	13 의문사+to부정사							
	14 to부정사의 형용사적 용법							
	15 to부정사의 부사적 용법							
	16 too ~ to / enough to							
UNIT 5 동명사	17 동명사의 쓰임							
	18 동명사와 to부정사							
UNIT 6 분사와 분사구문	19 현재분사와 과거분사							
	20 감정을 나타내는 분사							
	21 분사구문 1							
	22 분사구문 2							

BACKGROUND KNOWLEDGE

01 문장의 기본 구성 요소

문장은 단어들이 일정한 순서로 모여 의미를 전달하는 것이다. 문장을 이루는 기본 구성 요소에는 뼈대가 되는 주어, 동사, 목적어, 보어와 살을 붙이는 수식어가 있다.

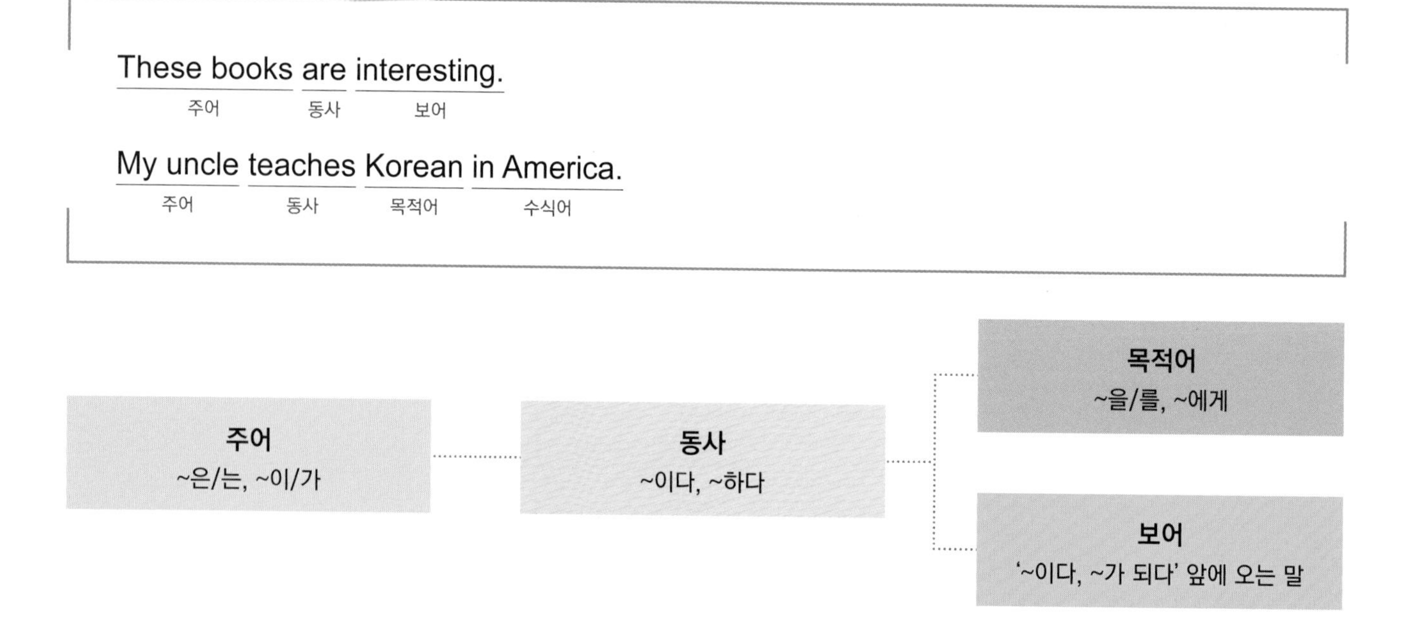

주어 Subject — 동사가 나타내는 동작이나 상태의 주체가 되는 말로, 주로 문장 맨 앞에 쓴다.

I am a middle school student. 나는 중학생이다.

My parents love me. 나의 부모님은 나를 사랑하신다.

동사 Verb — 주어의 상태나 주어가 하는 동작을 나타내는 말로, 주로 주어 뒤에 쓴다.

Julia and I are good friends. Julia와 나는 좋은 친구이다. 〈상태〉

I walk to school with my friend. 나는 친구와 학교에 걸어간다. 〈동작〉

목적어 Object | 동사가 나타내는 행위의 대상이 되는 말로, 주로 동사 뒤에 쓴다.

My grandfather wears glasses. 나의 할아버지께서는 안경을 쓰신다.

Mark bought his sister a guitar. Mark는 그의 누나에게 기타를 사 주었다.
간접목적어 직접목적어

보어 Complement | 주어나 목적어를 보충해서 설명하는 말로, 주로 동사나 목적어 뒤에 쓴다.

He is my uncle. 그는 나의 삼촌이다. 〈주어 He를 보충 설명: 주격 보어〉

The sofa looks comfortable. 그 소파는 편하게 보인다. 〈주어 The sofa를 보충 설명: 주격 보어〉

Her voice makes me sleepy. 그녀의 목소리는 나를 졸리게 한다. 〈목적어 me를 보충 설명: 목적격 보어〉

수식어 Modifier | 문장의 요소를 꾸며 그 의미를 더 자세하고 풍부하게 해 주는 말로 주어, 동사, 목적어, 보어를 수식한다.

The book on the desk is mine. 책상 위에 있는 책은 내 것이다. 〈주어 수식〉

They talked loudly. 그들은 큰 소리로 말했다. 〈동사 수식〉

바로 개념 확인 1 상자 안에 제시된 부분이 어떤 문장 구성 요소인지 쓰시오. Answers p. 1

01	Bill	knows	us	very well	.
				수식어	
02	Her dogs	always	made	her	happy.
		수식어			

02 8품사

단어를 성격이 비슷한 것끼리 분류한 것으로, 영어에는 8품사가 있다.

Ah,	that	looks	wonderful.
감탄사	대명사	동사	형용사

The	small	and	lovely	parrot	in	the	cage	is	very	noisy.
관사	형용사	접속사	형용사	명사	전치사	관사	명사	동사	부사	형용사

동사 Verb

사람이나 사물, 동물 등의 상태(~이다) 또는 동작(~하다)을 나타내는 말

walk

be동사

'~이다, ~에 있다'의 의미로 주어의 신분이나 상태를 나타내는 동사

현재형: am, are, is 과거형: was, were

조동사 (助도울 조動詞)

be동사나 일반동사 앞에서 의미를 더하는 동사

can(~할 수 있다), may(~일지도 모른다), will(~할 것이다), must(~해야 한다) 등

일반동사

be동사와 조동사를 제외한 나머지 동사

walk(걷다), speak(말하다), write(쓰다) 등

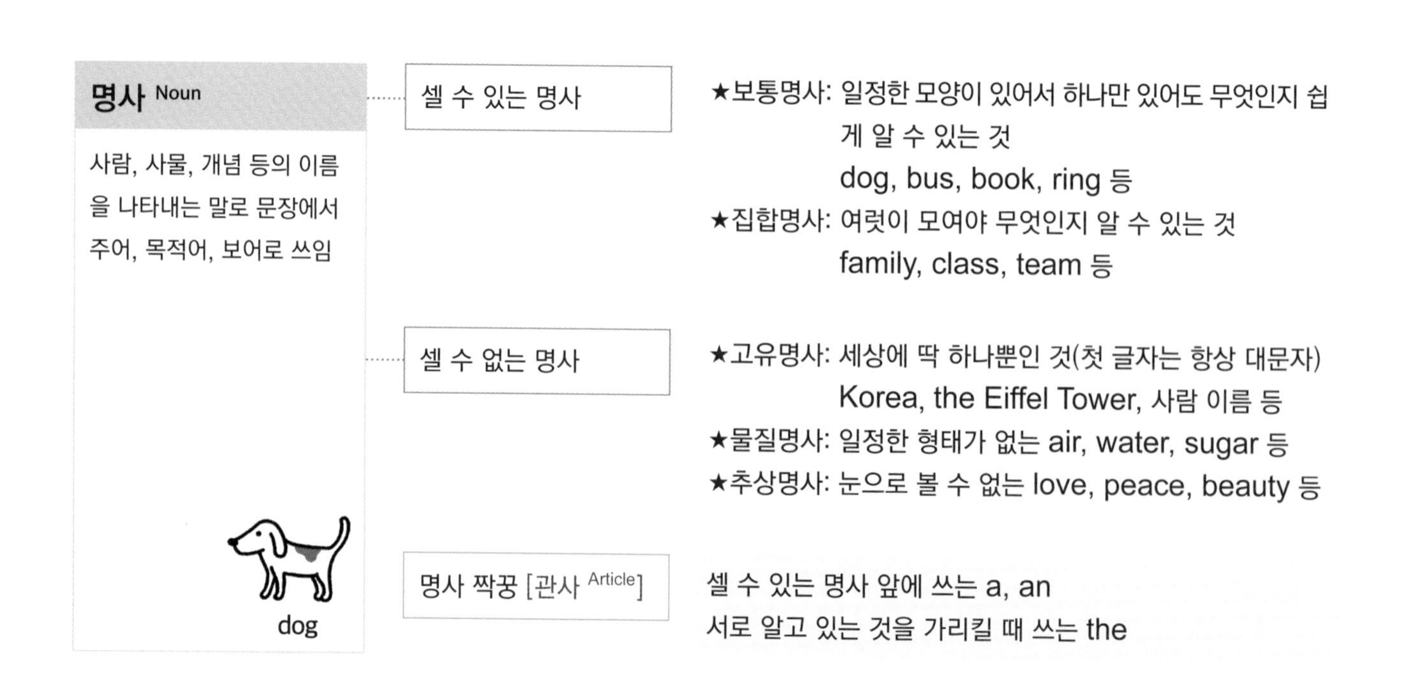

명사 Noun

사람, 사물, 개념 등의 이름을 나타내는 말로 문장에서 주어, 목적어, 보어로 쓰임

dog

셀 수 있는 명사

★보통명사: 일정한 모양이 있어서 하나만 있어도 무엇인지 쉽게 알 수 있는 것
dog, bus, book, ring 등

★집합명사: 여럿이 모여야 무엇인지 알 수 있는 것
family, class, team 등

셀 수 없는 명사

★고유명사: 세상에 딱 하나뿐인 것(첫 글자는 항상 대문자)
Korea, the Eiffel Tower, 사람 이름 등

★물질명사: 일정한 형태가 없는 air, water, sugar 등

★추상명사: 눈으로 볼 수 없는 love, peace, beauty 등

명사 짝꿍 [관사 Article]

셀 수 있는 명사 앞에 쓰는 a, an

서로 알고 있는 것을 가리킬 때 쓰는 the

대명사 Pronoun

명사의 반복을 피하기 위해 명사 대신 쓰는 말로 명사처럼 주어, 목적어, 보어로 쓰임

지시 대명사

가까이 있는 것을 가리킬 때: this / these
멀리 있는 것을 가리킬 때: that / those

인칭대명사

사람이나 사물을 대신해서 가리키는 말
Julia is my best friend. She is nice.

Look at the dog. It is cute.

부정(不定정할 정) 대명사

불특정한 사람·사물이나 일정하지 않은 수량을 나타내는 말
one, other, some, any 등

형용사 Adjective

사람·사물의 상태나 모양, 성질, 수량 등을 설명하는 말로 명사를 꾸밈

성질, 상태, 종류 등을 나타내는 형용사

She is happy. (주어의 상태를 설명)
Mia is a kind girl. (명사의 성질을 설명)

수량 형용사

I have many friends. (많은 친구)
└ 셀 수 있는 명사
We don't have much time. (많은 시간)
└ 셀 수 없는 명사

부사 Adverb

시간, 장소, 방법, 정도, 빈도 등을 나타내는 말로 동사, 형용사, 다른 부사, 또는 문장 전체를 꾸밈

It is very expensive. (매우 비싼: 형용사 expensive 꾸밈)

They live happily. (행복하게 산다: 동사 live 꾸밈)

You got up too late. (너무 늦게: 부사 late 꾸밈)

Fortunately, I passed the test. (다행스럽게도: 문장 전체 꾸밈)

전치사 Preposition

명사나 대명사 앞에 쓰여 시간, 장소, 방향, 이유, 수단 등을 나타내는 말

on

- The store opens at 10 on Sundays. (시간)
- Mom is in the living room. (장소)
- We ran to the park. (방향)
- I go to school by bus. (수단)

접속사 Conjunction

'그러나', '그리고'처럼 두 말(단어와 단어, 구와 구, 문장과 문장)을 이어주는 말

and

등위 접속사 and, but, or	문법적으로 대등한 것을 연결 *I'm Jenny* and *I'm from Canada.* Do you like *dogs* or *cats*?
종속접속사 that, when, before, because 등	대장 역할을 하는 문장에 속해 있는 문장을 연결 I think that you are right. He stays at home when it rains. (= When it rains, he stays at home.)

감탄사 Interjection

놀람, 기쁨, 슬픔 등의 감정을 나타내며 저절로 나오는 말

ah, oops, oh, ouch, hooray, hey, wow 등	Ouch! It hurts. (아픔) Hooray! We won the game. (기쁨) Wow! What a beautiful day! (놀람)

바로 개념 확인 2 상자 안에 주어진 단어의 품사가 무엇인지 쓰시오. Answers p. 1

A

He	looks	nice	and	happy	in	the	picture	.

B

Oh	,	I	think	so	,	too	.

03 구

'구(phrase)'는 두 개 이상의 단어가 모여서 명사, 형용사, 부사 등의 역할을 하는 것을 말한다. 다음에 배울 '절(clause)'과 달리 「주어 + 동사」를 포함하지 않는다.

The dog under the desk is sleeping.
(under the desk: 형용사구)

The dog is sleeping under the desk.
(under the desk: 부사구)

* 같은 구도 문장 안에서 역할이 다를 수 있다.

구 Phrase

두 개 이상의 단어가 모여 만들어진 말이 문장의 일부를 구성하면서 「주어+동사」를 포함하지 않는 것

명사구

문장에서 주어, 보어, 목적어로 쓰임
Thinking of you makes me smile. (주어)
This is a very interesting story. (보어)
I don't like anything too sweet. (목적어)

형용사구

(대)명사를 꾸미거나 보어로 쓰임
I have bread to eat for lunch. (명사 bread를 꾸밈)
They are in a great hurry. (보어)

부사구

동사, 형용사, 다른 부사 또는 문장 전체를 꾸밈
The horse runs extremely fast. (동사 runs를 꾸밈)
To be honest, the story is boring. (문장 전체를 꾸밈)

바로 개념 확인 3 상자 안에 제시된 부분이 명사구, 형용사구, 부사구 중 무엇인지 쓰시오. Answers p. 1

01 The animals [in the zoo] are from different countries.

02 Wash your hands [before eating something].

03 Don't you want [to meet her]?

04 절

'절(clause)'은 「주어 + 동사」를 포함한 여러 단어가 모여 문장의 일부를 구성하는 것을 가리킨다. 그 중 문장의 일부이면서 다른 절과 서로 대등한 관계로 연결되어 있는 것을 등위절이라고 한다. 한 쪽이 다른 쪽에 명사, 형용사, 부사 등의 역할로 속해 있는 것은 종속절이라 하고, 이때 종속절이 속한 절을 주절이라고 부른다.

I was tired, and I wanted to go home.
(I was tired: 등위절 / and: 접속사 / I wanted to go home: 등위절)

When I am alone, I listen to music.
(When: 종속접속사 / When I am alone: 종속절(부사절) / I listen to music: 주절)

절 Clause
두 개 이상의 단어가 모여서 문장의 일부를 구성하면서 「주어 + 동사」를 포함하는 것

등위절
등위접속사 and, but, or, so로 연결
Whales live in the water, but they are not fish.
Leave now, or you'll be late.

종속절
- 명사절
- 형용사절
- 부사절

종속접속사 that, when, because, if 등으로 연결
I think that you are honest.
(명사절: 목적어로 쓰임)
Do you know when he came back?
(명사절: 목적어로 쓰임)
We need volunteers who can speak Chinese.
(형용사절: volunteers를 꾸밈)
I drank water because I was thirsty.
(부사절: 이유를 나타냄)

바로 개념 확인 4

상자 안에 제시된 부분이 등위절인지 종속절인지 쓰시오. Answers p. 1

01 The fact is [that we will fail in the end].

02 Tell me [where you hid the bag].

03 I don't like coffee, so [I ordered black tea].

04 [Though the weather got bad], the baseball game went on.

UNIT 01

문장의 형식

핵심 개념 바로 확인 I know! No idea!

- 문장을 구성하는 기본 요소는 주어, 동사, 보어, 목적어이다.

- 영어 문장에서는 동사의 종류에 따라 동사 뒤에 오는 말이 달라진다.

개념 01

1형식과 2형식

He wakes up late on weekends. (1형식)
late: 수식어 / on weekends: 수식어구

There lived a farmer in a village. (1형식)
in a village: 수식어구

She is a teacher. (2형식)

They kept silent. (2형식)

This blanket feels soft. (2형식)

1형식	주어 + 동사 There / Here + 동사* + 주어 * 존재, 왕래 등을 나타내는 동사: be동사, live, go, come 등 ** 주어가 대명사인 경우 「There / Here + 주어 + 동사」로 씀
2형식	주어 + be동사 + 보어(명사, 형용사) 주어 + 상태동사* + 보어(명사, 형용사) *keep, stay, get, become, grow, turn 등 주어 + 감각동사* + 보어 (형용사만 가능) *look, sound, feel, taste, smell

바로 개념

1 1형식에서 on weekends, in a village 같은 전치사구는 문장에서 형용사나 부사처럼 다른 것을 꾸미는 수식어 역할을 하며, 문장을 구성하는 요소에는 포함되지 않는다.
2 2형식에서 보어가 명사이면 '주어 = 보어'의 관계이고, 형용사이면 보어가 주어의 성질이나 상태를 나타낸다.
3 감각동사 뒤에는 형용사만 쓰며, 명사(구)가 오면 동사 뒤에 전치사 like(~처럼, ~같은)를 쓴다.

고르며 개념 확인

Answers p. 1

01 The baby cried very loudly. ○ 1형식 ○ 2형식

02 Here are some road safety tips to follow. ○ 1형식 ○ 2형식

03 Music is my favorite subject. ○ 1형식 ○ 2형식

04 One day Jack became famous. ○ 1형식 ○ 2형식

05 My grandfather passed away last year. ○ 1형식 ○ 2형식

06 He looks handsome in the picture. ○ 1형식 ○ 2형식

07 Jessica ran into her bedroom. ○ 1형식 ○ 2형식

쓰며 개념 정리

		주어	동사	보어
08	The movie was boring.			
09	She smiled at me.			
10	Your voice sounds strange.			
11	Here comes the bus.			
12	Leaves turn red in the fall.			

개념 02 3형식과 4형식

I played baseball yesterday. 〈3형식〉

Mia wants to learn Korean. 〈3형식〉

Can you teach me Italian? 〈4형식〉

Can you teach Italian to me? 〈3형식〉

3형식	주어 + 동사 + 목적어
4형식	주어 + 수여동사 + 간접목적어 + 직접목적어 사람(~에게) 사물(~을[를])
4형식 → 3형식	주어 + 동사 + 간접목적어 + 직접목적어 주어 + 동사 + 직접목적어 + 전치사 + 간접목적어

바로 개념

1 4형식에 쓰이는 수여동사는 두 개의 목적어를 가지며 '~에게 …을 해 주다'라는 뜻이다.

2 4형식 → 3형식: 간접목적어와 직접목적어의 위치를 바꾸고 동사에 따라 간접목적어 앞에 전치사 to, for, of를 쓴다.

to를 쓰는 동사	give, lend, send, pass, sell, tell, show, teach, bring, write, offer 등
for를 쓰는 동사	make, buy, cook, get, find, build 등
of를 쓰는 동사	ask

고르며 개념 확인

Answers p. 1

01 Ms. Smith gave a big smile ○ for ○ to us.

02 The reporter asked ○ him a question ○ a question him .

03 Julia made paper airplanes ○ for ○ to her daughter.

04 I got a glass of water ○ of ○ for the old lady.

05 Can you ○ lend to me ○ lend me your textbook?

06 My best friend showed his postcards ○ for ○ to me.

쓰며 개념 정리

07 나는 그에게 우산을 가져다주었다. (bring) I ______ an umbrella.

08 엄마는 나에게 용돈을 주신다. (give) Mom ______ pocket money.

09 그는 우리에게 이상한 이야기를 했다. (tell) He ______ a strange story.

10 너는 그녀에게 편지를 보냈니? (send) Did you ______ her?

11 그는 조카에게 인형을 사 주었다. (buy) He ______ his niece.

12 소금을 나에게 건네줄래? (pass) Can you ______ the salt?

바로 개념 확인 노트

Answers p. 1

개념 01 1형식과 2형식

1 1형식에서 전치사구는 형용사나 ______ 처럼 다른 것을 꾸미는 수식어 역할을 하며, 문장을 구성하는 요소에는 포함되지 않는다.

2 2형식에서 보어가 ______ 이면 '주어 = 보어'의 관계이고, ______ 이면 보어가 주어의 성질이나 상태를 나타낸다.

3 감각동사 뒤에는 형용사만 쓰며, 명사(구)가 오면 동사 뒤에 전치사 ______ (~처럼, ~같은)를 쓴다.

1형식	주어 + 동사	
	There / Here + ______ + ______	* 존재, 왕래 등을 나타내는 동사: be동사, live, go, come 등 ** 주어가 대명사인 경우 「There / Here + 주어 + 동사」로 씀
2형식	주어 + be동사 + 보어(명사, 형용사)	
	주어 + 상태동사* + 보어(명사, 형용사)	*keep, stay, get, become, grow, turn 등
	주어 + 감각동사* + 보어 (형용사만 가능)	*look, sound, feel, taste, smell

개념 02 3형식과 4형식

1 4형식에 쓰이는 수여동사는 두 개의 ______ 를 가지며 '~에게 …을 해 주다'라는 뜻이다.

2 4형식 → 3형식: 간접목적어와 직접목적어의 위치를 바꾸고 동사에 따라 ______ 앞에 전치사 to, for, of를 쓴다.

to를 쓰는 동사	give, lend, send, pass, sell, tell, show, teach, bring, write, offer 등
for를 쓰는 동사	make, buy, cook, get, find, build 등
of를 쓰는 동사	ask

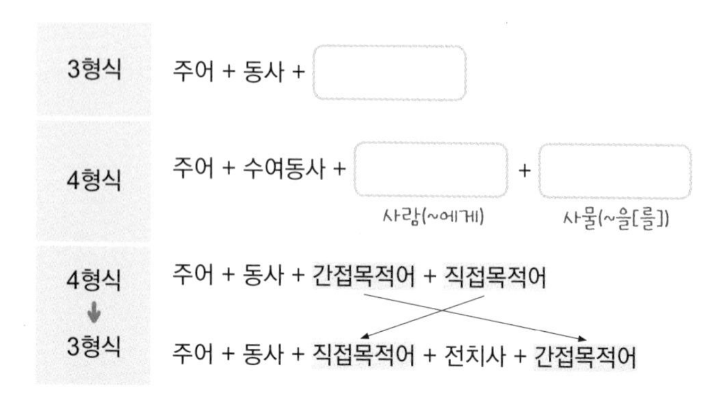

A 다음 문장에서 밑줄 친 부분을 어법에 맞게 고치시오.

01 The jacket looks nicely on you.

02 Mr. Pearson teaches math us.

03 There a wise king lived in the kingdom.

04 He made a desk to his daughter.

05 This body lotion smells the ocean.

06 Would you lend for me the book?

07 My grandmother stayed healthily until 100.

08 That doesn't sound like right to me.

B 다음 괄호 안의 표현을 바르게 배열하여 문장을 완성하시오.

01 그녀는 똑같은 대답에 지쳤다. (became, she, of, tired)

→ ________ the same answer.

02 Brown 선생님은 모든 학생에게 편지를 썼다. (every, a letter, wrote, student)

→ Mr. Brown ________.

03 그 회사는 노숙자들에게 일자리를 제공한다. (the homeless, jobs, offers, to)

→ The company ________.

04 책장에 책이 많이 있다. (are, books, there, many)

→ ________ on the bookshelf.

05 우리는 자전거 타는 것을 좋아한다. (riding, bikes, our, like)

→ We ________.

06 가장 친한 친구가 나에게 부탁을 했다. (a favor, asked, me, of)

→ My best friend ________.

07 이 치약은 박하 맛이 난다. (like, mint, tastes)

→ This toothpaste ________.

배열하여 문장 쓰기

001 문에서 노크 소리가 들린다. (on the door, is, there, a knock)

There is a knock on the door.

002 그녀는 나에게 꽃을 사 주었다. (flowers, she, me, bought)

003 보름달은 곧 더 작아질 것이다. (will, a full moon, smaller, soon become)

004 새로운 영어 선생님이 오신다. (comes, the new English teacher, here)

005 너는 좀비처럼 보인다. (like, you, a zombie, look)

006 나는 모든 수업 시간에 잠이 온다. (sleepy, in every class, feel, I)

007 할아버지께서는 우리에게 재미있는 이야기를 해 주셨다. (a funny story, us, my grandfather, told)

008 엄마는 내게 항상 도움이 되는 조언을 해 주신다. (gives, helpful advice, to, always, me, Mom)

★ 빈도부사는 일반동사 앞에 쓰는 것에 주의

Answers p. 1

표현 이용하여 문장 쓰기

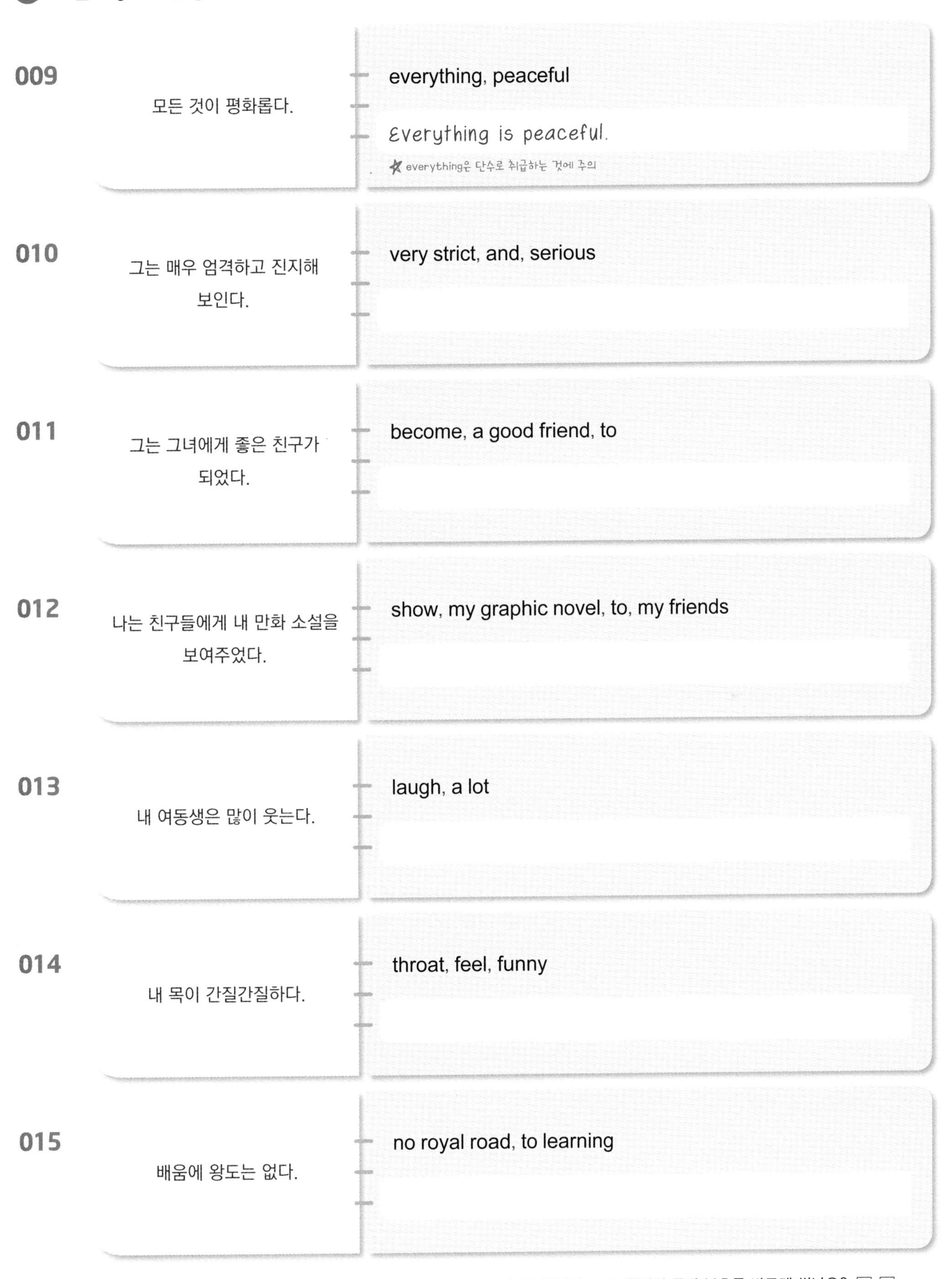

009 모든 것이 평화롭다.
everything, peaceful
Everything is peaceful.
everything은 단수로 취급하는 것에 주의

010 그는 매우 엄격하고 진지해 보인다.
very strict, and, serious

011 그는 그녀에게 좋은 친구가 되었다.
become, a good friend, to

012 나는 친구들에게 내 만화 소설을 보여주었다.
show, my graphic novel, to, my friends

013 내 여동생은 많이 웃는다.
laugh, a lot

014 내 목이 간질간질하다.
throat, feel, funny

015 배움에 왕도는 없다.
no royal road, to learning

[Self-Editing Checklist] 대 • 소문자를 바르게 썼나요? Y N 철자와 문장 부호를 바르게 썼나요? Y N

개념 03 5형식 1

월 일

I found the question difficult.
(질문이 / 어려운)

Everyone thinks Leonardo da Vinci a genius.
(Leonardo da Vinci가 / 천재인)

My parents want me to be happy.
(내가 / 행복하기를)

The doctor advised him not to smoke.
(그가 / 금연하기를)

5형식	주어 + 동사* + 목적어 + 형용사 *find, keep, leave, make 등 주어 + 동사* + 목적어 + 명사 *name, call, choose, think, make 등 주어 + 동사* + 목적어 + to부정사 *want, ask, tell, allow, expect, advise, order 등

바로 개념

1 5형식은 「주어+동사+목적어+목적격 보어」로 이루어져 있고, 목적격 보어로 형용사, 명사, to부정사, 동사원형, 분사 등을 쓸 수 있다.
2 목적격 보어가 명사이면 '목적어 = 보어'의 관계이고, 형용사이면 보어가 목적어의 성질이나 상태를 나타낸다.
3 목적격 보어가 to부정사일 때 보어는 목적어가 하는 동작을 나타내며, 부정은 「not+to부정사」로 나타낸다.

고르며 개념 확인

Answers p. 2

01 A cup of hot chocolate keeps you ○ warm ○ warmly .
02 People ○ called ○ advised the thief Shadow.
03 Mr. White expects his students ○ to study ○ study hard.
04 Did you find the movie ○ interests ○ interesting ?
05 This wallpaper will make my room ○ cozily ○ cozy .
06 I really want my sister ○ to forgive ○ forgive me.
07 Mom told us ○ to go ○ go to bed before 10.

쓰며 개념 정리

08 Jenny named ______.
09 She asked me ______.
10 The seat belt keeps ______.
11 Dad never allows me ______.
12 They chose ______.

- you safe
- to stay out late
- him president
- to help her sister
- her dog Cash

개념 04 5형식 2

월 일

Police made a car stop.
(차를 / 멈추게)

Mom got me to stop eating junk foods.
(내가 / 그만두게)

Mike helped me (to) move the boxes.
(내가 / 옮기는 것을)

I heard something fall on the floor.
(무언가 / 떨어지는)

The lady couldn't see a bike coming. 자전거가 오는 것을

5형식	주어 + 사역동사* + 목적어 + 동사원형 *make, have, let 등
	주어 + 지각동사* + 목적어 + 동사원형 / 현재분사(-ing) *see, watch, hear, smell, feel, look at, listen to 등

바로 개념

1 5형식에서 '시키다, ~을 하게 하다'라는 의미를 가지는 사역동사를 쓸 경우 목적격 보어로 동사원형을 쓴다.
2 준사역동사 get은 목적격 보어로 to부정사를 쓰며, '~하도록 시키다'라는 의미이다.
3 준사역동사 help는 목적격 보어로 동사원형 또는 to부정사를 둘 다 쓰며, 의미상의 차이는 없다.
4 5형식에서 지각동사를 쓸 경우 목적격 보어로 동사원형이나 현재분사(진행 중인 동작 강조)를 쓴다.

고르며 개념 확인

Answers p. 2

01 My parents let me ○ go ○ to go to a movie on Friday night.

02 I heard my brother ○ to sing ○ singing in his room.

03 My English teacher made us ○ to read ○ read the textbook.

04 Ms. Green got her children ○ to clean ○ clean their rooms by themselves.

05 We all listened to you ○ talking ○ to talk about the problem.

06 I watched some sailors ○ dive ○ to dive into the water.

07 The clerk helped the old man ○ carrying ○ carry the basket.

쓰며 개념 정리

08 Mr. Anderson had me ________.

09 Julia saw butterflies ________.

10 We smelled something ________.

11 This jacket makes you ________.

12 She got her daughter ________.

- flying around her
- look taller
- burning in the car
- to learn swimming
- attend his class

Answers p. 2

개념 03 5형식 1

1 5형식은 「주어 + 동사 + 목적어 + 목적격 보어」로 이루어져 있고, 목적격 보어로 형용사, 명사, [ ], 동사원형, 분사 등을 쓸 수 있다.

2 목적격 보어가 [ ]이면 '목적어 = 보어'의 관계이고, [ ]이면 보어가 목적어의 성질이나 상태를 나타낸다.

3 목적격 보어가 to부정사일 때 보어는 목적어가 하는 [ ]을 나타내며, 부정은 「not + to부정사」로 나타낸다.

5형식	주어 + 동사* + 목적어 + [ ]	*find, keep, leave, make 등
	주어 + 동사* + 목적어 + [ ]	*name, call, choose, think, make 등
	주어 + 동사* + 목적어 + [ ]	*want, ask, tell, allow, expect, advise, order 등

개념 04 5형식 2

1 5형식에서 '[ ], ~을 하게 하다'라는 의미를 가지는 사역동사를 쓸 경우 목적격 보어로 동사원형을 쓴다.

2 준사역동사 get은 목적격 보어로 [ ]를 쓰며, '~하도록 시키다'라는 의미이다.

3 준사역동사 [ ]는 목적격 보어로 동사원형 또는 to부정사를 둘 다 쓰며, 의미상의 차이는 없다.

4 5형식에서 지각동사를 쓸 경우 목적격 보어로 동사원형이나 [ ](진행 중인 동작 강조)를 쓴다.

5형식	주어 + 사역동사* + 목적어 + 동사원형	*[ ], [ ], [ ] 등
	주어 + 지각동사* + 목적어 + 동사원형 / 현재분사(-ing) *see, watch, hear, smell, feel, look at, listen to 등	

바로 기본 확인 노트

개념 03–04

Answers p. 2

A 다음 빈칸에 들어갈 말을 〈보기〉에서 골라 알맞은 형태로 쓰시오. (단, 한 번씩만 사용할 것)

보기	follow	repair	empty	water	wash	play	nervous

01 I want you ______ the plants.

02 Can you help me ______ my bike?

03 Did you see Julia ______ the piano in the concert?

04 The store manager found the safe ______. ✰ safe: 금고

05 Going to the audition made him ______.

06 Mr. Brown had the students ______ the rules.

07 She made the kids ______ their hands first.

B 다음 문장의 밑줄 친 부분을 바르게 고쳐 쓰시오.

01 Dad let me watching TV after I finished my homework.

→ Dad ______ after I finished my homework.

02 My science teacher told us hand in the essay by tomorrow.

→ My science teacher ______ the essay by tomorrow.

03 I heard Lisa talks about a new history teacher.

→ I heard ______ a new history teacher.

04 Mr. Smith wants his son taking tennis lessons.

→ Mr. Smith ______ tennis lessons.

05 Emma asked her daughter feeding the cat.

→ Emma asked ______ the cat.

06 I watched people to live in tents on TV.

→ I watched ______ in tents on TV.

07 My friends and I helped a man in a wheelchair going up the stairs.

→ My friends and I helped ______ up the stairs.

배열하여 문장 쓰기

016 그는 초인종이 울리는 것을 들었다. (ring, he, the doorbell, heard)

He heard the doorbell ring.

017 나는 사람들이 진실을 알기를 원했다. (know, wanted, to, the truth, people, I)

018 우리는 산 위로 해가 떠오르는 것을 보았다. (over the mountain, we, the sun, saw, rising)

019 사람들은 뉴욕시를 빅애플이라고 부른다. (the Big Apple, call, people, New York City)

020 그들은 그에게 턱수염을 기르지 말라고 말했다. (they, a beard, him, stop growing, told, to)

021 그녀는 나무들을 초록색으로 칠했다. (green, she, the trees, painted)

022 내 일을 스스로 할 수 있게 두어라. (myself, take care of, let, things, me)

023 여러분은 세상을 더 나은 곳으로 만들 수 있다. (a better place, make, you, the world, can)

Answers p. 2

표현 이용하여 문장 쓰기

024 나는 네가 집에 일찍 오기를 바란다.

want, come home early

I want you to come home early.

025 Abraham Lincoln은 턱수염을 대중적으로 만들었다.

make, beards, popular

026 그는 누군가 숲속에서 그를 따라오는 것을 느꼈다.

feel, someone, follow, him, in the woods

027 그는 내가 의자 만드는 것을 도와주었다.

help, me, make the chair

028 선생님께서는 우리에게 계단에서 뛰지 말라고 말하셨다.

the teacher, tell, run, on the stairs

029 나는 Amy가 아이들에게 책을 읽어주는 것을 보았다.

see, read a book, to the children

030 우리는 그런 사람들을 유명 인사라고 부른다.

such people, celebrities

[Self-Editing Checklist] ✔ 대 • 소문자를 바르게 썼나요? Y N ✔ 철자와 문장 부호를 바르게 썼나요? Y N

대표유형 01 1형식, 2형식, 3형식

01 다음 문장의 빈칸에 들어갈 수 없는 것은?

The young man looked ________.

① happy ② lovely ③ wealthy
④ kindly ⑤ friendly

02 다음 문장 중 어법상 어색한 것은?

① Here comes the train.
② She sneezed loudly.
③ This tea tastes honey.
④ My sister wrote this letter.
⑤ I looked carefully at his face.

03 다음 중 〈보기〉의 문장과 형식이 같은 것은?

보기 The bananas turned brown.

① I opened the door slowly.
② She speaks very fast.
③ I eat breakfast every morning.
④ My mother fixed my computer.
⑤ This apple pie smells really good.

대표유형 02 3형식과 4형식

04 다음 4형식을 3형식으로 바르게 바꾼 것은?

My father made me a swing.

① My father made a swing me.
② My father made a swing to me.
③ My father made a swing for me.
④ My father made a swing of me.
⑤ My father made a swing at me.

05 다음 중 빈칸에 to를 쓸 수 없는 것은?

① Alain taught French ________ me.
② I won't lend my T-shirt ________ you.
③ Don't give my number ________ him.
④ Ann bought a toy ________ her son.
⑤ Did you send the report ________ her?

06 다음 중 밑줄 친 동사의 쓰임이 나머지 넷과 다른 것은?

① I'll show you the way out.
② He introduced himself to me.
③ Would you pass me the salt?
④ Please get me a glass of cold water.
⑤ Emma asked me a few questions.

대표유형 03 5형식 1_목적격 보어가 명사, 형용사, to부정사

07 다음 중 밑줄 친 부분의 역할이 나머지 넷과 다른 것은?

① She always keeps her room clean.
② Nobody at school calls me a coward.
③ They nicknamed me Ghost.
④ Brian kept us busy all day.
⑤ Mom made me a nice skirt.

08 다음 문장의 빈칸에 들어갈 수 있는 것을 모두 고르면?

The police ________ people to stay inside.

① kept ② told ③ called
④ asked ⑤ found

09 다음 중 밑줄 친 부분의 쓰임이 나머지 넷과 다른 것은?

① He made me a teacher.
② The song made us comfortable.
③ Exercising makes you healthy.
④ Rainy days make me lazy.
⑤ My uncle made me a kite.

10 다음 문장의 밑줄 친 단어의 형태로 알맞은 것은?

I wanted him join our dancing club.

① to join ② joined ③ joining
④ be joined ⑤ to be joined

11 다음 우리말과 같도록 ①~⑤를 바르게 배열하여 문장을 만들 때 다섯 번째에 오는 것은?

우리는 그녀를 대표로 선출할 것이다.

① elect ② her ③ we
④ will ⑤ leader

Answers p. 2

12 다음 중 밑줄 친 부분을 바르게 고친 것을 모두 고르면?

① The bird kept the eggs warming. (→ warmly)
② I got my son wash the dishes. (→ to wash)
③ She won't allow me go fishing. (→ going)
④ Their gestures made him angrily. (→ anger)
⑤ He found taking pictures interestingly. (→ interesting)

대표유형 04 5형식 2_지각동사와 사역동사

13 다음 중 밑줄 친 made 대신 쓸 수 있는 것은?

Ms. Smith made us read a lot of poetry.

① asked ② told ③ had
④ wanted ⑤ advised

14 다음 문장의 빈칸에 들어갈 수 없는 것은?

Chris ________ his best friend crying.

① saw ② heard ③ watched
④ helped ⑤ listened to

15 다음 중 밑줄 친 부분의 쓰임이 나머지 넷과 다른 것은?

① What made you do all this?
② The documentary made me cry.
③ I make clothes for my mom and for myself.
④ Ms. White makes us close our eyes before an exam.
⑤ My friends always make me laugh.

16 다음 중 밑줄 친 부분의 쓰임이 알맞은 것은?

① Laughter makes people happily.
② I heard someone call my name.
③ Warm milk helps you falling asleep.
④ My parents don't let me to adopt a dog.
⑤ She felt the house to shake last night.

17 다음 두 문장을 한 문장으로 바르게 연결한 것은?

I saw Tom. He was walking his dog.

① I saw Tom walked his dog.
② I saw Tom to walk his dog.
③ I saw Tom walking his dog.
④ I saw Tom and walk his dog.
⑤ I saw Tom for walking his dog.

대표유형 05 통합형

18 다음 빈칸에 들어갈 말을 순서대로 바르게 짝지은 것은?

- The news made me ________ awful.
- I heard the children ________ loudly.
- He advised me ________ my dreams.

① feel — cheering — follow
② feel — to cheer — to follow
③ feel — cheer — to follow
④ to feel — cheer — follow
⑤ to feel — to cheer — follow

19 다음 문장 중 어법상 어색한 것을 모두 고르면?

① May I ask a favor to you?
② The song made the band famous.
③ Will you make me a tuna sandwich?
④ The witness saw a man to leave the house.
⑤ You don't expect me to help you, do you?

20 다음 문장 중 어법상 옳은 것끼리 묶은 것은?

ⓐ It sounds a good plan to me.
ⓑ Don't leave the window open.
ⓒ Mom got me set the table.
ⓓ The coach watched the players run.
ⓔ Jack gave his umbrella for me.

① ⓐ, ⓔ ② ⓑ, ⓒ ③ ⓐ, ⓓ
④ ⓑ, ⓓ ⑤ ⓒ

01 다음 문장을 괄호 안의 지시대로 바꿔 쓰시오.

(1) My dad bought me a computer for my birthday. (3형식으로)

➜ ____________________

(2) She sent text messages to me. (4형식으로)

➜ ____________________

(3) I found that this translation app was very useful. (5형식으로)

➜ ____________________

02 다음 두 문장을 이용하여 그림의 상황을 묘사하는 한 문장을 쓰시오.

(1)

I saw your sister. She was playing the guitar in the park.

➜ ____________________

(2)

The phone was ringing. He didn't hear it.

➜ ____________________

03 다음 표를 보고, Julia의 부모님이 Julia에게 <u>허락하는 일</u>과 <u>허락하지 않는 일</u>을 〈조건〉에 맞게 쓰시오.

Do	bring friends home
Don't	go out in the evening alone

[조건] 1. 허락하는 일은 allow를 사용할 것
2. 허락하지 않는 일은 let을 사용할 것

Do Julia's parents ____________________.

Don't Julia's parents ____________________.

[Self-Editing Checklist] ✔ 대 · 소문자를 바르게 썼나요? Y N ✔ 철자와 문장 부호를 바르게 썼나요? Y N

UNIT 02

시제

핵심 개념 바로 확인 I know! ☺ No idea! ☹

- 시제는 어떤 사건이나 동작이 일어난 시점을 표현한 것으로 동사의 형태를 바꿔서 나타낸다. 

개념 05 과거, 현재, 미래 시제

월 일

I went to bed early last night. 〈과거의 동작〉

I always go to bed at 10. 〈습관〉

I will go to bed early tomorrow. 〈미래의 계획〉

Let me know when the movie begins. 〈시간을 나타내는 부사절〉

과거 시제	현재 시제	미래 시제
was, were / 일반동사 과거형	am, are, is / 일반동사 현재형	will / be going to
① 과거의 동작 · 상태 ② 역사적 사실	① 현재의 동작 · 상태 ② 일반적인 사실, 습관 ③ 불변의 진리, 속담	미래에 일어날 일이나 계획
yesterday, ago, last ~, in+과거년도, at that time, then 등	now, always, every ~, on weekends, at this moment, once a week 등	tomorrow, soon, in the future, next ~ 등

바로 개념

1 가까운 미래의 확정된 계획이나 비행기, 영화 등의 스케줄은 현재 시제로 미래를 나타낼 수 있다.
2 왕래발착동사(go, come, depart, arrive, leave, begin, start 등)는 현재 시제로 미래를 나타낼 수도 있다.
3 시간과 조건을 나타내는 부사절(접속사 when, after, if 등이 있는 절)에서는 미래에 일어날 일도 현재 시제로 쓴다.
4 will *vs*. be going to: will은 주로 예정되지 않은 미래의 일을 나타내고, be going to는 미리 계획한 일을 나타낸다.

고르며 개념 확인

Answers p. 3

01 I will hang out with my friends ○ tonight ○ last night .
02 They first won the championship ○ now ○ in 1987 .
03 Helen will be a singer when she ○ will become ○ becomes 25 years old.
04 My father and I go jogging ○ every day ○ yesterday .
05 Brian ○ works ○ worked in an ice cream shop two years ago.
06 We are going ○ buy ○ to buy a new car next month.
07 What did you do ○ at that time ○ at this moment ?

쓰며 개념 정리

08 지난 금요일에 우리는 낚시하러 갔다. (go) Last Friday, ________ fishing.
09 집에 도착하면 내게 문자해. (get) Text me when ________ home.
10 그녀는 2010년에 대학교를 졸업했다. (graduate) ________ from university in 2010.
11 나는 올해 수영하는 법을 배울 것이다. (learn) ________ how to swim this year.
★12 일 년은 12개월이다. (be) ________ twelve months in a year.

★「There + be 동사」 구문을 활용

진행 시제

월 일

I was sleeping at 7 a.m. this morning.
〈과거 특정 시점〉

It is snowing now in New York.
〈현재 진행 중인 상태〉

When I met Mark and Julia, they were walking their dogs.

We are preparing dinner right now.

과거 진행 시제	현재 진행 시제
was / were+동사원형+-ing	am / are / is+동사원형+ -ing
~하고 있었다, ~하는 중이었다	~하고 있다, ~하는 중이다
과거 특정 시점에 진행 중이었던 동작이나 상태	현재 진행 중인 동작이나 상태

1 진행 시제는 특정 시점에 진행 중인 동작이나 상태를 나타낼 때 사용하며 「be동사+동사원형+-ing」의 형태이다.
2 현재 진행 시제로 가까운 미래에 이미 예정된 일이나 계획을 나타낼 수도 있다.
3 소유(have, own, belong, need, want 등), 감정(like, love, hate 등), 감각(see, taste, smell, sound 등), 인식(know, understand, believe 등)과 같이 상태를 나타내는 동사는 보통 진행형으로 쓰지 않는다. 단, have가 '먹다'와 '시간을 보내다'의 의미일 때는 진행형으로 쓸 수 있다.

고르며 개념 확인

Answers p. 3

01 The house ○ has ○ is having many windows.
02 What ○ are ○ were you doing at 7 p.m. yesterday?
★03 Look! The police officers ○ run ○ are running after the thief on the street.
★ Look!(봐!)은 현재 진행 시제와 자주 쓰이는 표현이다.
04 All of the students ○ love ○ are loving Mr. Jackson's math class.
05 Thomas ○ was believing ○ believed the rumors about the politician.
06 I ○ was ○ am not paying attention to the teacher at that time.
07 This spaghetti ○ tastes ○ is tasting great. I want some more.

쓰며 개념 정리

08 그는 3년 전에 베트남에서 살았다. (live) ______ in Vietnam three years ago.
09 네가 전화했을 때 나는 울고 있었다. (cry) When you called me, ______.
10 그녀는 매일 영어를 공부한다. (study) ______ English every day.
11 그들은 한국에서 즐거운 시간을 보내는 중이다. (have) ______ a great time in Korea.
12 우리는 오늘 공원에 갈 것이다. (go) ______ to the park today.

개념 05 과거, 현재, 미래 시제

1 가까운 미래의 확정된 계획이나 비행기, 영화 등의 스케줄은 ______ 시제로 미래를 나타낼 수 있다.

2 왕래발착동사(go, come, depart, arrive, leave, begin, start 등)는 ______ 시제로 미래를 나타낼 수도 있다.

3 ______ 과 ______ 을 나타내는 부사절(접속사 when, after, if 등이 있는 절)에서는 미래에 일어날 일도 현재 시제로 쓴다.

4 will *vs*. be going to: ______ 은 주로 예정되지 않은 미래의 일을 나타내고, ______ 는 미리 계획한 일을 나타낸다.

과거 시제	현재 시제	미래 시제
was, were / 일반동사 과거형	am, are, is / 일반동사 현재형	will / be going to
① 과거의 동작 · 상태 ② ______ 사실	① 현재의 동작 · 상태 ② 일반적인 사실, ______ ③ 불변의 진리, 속담	미래에 일어날 일이나 ______
yesterday, ago, last ~, in+과거년도, at that time, then 등	now, always, every ~, on weekends, at this moment, once a week 등	tomorrow, soon, in the future, next ~ 등

개념 06 진행 시제

1 진행 시제는 특정 시점에 진행 중인 동작이나 상태를 나타낼 때 사용하며 「be동사 + 동사원형 + -ing」의 형태이다.

2 ______ 진행 시제로 가까운 미래에 이미 예정된 일이나 계획을 나타낼 수도 있다.

3 ______ (have, own, belong, need, want 등), 감정(like, love, hate 등), ______ (see, taste, smell, sound 등), 인식(know, understand, believe 등)과 같이 상태를 나타내는 동사는 보통 진행형으로 쓰지 않는다. 단, ______ 가 '먹다'와 '시간을 보내다'의 의미일 때는 진행형으로 쓸 수 있다.

과거 진행 시제	현재 진행 시제
______ + 동사원형 + -ing	______ + 동사원형 + -ing
~하고 있었다, ~하는 중이었다	~하고 있다, ~하는 중이다
과거 특정 시점에 진행 중이었던 동작이나 상태	현재 진행 중인 동작이나 상태

바로 기본 확인 노트

개념 05–06

Answers p. 4

A 다음 문장의 밑줄 친 부분을 바르게 고치시오.

01 Thomas takes a vacation to Paris last month.

02 A good medicine is tasting bitter.

03 It was rainy and chilly tomorrow morning.

04 My grandparents are always loving me.

05 Jake and I will visit the science museum yesterday.

06 Emma watched dramas every evening.

07 I am having different kinds of coins from around the world.

08 Liam will going to see a dentist this Friday.

B 다음 문장을 지시대로 바꿔 쓰시오.

01 She takes off her shoes.

과거 시제로 →

과거 진행 시제로 →

미래 시제로 →

02 I was baking some cookies for my sister.

과거 시제로 →

현재 진행 시제로 →

미래 시제로 →

03 They are going to drink a cup of coffee.

과거 시제로 →

과거 진행 시제로 →

현재 진행 시제로 →

비교하며 문장 쓰기

			표현 노트
031	기차는 30분 안에 떠날 것이다.	The train will leave in half an hour.	will, leave
	기차는 30분 전에 떠났다.	The train left half an hour ago.	
032	그는 지금 한국에 머무는 중이다.	now.	stay in Korea
	그는 그때 한국에 머무는 중이었다.	then.	
033	때때로 나는 두통에 시달린다.	Sometimes	suffer from a headache
	지난밤에 나는 두통에 시달렸다.	Last night,	
034	그는 항상 너무 많은 것을 산다.		buy, too many things
	그는 오늘 너무 많은 것을 샀다.	today.	
035	그들은 복도에서 대화하는 중이었다.	in the hallway.	talk
	그들은 복도에서 대화를 했다.		
036	우리는 작년에 스페인으로 여행 갔다.		travel to, be going to
	우리는 내년에 스페인으로 여행 갈 것이다.		
037	나는 헌 옷으로 가방을 만들 것이다.	from old clothes.	will, make bags
	나는 헌 옷으로 가방을 만들었다.		
038	나는 식물에 관한 기사를 읽는 중이다.	about plants.	read an article
	나는 식물에 관한 기사를 읽었다.		

Answers p. 4

표현 이용하여 문장 쓰기

039 어제 십 대 한 명이 노인의 생명을 구했다.

a teenager, save, the life of an old man

Yesterday a teenager saved the life of an old man.

040 아빠는 대개 늦게 퇴근하신다.

my father, usually, come home late from work

041 더 많은 어려움이 나를 기다리고 있었다.

more difficulties, were, wait for

042 박테리아는 아주 작은 생명체이다.

bacteria, very small creature

★ bacteria는 bacterium의 복수형

043 그녀는 무료 공연을 즐기러 아트센터를 방문할 것이다.

visit the art center, enjoy a free concert

044 그 영화는 극장에서 상영 중이다.

play, at the theater

045 왕은 신하들과 저녁을 먹는 중이었다.

the king, have, with his officials

[Self-Editing Checklist] ✔ 대 • 소문자를 바르게 썼나요? Y N ✔ 철자와 문장 부호를 바르게 썼나요? Y N

개념 07 현재완료 시제 1

월 일

I have lived in this house for ten years.
10년 동안

He has not met his cousin since 2016.
2016년부터

Have you seen a UFO? — No, I haven't.

How have you been? — I've been fine.

긍정문	주어+have [has]+과거분사 ~.
부정문	주어+have [has]+not+과거분사 ~.
의문문	Have [Has]+주어+과거분사 ~? — Yes, 주어+have [has]. / No, 주어+haven't [hasn't]. 의문사+have [has]+주어+과거분사 ~?

바로 개념

1 현재완료는 「have [has]+과거분사」의 형태로, 과거에 시작한 일이 현재까지 영향을 줄 때 사용한다. ★불규칙 동사표(40-41쪽)
2 부정문에서 have not은 haven't로, has not은 hasn't로 줄여 쓸 수 있다.
3 과거 시점을 나타내는 부사(구)인 yesterday, ago, last weekend 등과 의문사 when은 현재완료와 함께 쓸 수 없다.

고르며 개념 확인

Answers p. 4

01 It ○ has rained ○ rained last Monday.
02 It ○ has rained ○ rained since Monday.
03 Tony and I ○ have played ○ played tennis for two hours.
04 Tony and I ○ have played ○ played tennis two hours ago.
05 I ○ have not visited ○ didn't visit America last year.
06 I ○ have not visited ○ didn't visit America since last year.

현재완료 쓰며 개념 정리

07 My parents ________ their promises. (not, break)
08 ________ to Taiwan? — No, I ________. (be)
09 ________ this cell phone for three years. (I, use)
10 The judge ________ what to say. (not, decide)
11 ________ this novel? — Yes, ________. (she, read)
12 The little girl ________ into a wonderful woman. (grow up)

개념 08 현재완료 시제 2

Have you ever heard of a "selfie"? 〈경험〉

He has played the violin since he was 7. 〈계속〉
(→시간을 나타내는 접속사; 주절의 시제: 현재완료; 종속절의 시제: 과거)

I have not eaten dinner yet. 〈완료〉

Julia has gone to Busan. 〈결과〉

용법	의미	함께 자주 쓰이는 표현
경험	~해 본 적이 있다	once, ~ times, ever, never, before 등
계속	(지금까지 계속) ~해 왔다	since(~부터), for(~ 동안), so far(지금까지), how long 등
완료	(지금) 막 ~했다	just(방금), already(이미), yet(아직, 벌써) 등
결과	~해 버렸다	go, lose, grow, leave 등

바로 개념

1 ever, never, just, already는 주로 과거분사 앞에 쓰고, once, ~ times, before, yet은 주로 문장 끝에 쓴다.
2 「전치사 for + 기간(a month, ten years 등)」, 「전치사 since + 과거 시점(childhood, 과거년도 등)」, 「접속사 since + 주어 + 동사(과거 시제)」로 쓴다.
3 have [has] been to(~에 가 본 적이 있다)는 경험을 나타내고, have [has] gone to(~에 가고 없다)는 결과를 나타낸다.

고르며 개념 확인

Answers p. 4

01 Have you ever thought about studying abroad? ○ 경험 ○ 완료
02 Emma has just finished cleaning her room. ○ 계속 ○ 완료
03 I have had a fever since last night. ○ 계속 ○ 결과
04 We have been to Busan several times. ○ 경험 ○ 완료
05 My brother has lost his brand-new smartphone. ○ 계속 ○ 결과
06 How long have you waited for this moment? ○ 계속 ○ 경험
07 They have already arrived at the airport. ○ 결과 ○ 완료

현재완료 쓰며 개념 정리

08 며칠 동안 눈이 오고 있다. (snow) ______ for days.
09 나는 기타 치는 법을 배운 적이 없다. (learn) ______ how to play the guitar.
10 그 병원은 1월부터 문을 닫았다. (be) ______ closed since January.
11 그녀는 숙제를 집에 두고 왔다. (leave) ______ her homework at home.
12 너는 전에 뱀을 만져 본 적 있니? (touch) ______ a snake before?

동사의 불규칙 변화표

A-A-A 형의 동사

원형	과거형	과거분사형
put 두다, 놓다	put	put
set 놓다, 맞추다	set	set
cost 비용이 들다	cost	cost
cast 던지다	cast	cast
read 읽다 [ri:d]	read [réd] 발음에 주의	read
let 놓아두다, 허락하다	let	let
hurt 다치다	hurt	hurt
hit 때리다, 치다	hit	hit
quit 그만두다	quit / quitted	quit / quitted
burst 터지다	burst	burst
spread 펼치다, 펴다	spread	spread
shut 닫다	shut	shut

A-B-B 형의 동사

원형	과거형	과거분사형
bring 가져오다	brought	brought
buy 사다	bought	bought
seek 찾다, 구하다	sought	sought
fight 싸우다	fought	fought
think 생각하다	thought	thought
teach 가르치다	taught	taught
catch 잡다	caught	caught
keep 유지하다	kept	kept
lend 빌려주다	lent	lent
send 보내다	sent	sent
build 짓다, 건설하다	built	built
feel 느끼다	felt	felt
spend 쓰다	spent	spent
flee 달아나다	fled	fled
bleed 피를 흘리다	bled	bled
leave 떠나다, 출발하다	left	left
mean 의미하다	meant	meant
meet 만나다	met	met
sleep 잠자다	slept	slept
light 불을 붙이다	lit / lighted	lit / lighted
hear 듣다	heard	heard
lose 잃어버리다	lost	lost
shoot 쏘다	shot	shot
dig 파다	dug	dug
hold 지니다, 잡다	held	held
shine 빛나다	shone / shined	shone / shined
hang 걸다, 매달다	hung / hanged	hung / hanged
sell 팔다	sold	sold
tell 말하다	told	told
feed 먹이다	fed	fed
lead 이끌다	led	led
sit 앉다	sat	sat
make 만들다	made	made
say 말하다	said	said
pay 지불하다	paid	paid

원형	과거형	과거분사형
lay 놓다, (알을) 낳다	laid	laid
get 얻다	got	got / gotten
have 가지다, 먹다	had	had
win 이기다	won	won
bend 구부리다	bent	bent
find 발견하다	found	found
stand 서다	stood	stood
understand 이해하다	understood	understood
spill 엎지르다	spilt / spilled	spilt / spilled

A-B-A 형의 동사

원형	과거형	과거분사형
come 오다	came	come
become 되다	became	become
run 달리다	ran	run

A-B-C 형의 동사

원형	과거형	과거분사형
be ~이다, ~에 있다	was / were	been
eat 먹다	ate	eaten
fall 떨어지다	fell	fallen
give 주다	gave	given
forgive 용서하다	forgave	forgiven
hide 숨기다, 숨다	hid	hidden
write 쓰다	wrote	written
bite 깨물다	bit	bitten
forget 잊다	forgot	forgotten
freeze 얼다	froze	frozen

원형	과거형	과거분사형
take 가지고 가다	took	taken
break 부수다	broke	broken
choose 고르다	chose	chosen
speak 말하다	spoke	spoken
wake 깨다	woke	woken
show 보여 주다	showed	shown / showed
fly 날다	flew	flown
throw 던지다	threw	thrown
grow 자라다	grew	grown
draw 그리다	drew	drawn
blow 불다	blew	blown
know 알다	knew	known
lie 눕다	lay	lain
steal 훔치다	stole	stolen
see 보다	saw	seen
go 가다	went	gone
drive 운전하다	drove	driven
rise 오르다	rose	risen
ride 타다	rode	ridden
wear 입다	wore	worn
bear 낳다, 견디다	bore	born
begin 시작하다	began	begun
drink 마시다	drank	drunk
ring 울리다	rang	rung
sing 노래다	sang	sung
swim 헤엄치다	swam	swum

개념 07 현재완료 시제 1

1 현재완료는 「have [has]+과거분사」의 형태로, 과거에 시작한 일이 ______ 까지 영향을 줄 때 사용한다.

2 부정문에서 have not은 ______ 로, has not은 ______ 로 줄여 쓸 수 있다.

3 과거 시점을 나타내는 부사(구)인 yesterday, ago, last weekend 등과 의문사 ______ 은 현재완료와 함께 쓸 수 없다.

긍정문	주어 + ______ + ______ ~.	He has worked as a nurse.
부정문	주어 + ______ + ______ + 과거분사 ~.	He ______ as a nurse.
의문문	______ + 주어 + 과거분사 ~? — Yes, 주어 + have [has]. / No, 주어 + haven't [hasn't].	______ as a nurse? — Yes, he has. / No, he hasn't.
	의문사 + have [has] + 주어 + 과거분사 ~?	How long has he worked as a nurse? — For five years.

개념 08 현재완료 시제 2

1 ever, never, just, already는 주로 과거분사 ______ 에 쓰고, once, ~ times, before, yet은 주로 문장 ______ 에 쓴다.

2 「전치사 for + ______ (a month, ten years 등)」, 「전치사 since + ______ (childhood, 과거년도 등)」, 「접속사 since+주어+동사(과거 시제)」로 쓴다.

3 have [has] ______ to(~에 가 본 적이 있다)는 경험을 나타내고, have [has] ______ to(~에 가고 없다)는 결과를 나타낸다.

용법	의미	함께 자주 쓰이는 표현
경험	~해 본 적이 있다	once, ~ times, ever, never, before 등
계속	(지금까지 계속) ~해 왔다	______ (~부터), ______ (~ 동안), so far(지금까지), how long 등
완료	(지금) 막 ~했다	______ (방금), ______ (이미), yet(아직, 벌써) 등
결과	~해 버렸다	go, lose, grow, leave 등

바로 기본 확인 노트

Answers p. 4

A 다음 우리말과 같도록 〈보기〉에서 알맞은 말을 골라 문장을 완성하시오.

보기 receive start have eat show be

01 나는 전에 태국 음식을 먹어 본 적이 있다.

→ I ______ ______ Thai food before.

02 너는 벌써 내 편지를 받았니?

→ ______ you already ______ my letter?

03 그녀는 지난 금요일부터 머리가 아팠다.

→ She ______ ______ a headache since last Friday.

04 우리는 여러 해 동안 이웃으로 지내왔다.

→ We ______ ______ neighbors for many years.

05 영화는 방금 시작했다.

→ The movie ______ just ______.

06 아직 안 온 사람은 누구니?

→ Who ______ ______ ______ up yet?

B 다음 우리말과 같도록 밑줄 친 부분을 바르게 고치시오.

01 나는 이렇게 아름다운 곳을 본 적이 없다.
I have never saw such a beautiful place.
______

02 그 음악가는 아직 계약서에 사인을 하지 않았다.
The musician have sign not the contract yet.
______

03 너는 록 페스티벌에 가 본 적이 있니?
Have you ever gone to a rock festival?
______

04 우리는 어제 쇼핑몰에 가려고 택시를 탔다.
We have took a taxi to go to the mall yesterday.
______

05 그들은 방금 호텔을 떠났다.
They have already leave the hotel.
______

06 너는 언제 자전거를 타기 시작했니?
When have you started riding a bike?
______

교과서에서 뽑은 360 문장 마스터하기

배열하여 문장 쓰기

046 그는 스페인에 두 번 가 본 적이 있다. (has, to Spain, he, twice, been)

He has been to Spain twice.

★ twice는 보통 문장의 끝에 쓴다.

047 사람들은 오랫동안 나무 집을 지어왔다. (for a long time, have, people, wooden houses, built)

048 나는 이런 것을 전에 본 적이 없다. (never, like this, I, seen, before, anything, have)

★ never는 보통 과거분사 앞에 쓰고, before는 주로 문장의 끝에 쓴다.

049 너는 해변 안전 수칙을 들었니? (have, beach safety rules, you, of, heard)

050 나는 우산 없이 비를 맞으며 달린 적이 있다. (run, without an umbrella, in the rain, have, I)

051 과학 기술의 발전은 우리 삶에 많은 변화를 가져왔다.
(caused, advances in science and technology, many, have, in our lives, changes)

052 너는 머리에 무슨 짓을 한 거니? (to, have, what, you, done, your hair)

053 나의 할머니는 기억을 잃으셨다. (lost, grandmother, memory, has, my, her)

Answers p. 5

표현 이용하여 문장 쓰기

054 여러분은 만화 역사책이나 과학책을 본 적이 있다.

see, comic history or science books

055 나는 막 숙제를 끝냈다.

just, finish, my homework

056 그는 전에 오래된 옷들을 자선 단체에 기부한 적이 있다.

donate, his old clothes, to charity, before

057 나는 내가 어렸을 때부터 그를 알았다.

know, since, a child

★「현재완료+접속사 since+주어+동사(과거 시제)」

058 너는 그 게임을 아직 안 해 봤니?

play the game, yet

059 그녀는 3년 동안 영어를 공부했다.

study English, three years

★「for+기간」

060 네가 기타 연주를 시작한 지는 얼마나 됐니?

how long, it, be, since, start, playing the guitar

★ 기간을 나타낼 때 비인칭 주어 it 사용

[Self-Editing Checklist] ✔ 대·소문자를 바르게 썼나요? Y N ✔ 철자와 문장 부호를 바르게 썼나요? Y N

대표유형 01 과거, 현재, 미래 시제

01 다음 빈칸에 들어갈 말을 바르게 짝지은 것은?

> • He ________ breakfast at 7 every day.
> • ________ you visit me next Tuesday?

① eats — Are ② eat — Will
③ ate — Did ④ eats — Will
⑤ eat — Do

02 다음 밑줄 친 부분 중 will로 바꿔 쓸 수 없는 것은?

① It is going to be cold tomorrow.
② My friends and I are going to the ballpark.
③ Peter is going to buy a new computer.
④ We are going to get there by noon.
⑤ She is going to join us for dinner tonight.

03 다음 문장 중 어법상 어색한 것은?

① The magic show starts soon.
② The library closes at 6 o'clock.
③ I read the article yesterday morning.
④ I wasn't enjoy the party last night.
⑤ World War II broke out in 1939.

대표유형 02 진행 시제

04 다음 대화의 밑줄 친 부분을 바르게 고친 것은?

> **A** Was Dave watching TV at that time?
> **B** No, he wasn't. He wash the dishes.

① washes ② washed ③ is washing
④ will wash ⑤ was washing

05 다음 문장 중 어법상 어색한 것은?

① Are you using the copy machine now?
② I was sleeping when you called me.
③ I am liking his sense of humor.
④ I wasn't paying attention to the teacher.
⑤ We were looking for a place to stay.

대표유형 03 현재완료 시제

06 다음 문장의 빈칸에 들어갈 말로 알맞은 것은?

> Someone has ________ my sandwich!

① ate ② eat ③ eaten
④ eating ⑤ was eating

07 다음 대화의 빈칸에 공통으로 알맞은 것은?

> **A** Have you ever ________ to Sydney?
> **B** Yes, I've ________ there once.

① be ② been ③ gone
④ went ⑤ being

08 다음 대화의 빈칸에 알맞은 것은?

> **A** Have you seen a ghost before?
> **B** ________________

① Yes, I did. ② Yes, you have.
③ No, I didn't. ④ No, I haven't.
⑤ No, you haven't.

09 다음 중 빈칸에 들어갈 말이 나머지 넷과 다른 것은?

① I have been very busy ________ a week.
② She has learned yoga ________ five years.
③ It has snowed a lot ________ last Monday.
④ We have been in a meeting ________ hours.
⑤ He has lived here ________ a long time.

10 다음 질문에 대한 응답으로 가장 알맞은 것은?

> How long has he worked as a cook?

① Yes, he has.
② No, he hasn't.
③ He has worked at a restaurant.
④ He has worked as a cook for three years.
⑤ He has wanted it since he was young.

Answers p. 5

11 다음 문장을 부정문으로 바르게 바꾼 것은?

I have taken a picture with my favorite actor.

① I didn't took a picture with my favorite actor.
② I didn't take a picture with my favorite actor.
③ I don't take a picture with my favorite actor.
④ I haven't take a picture with my favorite actor.
⑤ I haven't taken a picture with my favorite actor.

12 다음 〈보기〉의 밑줄 친 부분과 쓰임이 같은 것은?

보기 My mom has lost her wallet.

① They have been friends for many years.
② The artist has gone to New York.
③ Lisa has read this book five times.
④ Ed has loved dancing since he was young.
⑤ My parents have traveled to Cuba twice.

13 다음 중 밑줄 친 부분의 쓰임이 어색한 것은?
① She has already planned her vacation.
② We have just moved to a new home.
③ Have you ever rode a mountain bike?
④ I have fully prepared for the audition.
⑤ He has done volunteer work many times.

14 다음 중 밑줄 친 부분의 쓰임이 나머지 넷과 다른 것은?
① Mr. Kim has taught math for 30 years.
② I have never played chess before.
③ They have done scuba diving once.
④ Have you ever thought about these changes?
⑤ I haven't heard of the author before.

15 다음 문장 중 어법상 어색한 것은?
① Jessica has just left for Europe.
② You have had a lot of trouble so far.
③ He has not forgotten his first love.
④ I have known Brian since I am eleven.
⑤ He has been in hospital since last week.

대표유형 04 과거 시제 *vs.* 현재완료 시제

16 다음 문장의 빈칸에 들어갈 수 없는 것은?

Chris has worn glasses __________.

① for ten years ② since 2016
③ last December ④ for a long time
⑤ since he was twelve

17 다음 대화의 빈칸에 들어갈 말을 바르게 짝지은 것은?

A I ________ Mia on the street yesterday.
B Really? I ________ her since last summer.

① met — saw ② met — haven't seen
③ met — didn't see ④ have met — saw
⑤ have met — haven't seen

18 다음 중 빈칸에 들어갈 말이 나머지 넷과 다른 것은?
① ________ you tried skydiving?
② ________ you fought with your friend?
③ ________ you ever been to Africa?
④ ________ you found your puppy yet?
⑤ ________ you go to the library a week ago?

대표유형 05 통합형

19 다음 문장 중 어법상 어색한 것을 모두 고르면?
① Picasso has painted *Guernica* in 1937.
② I was waiting for the bus at that time.
③ The concert will begins in 20 minutes.
④ Who have broken the window?
⑤ It is time to take the medicine.

20 다음 중 밑줄 친 부분의 쓰임이 어색한 것은?
① It has happened several times.
② When have you finished the work?
③ She broke her arm a week ago.
④ Look! A man is climbing the building.
⑤ James Cameron is the director of the movie *Avatar*.

01 다음 그림을 보고, 괄호 안의 표현을 이용하여 대화를 완성하시오.

(1)

A What was Emma doing when you came home?

B ______________________ (sleep, the sofa)

(2)

A What are you and Andy going to do after school?

B ______________________ (ride bikes, the park)

02 다음 대화를 읽고, 괄호 안의 표현을 이용하여 밑줄 친 우리말을 영작하시오.

(1)
A 그는 얼마나 오랫동안 여기 살았니? (live, here)
B For two years.

➔ ______________________

(2)
A 너는 야구장에 가 본 적이 있니? (ever, a ballpark)
B No, I haven't.

➔ ______________________

03 Jenny와 준호의 경험을 나타낸 표를 보고, 현재완료 시제로 문장을 완성하시오.

Experience	Jenny	Junho
(1) swimming in the sea	○	X
(2) doing bungee jumping	X	○
(3) dancing on stage	X	X

(1) Jenny ______________________ many times.

(2) Junho ______________________ once.

(3) They ______________________.

[Self-Editing Checklist] ✔ 대·소문자를 바르게 썼나요? Y N ✔ 철자와 문장 부호를 바르게 썼나요? Y N

UNIT 03

조동사

09 can / may / will

10 must / should / used to

핵심 개념 바로 확인

I know! No idea!

- 조동사는 동사를 도와 추가적인 의미(능력, 추측, 의무, 허락)를 표현한다.
- 긍정문은 「조동사 + 동사원형」, 부정문은 「조동사 + not + 동사원형」, 의문문은 「조동사 + 주어 + 동사원형 ~?」의 어순이다.

개념 09 can / may / will

월 일

Chimpanzees can use tools like sticks.
능력, 가능(= are able to)

I cannot move my legs. They hurt.
불가능(= am not able to)

Can I take pictures of the paintings?
허가(= May)

James may have a smartphone addiction.
약한 추측

Don't worry. Everything will be alright.
미래 예측(= is going to)

조동사	의미		부정
can	능력 · 가능	~할 수 있다 (= be able to)	cannot [can't]
	허가	~해도 된다 (= may)	
may	약한 추측	~일지도 모른다	may not (축약형 없음)
	허가	~해도 된다 (= can)	
will	미래 예측 · 의지	~할 것이다, ~하겠다 (= be going to)	will not [won't]

바로 개념

1 can과 be able to는 둘 다 '~할 수 있다'는 의미이다. 조동사 can은 다른 조동사와 함께 쓸 수 없지만 be able to는 will be able to처럼 다른 조동사와 함께 쓸 수 있다.

2 will과 be going to는 미래의 일을 예측하거나 주어의 의지를 나타낸다.

고르며 개념 확인

Answers p. 6

01 You ○ will ○ can ask me for help at any time.

02 Ben ○ can't be ○ wasn't able to pass the final test.

*03 Robots ○ will can ○ will be able to do many things for us.
★조동사는 연달아 쓸 수 없다.

04 You ○ may not ○ must not believe this, but it's true.

05 Sophia ○ won't ○ is going to go camping. She's sick in bed.

06 ○ Will ○ Are Julia and Mike going to get married?

쓰며 개념 정리

07 네가 원한다면 지금 떠나도 된다. You ______ now if you want to. (leave)

08 미안하지만 난 너를 도울 수 없어. I'm afraid I ______ you. (help)

09 그 남자는 거짓말쟁이가 아닐지도 모른다. The man ______ a liar. (be)

10 나는 새 차를 살 것이다. I ______ a new car. (buy)

11 내일은 춥지 않을 것이다. It ______ cold tomorrow. (be)

12 그들은 암의 치료법을 찾을 수 있을 것이다. They ______ a cure for cancer. (find)

개념 10 must / should / used to

We must obey the traffic law.
의무(= have to)

Visitors must not park here.
금지(~해서는 안 된다)

You should manage your time well.
충고, 조언(= had better)

After lunch, he used to [would] take a short nap.
과거의 습관

We used to live in an apartment, but not anymore.
과거의 상태를 나타내므로 would는 쓸 수 없음

조동사	의미		부정
must	의무 · 금지	~해야 한다 (= have to)	must not (~해서는 안 된다)
	강한 추측	~임이 틀림없다	*cf.* cannot (~일 리가 없다)
should	의무 · 충고 · 조언	~해야 한다, ~하는 것이 좋다 (= had better)	should not [shouldn't] / had better not
used to	과거의 습관 · 상태	~ 하곤 했다, ~이었다	
would	과거의 습관	~하곤 했다	

바로 개념

1 must의 부정 ① must not: ~해서는 안 된다 ② don't have to [don't need to / need not]: ~할 필요가 없다
2 should는 의무, 충고, 조언의 의미를 나타내며 had better(='d better)와 바꿔 쓸 수 있다.
3 used to는 현재 지속되지 않는 과거의 습관이나 상태를 나타내고, would는 과거의 습관을 나타낸다.

고르며 개념 확인

Answers p. 6

01 Construction workers ○ must ○ mustn't wear safety helmets.

★02 I'm sure you ○ must ○ have to be thirsty after the marathon.
★ 강한 추측을 나타내는 must는 have to로 바꿔 쓸 수 없다.

03 You ○ hadn't better ○ had better not share personal information online.

04 The knife is sharp. You should ○ be ○ are careful.

05 You ○ must not ○ don't have to pay for the food. It's free.

★06 My sister and I ○ used to go ○ used to going hiking every weekend.
★ *cf.* be used to + (동)명사: ~하는 데 익숙하다

쓰며 개념 정리

07 다른 사람을 괴롭혀서는 안 된다. (금지) You [ ] others. (bully)

08 우리 엄마는 화났음이 틀림없다. (추측) My mom [ ] angry. (be)

09 목줄 없이 개를 산책시키면 안 돼. (충고) You [ ] your dog without a leash. (walk)

★10 제가 계속 안경을 껴야 하나요? (의무) Do I [ ] my glasses? (keep, wear)
★「keep + -ing」: 계속 ~하다

11 Jim은 그녀에게 전화할 필요가 없다. (불필요) Jim [ ] her. (call)

12 예전에는 여기 극장이 있었다. (현재는 없음) There [ ] a theater here. (be)

개념 09 can / may / will

1 can과 be able to는 둘 다 '　　　　'는 의미이다. 조동사 　　　　 은 다른 조동사와 함께 쓸 수 없지만 　　　　 는 will be able to처럼 다른 조동사와 함께 쓸 수 있다.

2 will과 be going to는 미래의 일을 예측하거나 주어의 의지를 나타낸다.

조동사	의미		부정
can	능력 · 가능	~할 수 있다 (= 　　　　)	축약형 쓰기 　　　　 [　　　　]
	허가	~해도 된다 (= 　　　　)	
may	약한 추측	~일지도 모른다	may not (축약형 없음)
	허가	~해도 된다 (= 　　　　)	
will	미래 예측 · 의지	~할 것이다, ~하겠다 (= 　　　　)	축약형 쓰기 　　　　 [　　　　]

개념 10 must / should / used to

1 must의 부정 ① 　　　　 : ~해서는 안 된다 ② 　　　　 [don't need to/need not]: ~할 필요가 없다

2 should는 의무, 충고, 조언의 의미를 나타내며 　　　　 (='d better)와 바꿔 쓸 수 있다.

3 used to는 현재 지속되지 않는 과거의 습관이나 상태를 나타내고, would는 과거의 습관을 나타낸다.

조동사	의미		부정
must	의무	~해야 한다 (= 　　　　)	must not [mustn't]
	강한 추측		*cf.* 　　　　 (~일 리가 없다)
should	의무, 충고, 조언	~해야 한다, ~하는 것이 좋다 (= 　　　　)	should not [shouldn't] /
	현재 지속되지 않는 과거의 습관 · 상태	~ 하곤 했다, ~이었다	
	과거의 습관	~하곤 했다	

Answers p. 6

A 다음 문장에서 밑줄 친 부분을 어법에 맞게 고치시오.

01 Jill can spoke Korean fluently.
★ 조동사 뒤에는 반드시 동사원형

02 May I exchanging this shirt for a smaller size?

03 We shouldn't to spend money on unnecessary things.

04 You must smoke not on the bus. It's against the law.

05 Can you able to control your emotions?

06 Max used to being really mean to me.

07 My brother don't need to wear a school uniform.
★ 주어가 3인칭 단수인 것에 유의

08 Many new jobs will appears as our lives change.

09 You had don't better make fun of your classmates.

10 Must Brad and Liam have to take a shower before dinner?

B 다음 우리말에 맞게 주어진 단어를 이용하여 문장을 완성하시오.

01 그들은 수화를 이해하지 못한다. (understand)

→ They ______ sign language.

02 그 소문은 거짓이 아닐지도 모른다. (false)

→ The rumor ______.

03 Beth는 아무것도 먹지 않았다. 그녀는 틀림없이 배가 고플 거다. (hungry)

→ Beth hasn't eaten anything. She ______.

04 너는 꽃을 꺾으면 안 된다. (pick)

→ You ______ the flowers.

05 너는 꽃에 물을 줄 필요가 없다. (water)

→ You ______ the flowers.

06 그녀는 3년 안에 중국어를 익힐 수 있을지도 모른다. (master)

→ She ______ Chinese in three years.
★ 조동사는 연달아 쓸 수 없으므로 be able to를 이용하기!

교과서에서 뽑은 360 문장 마스터하기

주어진 표현 이용하여 문장 쓰기

표현 노트

061 코끼리들은 밤에 잘 볼 수 없다.

Elephants

can, see, well

062 Joseph은 덩치가 큰 사람이었고, 그 나무를 쓰러뜨릴 수 있었다.

Joseph was a big man, and he

be able to, fall

063 나는 이번 주 토요일에 날씨가 화창할 것이라고 들었다.

I heard

it, be going to, sunny

064 그는 자신의 외모가 자랑스러운 게 틀림없다.

be proud of, appearance

065 우리는 소풍을 취소할 필요가 없다.

have to, cancel the picnic

066 너는 이 공원에서 야생 동물들에게 먹이를 주면 안 된다.

In this park,

should, feed, wild animals

067 너는 패스트푸드를 적게 먹는 것이 좋을 거야.

had better, less

068 그 소년은 쉽게 화를 내곤 했고 말로 다른 사람을 상처주곤 했다.

and hurt others with his words.

used to, get angry, easily

Answers p. 6

조건에 맞게 문장 쓰기

069 be able to 이용하기

The student couldn't hear or see.

070 be going to 이용하기

We will give all the money to a nursing home.

071 have to 이용하기

Must I sleep on the floor?

072 부정문

He has to work on weekends.

073 미래시제

We can order easily and fast by using it.

074 부정문

You'd better use the elevator.

075 used to 이용하기

She was quiet when she was a little girl.

when she was a little girl.

[Self-Editing Checklist] ✓ 대 • 소문자를 바르게 썼나요? Y N ✓ 철자와 문장 부호를 바르게 썼나요? Y N

대표유형 01 알맞은 조동사 찾기

01 다음 빈칸에 들어갈 말로 알맞은 것은?

> You ________ apologize to him. It's not your fault.

① can ② would ③ are going to
④ should ⑤ don't have to

02 다음 빈칸에 들어갈 말로 알맞은 것은?

> His story ________ be true. He always tells a lie.

① can't ② must ③ may
④ will ⑤ doesn't

03 다음 대화의 빈칸에 들어갈 말로 알맞은 것은?

> **A** Is Julia going to come to Todd's birthday party?
> **B** She ________ come because she hates to see him.

① would ② must ③ may not
④ is able to ⑤ didn't have to

04 다음 빈칸에 공통으로 들어갈 말로 알맞은 것은?

> • There ________ be a cafe in the building, but it is a bookstore now.
> • Minho ________ read a lot of books when he was young, but now he just plays games.

① may ② used to ③ should
④ will ⑤ would

05 다음 빈칸에 들어갈 말로 알맞은 것을 모두 고르면?

> It's difficult to catch a taxi here. I think you ________ take the subway.

① can't ② should ③ won't
④ had better ⑤ need not

대표유형 02 조동사의 의미 파악하기 ①

06 다음 밑줄 친 부분과 바꿔 쓸 수 있는 것은?

> You don't have to take off your shoes.

① need to ② may not ③ don't need to
④ would like to ⑤ must not

07 다음 밑줄 친 부분과 바꿔 쓸 수 있는 것은?

> He wasn't able to attend the meeting.

① couldn't ② may not ③ won't
④ must not ⑤ wouldn't

08 다음 중 의미하는 바가 나머지 넷과 다른 것은?

① Visitors can't touch the animals.
② Visitors shouldn't touch the animals.
③ Visitors must not touch the animals.
④ Visitors don't have to touch the animals.
⑤ Visitors are not allowed to touch the animals.

09 다음 빈칸에 must not을 쓰기에 어색한 것은?

① We ________ leave rude comments.
② Drivers ________ break the speed limit.
③ We ________ recycle to protect the Earth.
④ You ________ make noise in the library.
⑤ People ________ ride a motorcycle without a license.

10 밑줄 친 부분의 의미가 옳은 것의 개수로 알맞은 것은?

> • Can I go swimming after lunch? (허락)
> • He must be disappointed to hear that. (의무)
> • You had better tidy up your room. (충고)
> • We must not throw trash on the street. (금지)
> • New forms of cartoons may appear in the future. (추측)

① 1개 ② 2개 ③ 3개 ④ 4개 ⑤ 5개

11 다음 중 두 문장의 연결이 어색한 것은?

① Sue must be famous. Everyone knows her.
② This book is really interesting. You should read it.
③ My jeans are dirty. I'd better wash them.
④ I don't have to hurry. I have plenty of time.
⑤ He used to play the drums. Now he's a famous drummer.

12 다음 중 밑줄 친 부분을 괄호 안의 말로 바꿔 쓸 수 없는 것은?

① Can I park over there? (= May)
② Leo won't vote for her. (= isn't going to)
③ You don't have to care about me. (= need not)
④ Bill must be sick. He's coughing a lot. (= has to)
⑤ You should work out at least three times a week. (= had better)

대표유형 03 조동사의 의미 파악하기 ②

13 다음 중 밑줄 친 부분의 의미가 나머지 넷과 다른 것은?

① Can she play the flute well?
② Can we take leftover food home?
③ Andrew can speak three languages.
④ The kids can climb up the tree.
⑤ Dolphins can communicate with one another.

14 다음 중 밑줄 친 부분의 의미가 나머지 넷과 다른 것은?

① May I bring my dog to the park?
② I'm sorry, but you may not come in.
③ You may not take photos here.
④ You may use my laptop if you want.
⑤ I'm afraid I may not be able to help you.

15 다음 중 밑줄 친 부분의 의미가 나머지 넷과 다른 것은?

① We must stay calm in case of fire.
② You must not go out. It's raining hard.
③ He must be nearly 90 years old now.
④ You must complete the work by Friday.
⑤ Students must not cheat on a test.

대표유형 04 조동사 어법 통합형

16 다음 우리말을 영어로 바르게 옮긴 것은?

너는 수업에 늦지 않는 게 좋다.

① You'd better not late for class.
② You had not better late for class.
③ You had better not be late for class.
④ You don't had better be late for class.
⑤ You had not be better late for class.

17 다음 빈칸에 들어갈 말로 알맞은 것은?

David won't ________ solve the problem.

① can ② may ③ must
④ is able to ⑤ be able to

18 다음 두 문장이 같은 의미가 되도록 할 때 빈칸에 들어갈 말로 알맞은 것은?

I ate meat before, but I'm a *vegetarian now. = I ____________ meat. *vegetarian 채식주의자

① used to eat ② used to eating
③ is used to eat ④ used to eats
⑤ is used to eating

19 다음 중 어법상 옳은 것은?

① Will it snows this weekend?
② You should polite to your parents.
③ I don't able to concentrate on studies.
④ Angela doesn't have to go to school today.
⑤ There would be a gym here, but not now.

20 다음 중 어법상 옳은 것끼리 묶은 것은?

ⓐ There may are some problems. ⓑ Will you can pick me up at the airport? ⓒ You shouldn't judge people by their looks. ⓓ She isn't going to accept your offer. ⓔ John had to look after his baby yesterday.

① ⓐ, ⓑ ② ⓐ, ⓔ ③ ⓑ, ⓒ
④ ⓑ, ⓓ, ⓔ ⑤ ⓒ, ⓓ, ⓔ

01 다음 표를 보고 대화를 완성하시오. (밑줄 한 개에 한 단어씩 쓰기)

이름	할 수 있는 것	할 수 없는 것
Rachel	수영하기	자전거 타기
Steven	드럼 연주	수영하기

(1) **A** ________ Rachel ________ a bike?

B No, she ________.

(2) **A** Is Steven ________ ________ ________ the drums?

B Yes, he is. He really loves to play the drums.

(3) **A** ________ Rachel and Steven ________ ________ swim?

B Rachel is good at swimming, but Steven ________ swim.

02 다음 두 그림에 대한 설명을 한 문장으로 표현할 때 빈칸에 알맞은 말을 쓰시오.

(1) (2)

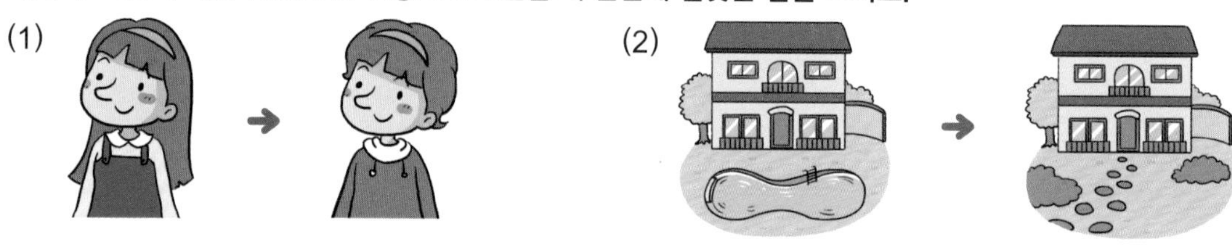

(1) Maria had long hair in the past, but now she has short hair.

= Maria ________ ________ ________ long hair.

(2) There was a swimming pool in my yard, but there isn't now.

= There ________ ________ ________ a swimming pool in my yard.

수행평가 유형 조언하는 문장 만들기

03 다음 고민을 가진 친구들에게 해 줄 조언을 〈조건〉에 맞게 각각 완성하시오.

Carol I have a terrible cold.
Peter I have put on a lot of weight.

[조건] 조동사 should를 사용하여, 각각 해야 할 일 한 가지와 하지 말아야 할 일 한 가지씩 충고할 것

(1) Carol, you ________________________________. (해야 할 일)

You ________________________________. (하지 말아야 할 일)

(2) Peter, you ________________________________. (해야 할 일)

You ________________________________. (하지 말아야 할 일)

[Self-Editing Checklist] ✔ 대 · 소문자를 바르게 썼나요? Y N ✔ 철자와 문장 부호를 바르게 썼나요? Y N

UNIT 04

to부정사

핵심 개념 바로 확인 I know! ☺ No idea! ☹

- to부정사는 「to + 동사원형」의 형태이고 명사(주어, 보어, 목적어), 형용사, 부사의 역할을 한다. ☺ ☹
- to부정사가 주어로 쓰일 때 가주어 it을 쓸 수 있다. ☺ ☹

개념 11 to부정사의 명사적 용법

월 일

To exercise regularly is good for your health.
(To exercise: 주어 / is: to부정사(구)는 단수 취급)

My hobby is to make a model airplane.
(to make: 보어)

I decided to visit Italy.
(to visit: 목적어)

cf. I decided not to visit Italy.
(not to visit: to부정사의 부정)

주어 역할	~하는 것은
보어 역할	~하는 것(이다)
목적어 역할	~하는 것을, ~하기를

★ to부정사를 목적어로 취하는 동사

want	hope	wish	+	to부정사
plan	need	learn		
choose	decide	expect		
agree	promise	pretend		

바로 개념

1 to부정사의 기본 형태는 「to + 동사원형」이고, to부정사의 부정은 to부정사 앞에 not [never]을 쓴다.

2 to부정사가 명사처럼 문장의 주어, 보어, 목적어 역할을 할 수 있다. 이때 to부정사는 '~하는 것, ~하기'라고 해석한다.

고르며 개념 확인

Answers p. 7

01 ○ Tell ○ To tell a lie is wrong.

02 My dream is ○ to is ○ to be a movie director.

03 They are planning ○ to go ○ to going hiking.

★04 To get enough vitamins ○ is ○ are important.
★ to부정사(구)는 단수 취급!

05 My dad promised ○ to not be ○ not to be so late.

06 The company expects ○ to complete ○ completing the work within a few weeks.

쓰며 개념 정리

07 체중을 감량하는 것은 결코 쉽지 않다. (lose) ________ weight is not easy at all.

08 나의 직업은 보석을 디자인하는 것이다. (design) My job is ________ jewelry.

09 너는 눈사람을 만들고 싶니? (build) Do you want ________ a snowman?

10 너는 감정을 통제하는 것을 배워야 해. (control) You should learn ________ your emotions.

11 우리는 마을을 떠나지 않기로 결심했다. (leave) We decided ________ the town.

12 중요한 것은 너의 삶을 즐기는 것이다. (enjoy) The important thing is ________ your life.

개념 12 It ~ to / to부정사의 의미상 주어

월 일

To ride a roller coaster is fun.
주어

→ It is fun to ride a roller coaster.
가주어 진주어

It is important to respect others.
의미상 주어 생략 (→ 의미상 주어가 일반인)

It is not easy for me to talk to others first.
의미상 주어

It is nice of you to help me.
→ 성격 형용사
의미상 주어

★ 가주어 it과 to부정사

It (가주어)	~	(for / of + 목적격)	~	to부정사 (진주어)
		의미상 주어		

★ to부정사의 의미상 주어 나타내기

생략하는 경우	① 의미상 주어가 일반인일 때 ② 의미상 주어가 문장의 주어와 일치할 때
for + 목적격	to부정사의 행위자가 일반인이나 문장의 주어가 아닌 대부분의 경우
of + 목적격	사람의 성격을 나타내는 형용사가 보어로 쓰일 때 * 성격 형용사: kind, polite, wise, rude, foolish, stupid, careful, brave 등

바로 개념

1 to부정사가 주어로 쓰일 때 주로 가주어 it을 주어 자리에 쓰고 to부정사(구)를 뒤에 쓴다.
2 문장의 주어와 to부정사의 행위자가 서로 다를 때 to부정사 앞에 「for / of + 목적격」으로 to부정사의 의미상 주어를 쓴다.

고르며 개념 확인

Answers p. 7

01 Many people think ○ it ○ that is convenient to use a credit card.

02 It is dangerous ○ surf ○ to surf when the waves are high.

03 It was hard ○ of ○ for them to recognize his voice.

04 It is kind ○ of ○ for you to give up your seat for the pregnant woman.

05 Is it necessary for ○ us ○ our to hand in our homework by Friday?

06 It is foolish ○ of ○ for him to make the same mistake.

쓰며 개념 정리

07 에너지를 절약하는 것은 중요하다. (save) ______ is important ______ energy.

08 우주에서 음식을 먹는 것은 쉽지 않다. (eat) ______ is not easy ______ food in space.

09 내가 그 일을 끝내는 것은 어려웠다. (finish) It was difficult ______ the work.

10 그녀의 충고를 따르다니 그는 현명하구나. (follow) It is wise ______ her advice.

11 그녀가 한 가지만 선택하기는 어려웠다. (choose) It was hard ______ only one.

12 AI가 소설을 쓰는 것이 가능하니? (write) Is it possible ______ a novel?

*AI: 인공지능 (artificial intelligence)

개념 11 to부정사의 명사적 용법

1 to부정사의 기본 형태는 「to + 동사원형」이고, to부정사의 부정은 to부정사 [ ] 에 not [never]을 쓴다.

2 to부정사가 명사처럼 문장의 주어, 보어, 목적어로 쓰일 때 '[ ], [ ]'라고 해석한다.

주어 역할	~하는 것은
보어 역할	~하는 것(이다)
목적어 역할	~하는 것을, ~하기를

★ to부정사를 목적어로 취하는 동사

want	hope	wish		
plan	need	learn	+	to부정사
choose	decide	expect		
agree	promise	pretend		

개념 12 It ~ to / to부정사의 의미상 주어

1 to부정사가 주어로 쓰일 때 주로 가주어 [ ] 을 주어 자리에 쓰고 to부정사(구)를 뒤에 쓴다.

2 문장의 주어와 to부정사의 행위자가 서로 다를 때 to부정사 앞에 「for / of + 목적격」으로 to부정사의 [ ] 를 쓴다.

★ 가주어 it과 to부정사

It (가주어) ~ (for / of + 목적격) ~ to부정사 (진주어)

의미상 주어

★ to부정사의 의미상 주어 나타내기

생략하는 경우	① 의미상 주어가 일반인일 때 ② 의미상 주어가 문장의 주어와 일치할 때
[ ] + 목적격	to부정사의 행위자가 일반인이나 문장의 주어가 아닌 대부분의 경우
[ ] + 목적격	사람의 성격을 나타내는 형용사가 보어로 쓰일 때 * 성격 형용사: kind, polite, wise, rude, foolish, stupid, careful, brave 등

Answers p. 8

A 다음 문장에서 어법상 어색한 부분을 찾아 밑줄을 긋고 바르게 고치시오.

01 Our mission is keeps this park clean.

02 Liz hopes meeting her favorite singer someday.

03 It is quite normal for children be afraid of the dark.

04 My biggest goal is to building a school for the poor.

05 Are you planning visit Australia next summer?

06 Mike promised to not fight with his brother again.

07 It is important of astronauts to exercise in space.

08 Is it dangerous me to sleep in a tent?

09 It was brave for her to try to save the little boy.

10 It is careless at him to lose his wallet again.

B 다음 문장을 가주어 it을 사용하여 바꿔 쓰시오.

01 To eat enough vegetables is necessary.

➔

02 To take care of a pet may not be easy.

➔

03 To see magic tricks was exciting.

➔

04 To get used to the new school will be difficult.

➔

05 To ride a bike without your helmet is not safe.

➔

06 To see foreigners learning Korean is becoming more common.

➔

조건에 맞게 문장 바꿔 쓰기

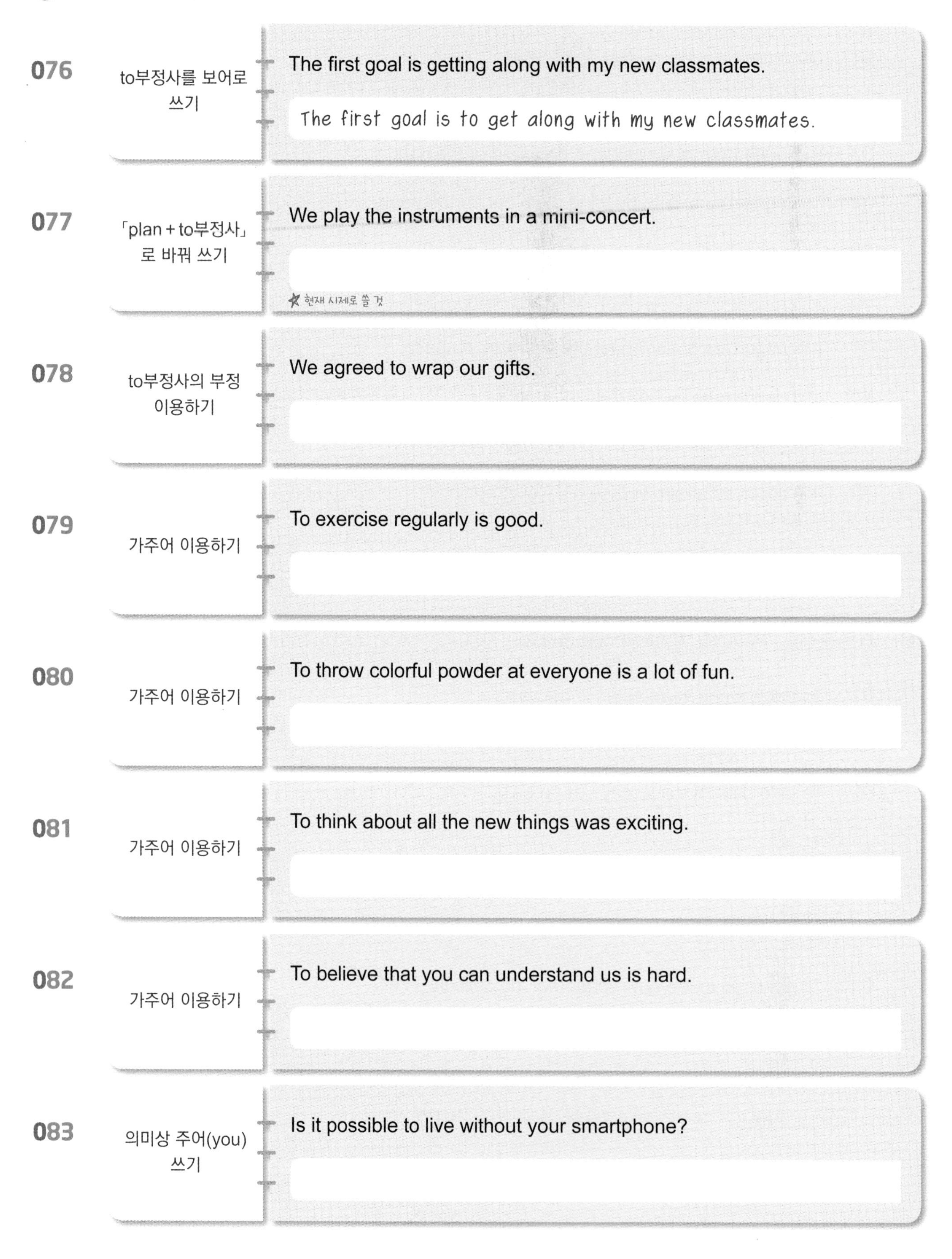

번호	조건	문장
076	to부정사를 보어로 쓰기	The first goal is getting along with my new classmates. The first goal is to get along with my new classmates.
077	「plan + to부정사」로 바꿔 쓰기	We play the instruments in a mini-concert. ★ 현재 시제로 쓸 것
078	to부정사의 부정 이용하기	We agreed to wrap our gifts.
079	가주어 이용하기	To exercise regularly is good.
080	가주어 이용하기	To throw colorful powder at everyone is a lot of fun.
081	가주어 이용하기	To think about all the new things was exciting.
082	가주어 이용하기	To believe that you can understand us is hard.
083	의미상 주어(you) 쓰기	Is it possible to live without your smartphone?

Answers p. 8

배열하여 문장 쓰기

084 우리의 임무는 화성에 도시를 짓는 것이다. (on Mars, to build, is, Our mission, a city)

085 이 건강 문제들을 예방하는 가장 좋은 비결은 당신의 휴대전화를 적게 쓰는 것이다.
(to prevent, less, to use, is, these health problems, your smartphone, The best tip)

086 불 근처에 종이를 두는 것은 위험하다. (dangerous, near the fire, paper, is, to put)

087 갯벌의 역할을 이해하는 것은 중요하다. (to understand, it, the roles, important, of mudflats, is)

088 세균은 어디에나 있지만, 그것을 눈으로 보는 것은 불가능하다.
(with your eyes, it, impossible, to see, is, them)

Germs are everywhere, but

089 게다가, 새끼 곰을 어미로부터 떼어내는 것이 쉽겠니?
(it, away, easy, from their mother, be, will, the cubs, to take)

Besides,

090 햇볕에 타는 것을 예방하기 위해 선크림을 바르는 것이 필요하다.
(sunburn, to prevent, it, necessary, is, sunscreen, to wear)

[Self-Editing Checklist] ✔ 대 • 소문자를 바르게 썼나요? Y N ✔ 철자와 문장 부호를 바르게 썼나요? Y N

개념 13 의문사+to부정사

월 일

I don't know what to do.
무엇을 해야 할지

= I don't know what I should do.

Let's decide where to go.
어디로 가야 할지

Can you tell me how to get to N Seoul Tower?
가는 방법

what + to부정사	무엇을 ~할지
when + to부정사	언제 ~할지
where + to부정사	어디로 ~할지
how + to부정사	어떻게 ~할지, ~하는 방법
which + to부정사	어느 것을 ~할지
who(m) + to부정사	누구를 ~할지

바로 개념

1 「의문사+to부정사」는 명사 역할을 하며 주로 목적어 자리에 쓰인다.
2 「의문사+to부정사」는 「의문사+주어+should+동사원형」으로 바꿔 쓸 수 있다.
3 「why+to부정사」는 쓰이지 않는다.

고르며 개념 확인

Answers p. 8

01 Here's ○ how ○ what to bring: a camera, an umbrella, and a ticket.

02 My question is when ○ to book ○ booking our flight.

03 You need to figure out ○ whom ○ why to talk to about this problem.

04 Knowing ○ how to spend ○ how spending money is important.

05 You can choose ○ what ○ where to go for the picnic.

06 We're talking about ○ when ○ which game to play next.

쓰며 개념 정리

07 나는 무엇을 살지 결정하지 못했다. (buy) I haven't decided ______.

08 언제 가야 할지 말해라. (go) Tell me ______.

09 그는 내게 음표 읽는 법을 설명해 주었다. (read) He explained to me ______ a note.

10 우리는 어디서 자야 할지 생각하고 있다. (sleep) We're thinking about ______.

11 나는 누구를 초대해야 할지 모르겠다. (invite) I don't know ______.

12 감기가 빨리 낫는 법을 아는 것은 유용하다. (get over) It's helpful to know ______ a cold fast.

to부정사의 형용사적 용법

월 일

I have three goals to achieve this year. — (대)명사 + to부정사

We need two chairs to sit on. (→ 전치사 필요 (sit on chairs)) — (대)명사 + to부정사 + 전치사

Will you give me something delicious to eat? — -thing, -one, -body + 형용사 + to부정사

바로 개념

1 to부정사가 형용사처럼 명사 또는 대명사를 뒤에서 수식하는 역할을 하며, 이때 '~하는, ~할'로 해석한다.
2 to부정사의 수식을 받는 명사가 to부정사에 이어지는 전치사의 목적어일 때 전치사를 반드시 써야 한다.
3 -thing, -one, -body로 끝나는 대명사가 형용사의 수식을 받을 때에는 「대명사 + 형용사 + to부정사」로 쓴다.

고르며 개념 확인

Answers p. 8

01 Do you have a used car ○ to sell ○ selling ?

02 This website will provide several ways ○ share ○ to share your talents.

03 There is ○ nothing fun to do ○ fun nothing to do .

04 They gave their baby a doll ○ to play ○ to play with .

05 It's already 6 o'clock. It's time ○ to go ○ to going home.

06 I want something ○ to bite sweet ○ sweet to bite .

쓰며 개념 정리 배열하기

07 읽을 책이 많이 있다. (read, to, books, many) — There are ______ .

08 그는 벌금을 낼 돈이 없다. (no, pay, to, money) — He has ______ the fine.

09 나는 좌석에 씌울 담요가 필요하다. (to, a blanket, cover) — I need ______ the seat.

10 우리는 살 집을 찾고 있다. (to, live, in, a house) — We're looking for ______ .

11 나는 이야기를 나눌 누군가를 원한다. (with, talk, somebody, to) — I want ______ .

12 따뜻한 마실 것 좀 드릴까요? (drink, to, hot, something) — Would you like ______ ?

Answers p. 8

개념 13 의문사 + to부정사

1 「의문사 + to부정사」는 명사 역할을 하며 주로 목적어 자리에 쓰인다.

2 「의문사 + to부정사」는 「의문사 + 주어 + [ ] + 동사원형」으로 바꿔 쓸 수 있다.

3 「why + to부정사」는 쓰이지 않는다.

[ ] + to부정사	무엇을 ~할지
[ ] + to부정사	언제 ~할지
[ ] + to부정사	어디로 ~할지
[ ] + to부정사	어떻게 ~할지, ~하는 방법
[ ] + to부정사	어느 것을 ~할지
[ ] + to부정사	누구를 ~할지

개념 14 to부정사의 형용사적 용법

1 to부정사가 형용사처럼 명사 또는 대명사를 뒤에서 수식하는 역할을 하며, 이때 '~하는, ~할'로 해석한다.

2 to부정사의 수식을 받는 명사가 to부정사에 이어지는 전치사의 [ ] 일 때 전치사를 반드시 써야 한다.

3 -thing, -one, -body로 끝나는 대명사가 형용사의 수식을 받을 때에는 「[ ] + [ ] + [ ]」로 쓴다.

(대)명사 + to부정사

(대)명사 + to부정사 + 전치사

-thing, -one, -body + 형용사 + to부정사

Answers p. 8

A 괄호 안의 표현을 이용하여 우리말에 맞게 문장을 완성하시오.

01 무엇을 해야 할지 아무도 몰랐다. (do)

→ Nobody knew ____________.

02 네게 어디서 머물러야 할지에 관해 조언을 좀 할게. (stay)

→ I'll give you some tips on ____________.

03 그들은 아이들에게 악기를 연주하는 법을 가르친다. (play)

→ They teach children ____________ musical instruments.

04 카멜레온은 색을 바꾸는 능력으로 유명하다. (change)

→ Chameleons are famous for their ability ____________ color.

05 그에게는 돌볼 아이가 세 명 있다. (look after)

→ He has three children ____________.

06 네게 중요한 할 얘기가 있다. (something, important, tell)

→ There's ____________ you.

B 괄호 안의 표현을 바르게 배열하시오.

01 I can't decide ____________ for the audition. (to, what, wear)

02 Many animals are losing ____________ in winter. (live, to, places)

03 I want ____________. (eat, spicy, something, to)

04 We don't really know ____________. (to, trust, whom)

05 Jeremy needs ____________. (to, on, paper, write)

06 Is there ____________? (post, to, exciting, anything)

07 There are ____________ in Jejudo. (many, to, things, see)

08 Can you teach me ____________? (pizza, how, make, to)

09 The hotel has ____________. (a pool, in, to, swim)

10 Here are ____________ be a good listener. (you, help, tips, to, some)

비교하며 문장 쓰기

표현 노트

091	나는 무슨 말을 해야 할지 모르겠다.	I don't know what to say.	respond
	Jaden은 어떻게 반응해야 할지 모른다.		
092	내가 언제 떠나야 할지 말해 줄래?	Can you tell me when to leave?	sit
	내가 어디 앉아야 할지 말해 줄래?		
093	우리는 올바로 먹는 법을 배웠다.	We learned how to eat right.	can, decide, first
	나는 무엇을 먼저 먹을지 결정할 수 없다.		
094	우리는 무엇을 주문해야 할지 몰랐다.	We didn't know what to order.	which, to
	우리는 어느 식당에 가야 할지 몰랐다.		
095	나는 할 숙제가 많다.	I have a lot of homework to do.	work, finish
	나는 오늘 끝낼 일이 많다.	today.	
096	난 풀어야 할 수학 문제가 많다.	I have lots of math problems to solve.	can, have an opportunity, others
	너는 다른 사람을 도울 기회를 가질 수 있다.		
097	나는 마실 것을 원한다.	I want something to drink.	cold
	나는 차가운 마실 것을 원한다. ★「대명사 + 형용사 + to부정사」의 어순		
098	그 소녀는 자신을 돌보아 줄 누군가가 필요했다.	The girl needed somebody to take care of her.	understand
	그 소녀는 자신을 이해해 줄 누군가가 필요했다.		

Answers p. 9

배열하여 문장 쓰기

099 지진이 일어났을 때 무엇을 해야 할지 알고 있니?
(what, when, you, know, do, an earthquake, do, strikes, to)

100 당신은 CPR을 하는 방법을 시청자에게 보여 줄 수 있나요?
(CPR, how, you, show, can, perform, the audience, to)

★ CPR: 심폐소생술 (cardiopulmonary resuscitation)

101 나의 두 번째 목표는 기타 연주하는 법을 배우는 것이다.
(how, play, my second goal, to, learn, to, is, the guitar)

102 지금 내게 아무것도 없을지 모르지만, 나는 기억할 무언가를 항상 가지게 될 것이다.
(I, remember, have, to, always, something, will)

I may have nothing now, but

★ 빈도부사는 조동사 뒤에 쓰기

103 그는 자신의 롤 모델을 만날 기회를 놓치고 싶지 않다.
(want, doesn't, he, the chance, to miss, his role model, to meet)

104 그 소년들은 축구할 장소가 없었다. (had, place, soccer, the boys, no, to play)

105 세균으로부터 여러분 자신을 보호하는 방법이 몇 가지 있다.
(are, several, to protect, from, yourself, germs, there, ways)

[Self-Editing Checklist] ✔ 대 • 소문자를 바르게 썼나요? Y N ✔ 철자와 문장 부호를 바르게 썼나요? Y N

개념 15 to부정사의 부사적 용법

월 일

I practiced hard to win an audition.
목적 (= in order to win / so as to win)

We are happy to meet you again.
감정 형용사 감정의 원인

Jisu must be smart to solve the puzzle.
판단의 근거

The king lived to be ninety.
결과

The question was easy to understand.
형용사 수식

목적	~하기 위해서	「in order to [so as to] + 동사원형」과 바꿔 쓸 수 있음
감정의 원인	~해서, ~하니	감정을 나타내는 형용사를 뒤에서 수식
판단의 근거	~하다니	주로 함께 쓰는 표현: must 등
결과	…해서 (결국) ~하다	주로 함께 쓰는 표현: live, grow up, wake up 등
형용사 수식	~하기에	형용사를 뒤에서 수식

바로 개념

1 to부정사가 부사처럼 동사, 형용사, 다른 부사를 수식한다.
2 to부정사의 부사적 용법은 목적, 감정의 원인, 판단의 근거, 결과 등 여러 가지 의미가 있다.

고르며 개념 확인

Answers p. 9

01 Hannah visited Nick ○ celebrates ○ to celebrate his birthday.

02 I think Chinese is ○ to learn difficult ○ difficult to learn .

★03 They took a bus ○ to not be ○ not be late.

04 Peggy must be crazy ○ to say ○ said such a thing.

05 Brad was surprised ○ seeing ○ to see her at the theater.

06 I woke up ○ to find ○ to finding myself in the hospital.

★ ~하지 않기 위해
→ (in order) not to
→ (so as) not to

쓰며 개념 정리

07 나는 새 휴대 전화를 사기 위해 돈을 모았다. (buy) I saved money ________ a new cell phone.

08 나는 그 소식을 들어 슬펐다. (hear) I was sad ________ the news.

09 그 기계는 사용하기에 어렵다. (use) The machine is hard ________ .

10 10시간이나 자다니 그는 피곤한 것이 분명하다. (sleep) He must be tired ________ for 10 hours.

11 그 아이는 자라서 모델이 되었다. (be) The child grew up ________ a model.

12 나는 수학 시험을 통과하기 위해 열심히 공부했다. (pass) I studied hard ________ the math test.

개념 16

too ~ to / enough to

월 일

I'm too sleepy to study.

→ I'm so sleepy that I can't study.

This coat is big enough for him to wear.

→ This coat is so big that he can wear it.

too + 형용사 / 부사 + (for + 목적격 +) to부정사
(for + 목적격 → 의미상 주어)

⇨ so + 형용사 / 부사 + that + 주어 + can't + 동사원형

형용사 / 부사 + enough + (for + 목적격 +) to부정사
(for + 목적격 → 의미상 주어)

⇨ so + 형용사 / 부사 + that + 주어 + can + 동사원형

1 「too ~ to」는 '…하기에 너무 ~한 / 하게'라는 부정의 의미를 나타낸다. 「so ~ that ... can't」로 바꿔 쓸 수 있다.
2 「enough to」는 '…할 만큼 충분히 ~한 / 하게'라는 긍정의 의미를 나타낸다. 「so ~ that ... can」으로 바꿔 쓸 수 있다.

고르며 개념 확인

Answers p. 9

01 Matt was ○ too ○ so upset to attend the party.

02 Rachel is ○ enough old ○ old enough to get a driver's license.

03 I was too scared ○ to sleep ○ sleeping alone.

04 The box was too heavy ○ for me ○ of me to carry.

05 Hulk was ○ too ○ so strong that he could break down the door.

06 She was ○ kind enough ○ kindly enough to show me the way.

쓰며 개념 정리

07 I was so sick that I couldn't go to school. (too ~ to)

→ I was ______________.

08 The question was so difficult that she couldn't answer it. (too ~ to)

→ The question was ______________.

09 She is so fast that she can run 100 meters in 12 seconds. (enough to)

→ She is ______________.

Answers p. 9

개념 15 to부정사의 부사적 용법

1 to부정사가 부사처럼 동사, 형용사, 다른 부사를 수식한다.

2 to부정사의 부사적 용법은 목적, 감정의 원인, 판단의 근거, 결과 등 여러 가지 의미가 있다.

목적	~하기 위해서	「 [so as to] + 동사원형」과 바꿔 쓸 수 있음
감정의 원인		감정을 나타내는 형용사를 뒤에서 수식
판단의 근거		주로 함께 쓰는 표현: must 등
결과		주로 함께 쓰는 표현: live, grow up, wake up 등
형용사 수식		형용사를 뒤에서 수식

개념 16 too ~ to / enough to

1 「too ~ to」는 '…하기에 너무 ~한/하게'라는 부정의 의미를 나타낸다. 「so ~ that ... can't」로 바꿔 쓸 수 있다.

2 「enough to」는 '…할 만큼 충분히 ~한/하게'라는 긍정의 의미를 나타낸다. 「so ~ that ... can」으로 바꿔 쓸 수 있다.

too + 형용사 / 부사 + (for + 목적격 +) to부정사
(for + 목적격 → 의미상 주어)

⇨   + 형용사 / 부사 +   + 주어 +   + 동사원형

형용사 / 부사 + enough + (for + 목적격 +) to부정사
(for + 목적격 → 의미상 주어)

⇨   + 형용사 / 부사 +   + 주어 +   + 동사원형

바로 기본 확인 노트

Answers p. 9

A 〈보기〉에서 알맞은 말을 골라 문장을 완성한 다음, 우리말로 해석하시오.

보기 to save electricity　to fail the test　to watch a soccer match　to complete within a month

01 They went to a stadium ______________.

해석: ______________

02 The course is difficult ______________.

해석: ______________

03 I was really disappointed ______________.

해석: ______________

04 We should turn off the light ______________.

해석: ______________

B 〈보기〉와 같이 두 문장이 같은 뜻이 되도록 괄호 안의 표현을 이용하여 바꿔 쓰시오.

보기 This suitcase is too heavy for me to carry. (so, that, can)
→ This suitcase is so heavy that I can't carry it.

01 They were too busy to talk with me. (so, that, can)

→ ______________

☆ 시제 주의

02 The food is so salty that we can't eat it. (too, to)

→ ______________

03 The necklace is too expensive for her to buy. (so, that, can)

→ ______________

☆ that절에서 동사의 목적어가 필요한 경우 꼭 쓰기!

04 The gloves were so small that he couldn't put them on. (too, to)

→ ______________

05 The book was so easy that the children could understand it. (enough)

→ ______________

비교하며 문장 쓰기

표현 노트

			표현 노트
106	우리는 산책하려고 공원에 갔다.	We went to the park to take a walk.	walk
	Sally는 그녀의 개를 산책시키려고 공원에 갔다.		
107	그녀를 기리기 위해 UNICEF는 조각상을 만들었다.	UNICEF made a statue.	honor / achieve
	내 꿈을 이루기 위해 나는 여러 오디션에 갔다.	I went to many auditions.	
108	나는 스페인 축제를 보려고 왔다.	I came to see the Spanish festival.	be in a hurry, catch a train
	나는 기차를 타려고 서둘렀다.		
109	신라인들은 이것을 알게 되어 매우 기뻤다.	People of Silla were very happy to learn this.	surprised, other things
	그녀는 다른 것들을 보고 놀랐다.		
110	나는 달리기에는 너무 나이가 들었다.	I am too old to run.	weak, chew
	네 치아는 씹기에 너무 약하다.		
111	그는 일이 너무 많아 잘 수 없다.	He has so much work that he can't sleep.	so, tired, that, go out
	나는 너무 피곤해서 나갈 수 없었다.		
112	그 아이는 롤러코스터를 타기에 키가 너무 작다.	The child is	short, ride, the roller coaster / tall, reach, the window
	David는 창문에 닿을 만큼 충분히 키가 크다.	David is	
113	그들은 세상을 구할 만큼 충분히 용감하다.	They are brave enough to save the world.	clever, solve, the problem
	Betty는 그 문제를 풀 만큼 충분히 똑똑하다.		

Answers p. 9

배열하여 문장 쓰기

114 우리는 제시간에 일어나기 위해 알람 시계를 맞춘다. (to wake up, our alarm clocks, on time, set)

We

115 그들은 치실질을 하기 위해 인간의 머리카락을 이용한다. (use, their teeth, to floss, human hair)

They

116 나는 내 약점을 극복하기 위해 수학을 공부하는 데 더 많은 노력을 쏟을 것이다.
(to overcome, into studying math, more effort, put, my weakness)

I'll

117 저는 그들이 저를 이해하기에는 너무 나이가 많다고 생각했어요.
(too, me, they, old, thought, were, understand, to)

I

118 그 당시에, 시계는 평범한 사람들이 사기에 너무 비쌌다.
(were, for, buy, to, expensive, too, clocks, ordinary people)

Back then,

119 그는 꽤 나이가 들었지만 짧은 여행을 할 만큼 충분히 건강하다. (enough, healthy, a short trip, to take)

He is quite old, but

120 그것은 한국 전쟁에 관한 다양한 물건을 전시할 수 있을 만큼 충분히 컸다.
(large, to display, was, about the Korean War, various things, enough)

It

[Self-Editing Checklist] ✔ 대 • 소문자를 바르게 썼나요? Y N ✔ 철자와 문장 부호를 바르게 썼나요? Y N

대표유형 01 to부정사

01 다음 빈칸에 들어갈 말이 순서대로 바르게 짝지어진 것은?

> My New Year's *resolution is ________ more active. Also, I hope ________ good grades at school. *resolution: 결심

① be – get ② to be – to get
③ been – to get ④ to being – getting
⑤ to been – getting

02 다음 빈칸에 들어갈 말로 알맞은 것은?

> Brian needs somebody ________.

① talk ② to talk ③ to talk with
④ to talking ⑤ to talking with

03 다음 두 문장이 같은 뜻이 되도록 할 때 빈칸에 알맞은 것은?

> Eddie wanted to study art, so he went to Paris.
> = Eddie went to Paris ________ art.

① study ② to study ③ studying
④ studies ⑤ to studying

04 다음 우리말에 맞게 괄호 안의 단어들을 배열할 때 ★에 들어갈 말로 알맞은 것은?

> 태국에는 즐길 활동이 많다.
> → There are _______ _______ _______ ★_______ _______ in Thailand. (to, exciting, enjoy, activities, many)

① to ② exciting ③ enjoy
④ activities ⑤ many

05 다음 문장 중 어법상 옳은 것은?

① Be honest is the best policy.
② My dream is to became a dentist.
③ They decided not accept the offer.
④ The couple is looking for an apartment to live.
⑤ Give the little child something warm to drink.

대표유형 02 가주어와 to부정사 / to부정사의 의미상 주어

06 다음 빈칸에 들어갈 말이 바르게 짝지어진 것은?

> _______ is important _______ a mask when the air is not clean.

① It – wears ② It – to wear
③ It – to be worn ④ This – wearing
⑤ This – to wear

07 다음 중 밑줄 친 부분의 쓰임이 〈보기〉와 같은 것은?

> 보기 Is it helpful to keep a diary in English?

① It was a terrible mistake, wasn't it?
② Will it be clear and sunny tomorrow?
③ It has been five years since I last saw Anne.
④ It's bad to hurt others' feelings online.
⑤ It is about five miles to the nearest village from here.

08 다음 문장의 빈칸에 들어갈 수 없는 것은?

> It is ________ for him to make new friends.

① wise ② easy ③ impossible
④ difficult ⑤ necessary

09 다음 중 빈칸에 들어갈 말이 나머지 넷과 다른 것은?

① It is honest ________ her to tell the truth.
② It was rude ________ her to behave like that.
③ It is so sweet ________ you to look after your little sister.
④ It was stupid ________ him to miss such a good opportunity.
⑤ It is natural ________ you to experience ups and downs.

10 다음 중 밑줄 친 부분의 쓰임이 나머지 넷과 다른 것은?

① It was going to be dark soon.
② It is wrong to cheat on exams.
③ Isn't it hard to understand this poem?
④ It is dangerous to swim without life guards.
⑤ It'll be nice to do something to save animals.

Answers p. 10

대표유형 03 to부정사의 용법 구분

11 다음 중 밑줄 친 부분의 쓰임이 〈보기〉와 같은 것은?

보기 My plan is to study English in Australia.

① A queen bee's job is to lay eggs.
② I have some pictures to show you.
③ I'm excited to meet new classmates.
④ He must be stupid to do such a thing.
⑤ Some fans wait hours to take pictures of their stars.

12 다음 중 밑줄 친 부분의 쓰임이 나머지 넷과 다른 것은?

① Carol has a lot of homework to do.
② We need someone to cheer us on.
③ Who was the first man to discover America?
④ I called the police to report the accident.
⑤ I have no running shoes to wear for the marathon.

13 다음 중 밑줄 친 부분의 쓰임이 나머지 넷과 다른 것은?

① I went to the airport to pick him up.
② She really wanted to please her mom.
③ Cathy walks every day to keep healthy.
④ He turned on the light to wake up his kids.
⑤ To become a designer, you should be creative.

14 다음 중 밑줄 친 부분의 쓰임이 〈보기〉와 같은 것은?

보기 We're pleased to work with you.

① I don't have time to train my dog.
② It was amazing to see its natural beauty.
③ Her hobby is to play badminton.
④ Justin was upset to miss the school bus.
⑤ The players hope to take part in the Olympics.

15 다음 밑줄 친 부분 중 '목적'의 의미를 나타내는 것이 아닌 것은?

① I went to the library to borrow a book.
② We got together to prepare lunch.
③ Christina woke up to find herself famous.
④ Julie does yoga every day to relieve stress.
⑤ Many tourists go to Egypt to see the pyramids.

대표유형 04 의문사 + to부정사

16 다음 대화의 빈칸에 들어갈 말로 알맞은 것은?

A Can you tell me ________ to use this copy machine?
B Sure. Press the red button.

① who ② what ③ how ④ when ⑤ where

17 다음 두 문장이 같은 뜻이 되도록 할 때 빈칸에 알맞은 것은?

I haven't decided what I should do.
= I haven't decided ____________.

① what doing
② what to do
③ what I to do
④ what to done
⑤ what I did

대표유형 05 too ~ to / enough to

18 다음 우리말을 영어로 바르게 옮긴 것은?

그 수프는 내가 먹기에 너무 뜨겁다.

① The soup is too hot for me to eat.
② The soup is too hot of me to eat.
③ The soup is hot enough of me to eat.
④ The soup is so hot that I can eat it.
⑤ The soup is hot enough that I can eat it.

19 다음 문장에서 enough가 들어가기에 알맞은 곳은?

She ran (①) fast (②) to (③) catch (④) the last train (⑤) to the town.

20 다음 문장과 의미가 가장 유사한 것은?

Noah is so young that he can't travel alone.

① Noah is too young to travel alone.
② Noah is too young not to travel alone.
③ Noah is so young in order to travel alone.
④ Noah is young enough to travel alone.
⑤ Noah is able to travel alone though he is young.

01 다음 그림을 보고 각 인물에게 필요한 것을 〈보기〉의 문장과 같이 완성하시오.

보기 Paul needs some water to drink.

(1) Dorothy needs ________________________________. (a pencil)

(2) Christine needs ________________________________. (a bench)

(3) Kevin needs ________________________________. (some food)

02 다음 우리말과 같도록 주어진 단어 중 일부를 골라 문장을 완성하시오.

(1) 우리를 용서하다니 그들은 너그럽구나. (that, to, for, of, it, their, them)

→ ________ is generous ________ ________ ________ forgive us.

(2) 그가 젓가락을 사용하는 것은 쉽지 않다. (it, to, for, of, him, he)

→ ________ is not easy ________ ________ ________ use chopsticks.

(3) 그것은 지진이 발생하는 동안 안전하게 있는 법에 대해 알려줄 것이다. (what, how, be, being, to, safe)

→ It will tell you about ________ ________ ________ ________ during an earthquake.

수행평가 유형 어법상 오류 수정하기

03 다음 글에서 어법상 어색한 부분을 세 군데 찾아 바르게 고치시오.

Do you know how to stay healthy? Here are some tips help you stay healthy. First, do not eat too much fast food and snacks. When you want to have a snack, choose healthy something to eat. Second, it is necessary to get enough sleep. Finally, you should exercise regularly. Many students say that they are so busy to exercise. But you have to make time for exercise. You can start with simple stretches.

(1) ________________ → ________________

(2) ________________ → ________________

(3) ________________ → ________________

[Self-Editing Checklist] ✔ 대 • 소문자를 바르게 썼나요? Y N ✔ 철자와 문장 부호를 바르게 썼나요? Y N

UNIT 05

동명사

핵심 개념 바로 확인

I know! ☺ No idea! 😐

- 동명사는 「동사원형+-ing」의 형태이고 명사 역할을 한다. ☺ 😐
- 동명사를 목적어로 쓰는 동사와 to부정사를 목적어로 쓰는 동사가 있다. ☺ 😐

개념 17 동명사의 쓰임

월 일

Reading comic books helps me relax. 〈주어〉
=To read 동명사(구) 주어는 단수 취급

Her dream is running an Italian restaurant. 〈보어〉
= to run

We enjoyed dancing at the festival. 〈동사의 목적어〉

Thank you for giving me a ride home. 〈전치사의 목적어〉

Thank you for not saying anything.
동명사의 부정

〈동명사의 관용적 표현〉

go -ing	~하러 가다
be busy -ing	~하느라 바쁘다
be worth -ing	~할 만한 가치가 있다
feel like -ing	~하고 싶다
spend + 시간/돈 + -ing	~하느라 시간/돈을 쓰다
can't help -ing	~하지 않을 수 없다
It is no use -ing	~해도 소용없다
look forward to -ing	~하기를 고대하다
have trouble [difficulty] (in) -ing	~하는 데 어려움이 있다
keep ... from -ing	…가 ~하는 것을 막다

바로 개념

1 동명사는 「동사원형+-ing」의 형태로 명사 역할을 하며 '~하는 것', '~하기'로 해석한다. (동명사의 부정: not [never]+동명사)
2 동명사와 to부정사는 모두 명사(주어, 보어, 목적어) 역할을 할 수 있다. 전치사의 목적어로는 동명사만 가능하다.
3 현재분사는 동명사와 같은 형태이지만 진행형을 만들 때 쓰인다.

고르며 개념 확인

Answers p. 11

01 ○ Sit ○ Sitting on the grass is not allowed.

*02 Planting trees ○ is ○ are important for the environment.
★ 동명사(구) 주어는 단수 취급

03 The best part of the day was ○ rides ○ riding a roller coaster.

04 I'm sick and tired of ○ not to get ○ not getting any sleep.

05 Victoria spends a lot of time ○ hang ○ hanging out with her friends.

06 When I saw him dancing, I couldn't help ○ to laugh ○ laughing .

쓰며 개념 정리

07 셀피를 찍는 것은 재미있다. (take) ______ selfies is fun.

*08 너는 보고서 쓰기를 끝냈니? (finish, write) Have you ______ your report?
★ 현재완료 의문문 → 「Have+주어+과거분사 ~?」

09 그는 일찍 오지 못한 것에 대해 사과했다. (come) He apologized for ______ early.

10 그녀는 수학 문제를 푸는 것을 잘한다. (solve) She is good at ______ math problems.

11 그들은 멕시코 여행을 준비하느라 바쁘다. (prepare) They are ______ for the trip to Mexico.

12 이 책은 여러 번 읽을 만한 가치가 있다. (read) This book is worth ______ many times.

개념 18 동명사와 to부정사

월 일

Keep dreaming and believe in yourself.

We agreed to have seafood fried rice.

I forgot sending an email to Kelly.
(과거에) 보낸 것을 잊었다

I forgot to send an email to Kelly.
(앞으로) 보낼 것을 잊었다

동명사를 목적어로 쓰는 동사	enjoy, finish, keep, stop, quit, practice, recommend, imagine, mind, avoid, give up, put off 등 *cf.* stop+to부정사: ~하기 위해 멈추다	
to부정사를 목적어로 쓰는 동사	want, hope, wish, plan, need, learn, choose, decide, expect, agree, promise, pretend 등	
둘 다 목적어로 쓸 수 있는 동사	의미 차이 없는 것	start, begin, like, love, hate, prefer, continue 등
	의미 차이 있는 것	forget, remember, try 등

바로 개념

1 동사에 따라 to부정사를 목적어로 쓰거나 동명사를 목적어로 쓴다.

2 to부정사와 동명사를 둘 다 목적어로 쓰지만 의미 차이가 있는 동사로는 forget, remember, try 등이 있다.

forget	+ 동명사	(과거에) ~한 것을 잊다
	+ to부정사	(앞으로) ~할 것을 잊다
remember	+ 동명사	(과거에) ~한 것을 기억하다
	+ to부정사	(앞으로) ~할 것을 기억하다
try	+ 동명사	시험 삼아 ~해보다
	+ to부정사	~하기 위해 노력하다

고르며 개념 확인

Answers p. 11

01 I want ○ to go ○ going on a bike tour of Jejudo this summer.

02 Zulu people enjoy ○ to make ○ making clothes with beads.

03 Never put off ○ to go ○ going to the dentist.

04 Mr. Jackson ○ planned ○ finished to write a novel.

05 They ○ promised ○ gave up trying to persuade him.

06 Remember ○ to protect ○ protecting your head when there is danger of falling objects.

쓰며 개념 정리

07 그 아기는 울음을 멈췄다. (cry) The baby stopped ______.

08 그는 사진 동아리에 가입하기로 결심했다. (join) He decided ______ the photography club.

09 우리는 비닐봉지 사용을 피해야 한다. (use) We should avoid ______ plastic bags.

10 창문을 닫아도 될까요? (close) Would you mind ______ the window?

11 그녀는 실망감을 감추려고 노력했다. (hide) She tried ______ her disappointment.

12 나는 어렸을 때 이 게임을 했던 것을 기억한다. (play) I remember ______ this game as a child.

Answers p. 11

개념 17 동명사의 쓰임

1 동명사는 「동사원형 + ______」의 형태로 ______ 역할을 하며 '~하는 것', '~하기'로 해석한다.
(동명사의 부정: ______ + ______)

2 동명사와 to부정사는 모두 명사(주어, 보어, 목적어) 역할을 한다. 전치사의 목적어로는 ______ 만 가능하다.

3 현재분사는 동명사와 같은 형태이지만 진행형을 만들 때 쓰인다.

〈동명사의 관용적 표현〉

go -ing	~하러 가다	can't help -ing	~하지 않을 수 없다
	~하느라 바쁘다		~해도 소용없다
	~할 만한 가치가 있다		~하기를 고대하다
	~하고 싶다		~하는 데 어려움이 있다
	~하느라 시간/돈을 쓰다		…가 ~하지 못하게 하다

개념 18 동명사와 to부정사

1 동사에 따라 to부정사를 목적어로 쓰거나 동명사를 목적어로 쓴다.

2 to부정사와 동명사를 둘 다 목적어로 쓰지만 의미 차이가 있는 동사로는 forget, remember, try 등이 있다.

동명사를 목적어로 쓰는 동사	enjoy, ______, ______, ______, ______, ______, ______, ______, ______, ______, give up, put off 등 *cf.* stop + to부정사: ~하기 위해 멈추다
to부정사를 목적어로 쓰는 동사	want, ______, ______, ______, ______, ______, ______, ______, ______, ______, promise, pretend 등
둘 다 목적어로 쓸 수 있는 동사	의미 차이 없는 것: ______, ______, ______, ______, ______, prefer, continue 등 의미 차이 있는 것: ______, ______, ______ 등

보기 hope, finish, start, wish, begin, like, keep, stop, quit, plan, forget, need, love, learn, practice, recommend, choose, hate, imagine, mind, decide, remember, expect, agree, avoid, try

forget	+ 동명사	(과거에) ~한 것을 잊다	remember	+ 동명사	try	+ 동명사	
	+ to부정사	(앞으로) ~할 것을 잊다		+ to부정사		+ to부정사	

Answers p. 11

A 다음 문장에서 어법상 어색한 부분에 밑줄을 긋고 바르게 고치시오.

01 Do you enjoy to ride a bike?

02 Skate on the thin ice is dangerous.

03 My dream is becomes a fashion designer.

04 Our family decided move to Busan.

05 Many teens have trouble manage their emotions.

06 I'm looking forward to see you again.
★ look forward to의 to는 전치사임에 주의

07 Setting goals are important for middle school students.

08 I felt like cry after seeing her picture.

09 The little boy pretended be asleep when his dad came.

10 I forgot check the weather forecast before leaving and left my umbrella at home.
★ 일기예보를 체크할 것을 잊었다는 의미

B 밑줄 친 말에 유의하여 다음 문장을 우리말로 해석하시오.

01 My dream is <u>coming</u> true.
→

02 My plan is <u>traveling</u> around the world.
→

03 Will you <u>stop treating</u> me like a child?
→
★ treat like: ~처럼 대하다

04 The bus <u>stopped to pick up</u> the passengers.
→
★ to부정사의 부사적 용법 (목적)

05 I <u>remember seeing</u> you in London.
→

06 You have to <u>remember to turn off</u> the heater.
→

표현 이용하여 문장 쓰기

표현 노트

121 사람들로부터 배우는 것이 더 재미있다.

★ 동명사(구)나 to부정사(구) 주어는 단수 취급

learn, more, fun

122 나는 새 친구 사귀는 것을 즐긴다.

enjoy, make new friends

123 나는 그냥 종이컵 사용을 멈출 수 있다.

I can just

stop, use, paper cups

124 다른 변화는 내 나쁜 습관들 중의 하나를 고치는 것이다.

The other change is

★ 「one of + 복수 명사」

break, my bad habits

125 많은 가게들이 있었고, 사람들은 이야기하고 쇼핑하느라 바빴다.

There were a lot of stores, and

people, busy, talk, shop

126 나는 상을 타기를 기대하고 있어!

looking forward to, win a prize

127 여러분은 대화를 시작하는 데 문제가 있나요?

trouble, start conversations

128 나는 음악책 가져오는 것을 잊었다.

forget, bring, my music book

Answers p. 11

배열하여 문장 쓰기

129 새 학년을 시작하는 것은 많은 학생에게 엄청난 스트레스를 준다.
(a new school year, stressful, to many students, beginning, is)

130 성민이는 스마트폰을 사용하며 많은 시간을 보낸다.
(a lot of, his, spends, smartphone, using, time)

Seongmin

131 아빠는 지도를 보고 길을 물어보느라 바쁘셨다.
(busy, asking for, looking at, directions, the map, was, and)

Dad

132 Maibon은 돌을 파괴하려고 애썼지만, 그것은 계속해서 다시 돌아왔다.
(to destroy, but, kept, back, tried, the stone, it, coming)

★ keep -ing: 계속해서 ~하다

Maibon

133 동아리 활동에 참여하는 것이 학교생활을 즐기는 훌륭한 방법이다.
(in club activities, a great way, your school life, participating, is, to enjoy)

★ to부정사는 명사를 뒤에서 수식

134 너는 공포 영화 보는 것에 관심이 있니?
(in, horror movies, are, interested, you, watching)

135 이것은 네 눈이 건조해지는 것을 막아 줄 것이다.
(keep, from, dry, this, becoming, your eyes, will)

★ keep ~ from -ing: ~가 …하는 것을 막다

[Self-Editing Checklist] ✔ 대 • 소문자를 바르게 썼나요? Y N ✔ 철자와 문장 부호를 바르게 썼나요? Y N

REVIEW TEST UNIT 05 동명사

대표유형 01 동명사와 to부정사

01 다음 빈칸에 들어갈 말로 알맞은 것은?

> My goal is ______ a gold medal.

① wins ② won ③ winning
④ to won ⑤ to winning

02 다음 빈칸에 들어갈 수 없는 것을 모두 고르면?

> ______ is always fun.

① Be in a different country
② Playing the guitar
③ To meet new people
④ Hanging out with friends
⑤ Learns to bake cookies

03 다음 중 밑줄 친 부분의 역할이 나머지 넷과 다른 것은?

① She doesn't like studying science.
② Ken is fond of sleeping on the sofa.
③ They enjoyed playing computer games.
④ I'm thinking about visiting New York this year.
⑤ The most important thing is staying calm.

04 다음 빈칸에 들어갈 말이 바르게 짝지어진 것은?

> • Daisy will go ______ this afternoon.
> • My son is not good at ______.

① swim – lie ② to swim – to lie
③ swims – lying ④ swimming – lying
⑤ swimming – to lying

05 다음 중 밑줄 친 부분의 역할이 〈보기〉와 같은 것은?

> 보기 His plan is building his own house.

① The key to happiness is having dreams.
② Jogging every day will help you lose weight.
③ I can't imagine living without my smartphone.
④ The inventor finally gave up making a robot.
⑤ Many studies show that eating breakfast is important.

06 다음 문장에서 어법상 어색한 부분을 바르게 바꾼 것은?

> Eating too many candies make you fat.

① Eating → Eat ② many → much
③ candies → candy ④ make → makes
⑤ you → your

07 다음 중 어법상 옳은 문장의 개수로 알맞은 것은?

> ⓐ She is looking forward to get back to Korea.
> ⓑ To make money is important to him.
> ⓒ I'm sorry for not answering the phone.
> ⓓ My bad habit is eating sweets before dinner.
> ⓔ Playing the drums are really exciting.

① 1개 ② 2개 ③ 3개 ④ 4개 ⑤ 5개

대표유형 02 동명사와 현재분사

08 다음 중 밑줄 친 부분의 쓰임이 나머지 넷과 다른 것은?

① I prefer traveling by train.
② Ted is making a sandwich for his mom.
③ My brother finished doing the dishes.
④ Watching action movies is my hobby.
⑤ How about eating out this evening?

09 다음 중 밑줄 친 부분의 쓰임이 나머지 넷과 다른 것은?

① Do you mind waiting for a while?
② Her hobby is collecting old coins.
③ It is no use crying over spilt milk.
④ The singers are shaking their heads.
⑤ Texting for a long time can hurt your neck.

10 다음 중 밑줄 친 부분의 쓰임이 〈보기〉와 같은 것은?

> 보기 Growing vegetables takes time.

① It is still raining hard outside.
② They are riding a bike in the park.
③ It was a picture of a flying bird.
④ Dad's face is getting red because it is spicy.
⑤ I think making true friends is not easy.

Answers p. 11

대표유형 03 동명사와 to부정사를 목적어로 쓰는 동사

11 다음 빈칸에 들어갈 말로 알맞은 것을 모두 고르면?

Most teenagers ________ talking on the cellphone with their friends.

① love ② enjoy ③ hope
④ expect ⑤ agree

12 다음 빈칸에 들어갈 수 없는 것은?

Sandra ________ studying French.

① planned ② likes ③ kept
④ began ⑤ gave up

13 다음 빈칸에 공통으로 들어갈 수 있는 것은?

- The kid ________ to read books.
- My brother ________ doing exercise.

① pretended ② hates ③ finished
④ avoided ⑤ learns

14 다음 밑줄 친 부분이 어법상 어색한 것은?

① I wanted to get along with her sister.
② You need to quit complaining about your life.
③ They promised not to say a word.
④ Amy doesn't mind sharing her room with Julie.
⑤ I won't put off to do my math homework.

15 다음 중 우리말 해석이 잘못된 것은?

① I forgot visiting her.
→ 나는 그녀를 방문할 것을 잊었다.
② My dad stopped smoking.
→ 우리 아빠는 담배를 끊으셨다.
③ They stopped to watch the parade.
→ 그들은 행진을 보기 위해 멈추었다.
④ We tried to cheer them up.
→ 우리는 그들을 위로하려고 노력했다.
⑤ Try eating some chocolate when you are tired.
→ 피곤할 때는 초콜릿을 좀 먹어봐.

16 다음 빈칸에 들어갈 수 없는 것끼리 묶은 것은?

I ________ dancing with Jack.

ⓐ wish ⓑ started ⓒ decided not
ⓓ continued ⓔ imagined ⓕ will practice

① ⓐ, ⓒ ② ⓐ, ⓓ ③ ⓑ, ⓔ, ⓕ
④ ⓑ, ⓒ, ⓓ ⑤ ⓓ, ⓔ, ⓕ

17 다음 중 빈칸에 들어갈 buy의 형태가 나머지 넷과 다른 것은?

① My sister enjoys ________ clothes.
② Ms. Sandler gave up ________ a new car.
③ Do you mind ________ things online?
④ We all agreed ________ the house.
⑤ I recommend ________ tickets in advance.

18 다음 빈칸에 들어갈 말이 바르게 짝지어진 것은?

- Don't forget ________ the door before you go out.
- The copy machine stopped ________ again. We should call a repairman.

① lock – to work ② to lock – working
③ to lock – to work ④ locking – working
⑤ locking – to working

19 다음 빈칸에 들어갈 말로 알맞은 것은?

I remember I met him at the theater.
= I remember ________ him at the theater.

① met ② to meet ③ meeting
④ be meeting ⑤ to meeting

20 다음 문장 중 어법상 어색한 것은?

① Have you finished setting the table?
② He avoided to make eye contact with her.
③ I didn't expect to win the championship.
④ My neighbor's dog kept barking at night.
⑤ We decided to take part in the marathon.

01 다음 그림을 보고, 주어진 표현을 이용하여 문장을 완성하시오. (단, 현재 시제로 쓸 것)

(1)

Cindy ________ ________ ________ of flowers.

(enjoy, take pictures)

(2)

Brian ________ ________ ________ a famous singer.

(hope, be)

02 괄호 안의 단어를 이용하여 〈보기〉와 같이 대화의 내용을 요약하는 문장을 완성하시오.

> 보기
> **Tom**: Can you help me with my homework?
> **Joan**: Of course.
> → Joan didn't mind helping Tom with his homework. (mind)

Frank: Why don't you write a letter to your mom?

Edward: I already wrote it.

➔ Edward ________________________________. (finish)

03 다음 괄호 안에 주어진 단어를 배열하여 문장을 완성하시오. (단, 주어진 단어 중 하나의 형태를 알맞게 바꿀 것)

(1) 건강에 좋은 음식은 네가 아프게 되는 것을 막아 줄 수 있다.
(keep, get, you, can, healthy, sick, foods, from)

➔ ________________________________

(2) 그는 그의 집을 청소하면서 많은 시간을 보냈다.
(his, spent, time, clean, much, house, he)

➔ ________________________________

[Self-Editing Checklist] ✔ 대 • 소문자를 바르게 썼나요? Y N ✔ 철자와 문장 부호를 바르게 썼나요? Y N

UNIT 06

분사와 분사구문

핵심 개념 바로 확인 I know! ☺ No idea! ☹

- 분사는 동사원형에 -ing나 -ed를 붙인 것으로 형용사처럼 쓰인다. ☺ ☹
- 부사절은 접속사 when, because, as 등이 이끄는 절이다. ☺ ☹
- 분사구문은 부사절을 분사로 시작하는 부사구로 바꾼 것이다. ☺ ☹

개념 19 현재분사와 과거분사

월 일

Firefighters ran into the burning house. 〈현재분사: 능동/house 수식〉

He will buy a car made in Germany. 〈과거분사: 수동/car 수식〉
수식어구가 붙어 있어서 명사 뒤에 씀

I was sleeping when you called me. 〈현재분사: 진행〉

Chris had a bad tooth pulled out yesterday.
사역동사 목적어 〈과거분사: 수동/목적격 보어〉

	현재분사	과거분사
형태	동사원형 + -ing	동사원형 + -ed 또는 불규칙 과거분사형
의미	① 능동 (~하는) ② 진행 (하고 있는)	① 수동 (~되는, 당하는) ② 완료 (~된)
역할	① 명사 앞이나 뒤에서 명사 수식 ② 주격 보어나 목적격 보어로 쓰임 ③ 시제 표현에 쓰임	

바로 개념

1 분사는 동사원형에 -ing나 -ed를 붙인 것으로, 동사의 의미를 가지면서 형용사처럼 쓰인다.

2 분사가 단독으로 명사를 수식할 때는 분사를 명사 앞에 쓰고, 목적어나 수식어구가 붙어 있는 경우에는 명사 뒤에 쓴다.

3

현재분사 *vs.* 동명사	현재분사 (형용사 역할)	동명사 (명사 역할)
명사 앞	명사 수식 running time(영화 상영 시간)	명사의 용도 설명 running shoes(달리기용 운동화)
be동사 뒤	진행형 I am biting my nails.(물어뜯는 중이다)	주격 보어 My habit is biting my nails.(물어뜯는 것)

고르며 개념 확인

Answers p. 12

01 When will you fix the broken window? ○ 명사 수식 ○ 보어

02 We saw a baby hippo chasing a man. ○ 현재분사 ○ 동명사

03 My grandmother is wearing a yellow hat. ○ 완료 ○ 진행

04 I looked up at the twinkling stars in the night sky. ○ 명사 수식 ○ 보어

05 Can you find the sleeping cat in the picture? ○ 현재분사 ○ 동명사

06 I bought a sleeping bag for my backpacking trip. ○ 현재분사 ○ 동명사

쓰며 개념 정리

07 냉장고에 남아 있는 음식이 없다. (leave) There is no food ______ in the refrigerator.

08 그녀는 해변에서 책을 읽고 있었다. (read) She was ______ a book on the beach.

09 나는 방금 청소를 끝냈다. (finish) I have just ______ cleaning.

10 울고 있는 소년은 내 남동생이다. (cry) The ______ boy is my brother.

11 그는 영어로 쓰인 이메일을 받았다. (write) He received an email ______ in English.

12 나는 눈물이 얼굴에 흐르는 것을 느꼈다. (run) I felt tears ______ down my face.

개념 20 감정을 나타내는 분사

월 일

The final match was very exciting.
주어가 감정을 일으키는 대상

We were excited about the match.
주어가 감정을 느끼는 주체

Tyler is interested in Korean history.
주어가 감정을 느끼는 주체

Where did you get this interesting book?
재미있는 책

He sounds like an interesting person.
재미있는 사람

현재분사(능동)	과거분사(수동)
boring 지루한	bored 지루해 하는
exciting 신나는	excited 신이 난
touching 감동적인	touched 감동한
surprising 놀라운	surprised 놀란
shocking 충격적인	shocked 충격을 받은
pleasing 즐거운	pleased 기뻐하는
confusing 혼란스러운	confused 혼란스러워 하는
disappointing 실망스러운	disappointed 실망한
interesting 재미있는	interested 관심 있어 하는
satisfying 만족을 주는	satisfied 만족하는

바로 개념

1 감정을 나타내는 분사는 bore(지루하게 만들다)나 surprise(놀라게 하다)처럼 감정을 나타내는 동사로 만든 현재분사나 과거분사가 형용사처럼 굳어진 것이다.

2 현재분사는 주어가 감정을 일으키는 대상일 때 쓰고, 과거분사는 주어가 감정을 느끼는 주체일 때 쓴다. 현재분사는 주로 사물이 주어이거나 사물을 수식할 때 쓰고, 과거분사는 사람이 주어이거나 사람을 수식할 때 쓴다.

고르며 개념 확인

Answers p. 12

01 I think the exhibition is ○ bored ○ boring .

02 We were ○ pleased ○ pleasing to see you again.

03 You don't have to be ○ disappointed ○ disappointing at all.

04 The food at the restaurant was ○ satisfied ○ satisfying .

05 The ○ surprised ○ surprising news made me speechless.

06 The colors of this painting are ○ amazed ○ amazing .

쓰며 개념 정리

07 그 시합은 정말 신났다. (excite) The game was really ________.

08 그 질문은 나를 혼란스럽게 했다. (confuse) The question made me ________.

09 Sam은 어제 우울한 것 같았다. (depress) Sam seemed to be ________ yesterday.

10 그 영화의 결말은 감동적이었다. (touch) The end of the movie was ________.

11 그들은 내가 진실을 말했을 때 놀란 것 같았다. (surprise) They looked ________ when I told the truth.

12 창피한 순간이었다. (embarrass) It was an ________ moment.

바로 개념 확인 노트

Answers p. 12

개념 19 현재분사와 과거분사

1 분사는 동사원형에 -ing나 -ed를 붙인 것으로, 동사의 의미를 가지면서 (　　　　) 처럼 쓰인다.

2 분사가 단독으로 명사를 수식할 때는 분사를 명사 (　　　　) 에 쓰고, 목적어나 수식어구가 붙어 있는 경우에는 명사 (　　　　) 에 쓴다.

3

현재분사 *vs.* 동명사	현재분사 (형용사 역할)	동명사 (명사 역할)
명사 앞	명사 수식 running time(영화 상영 시간)	명사의 (　　　　) 설명 running shoes(달리기용 운동화)
be동사 뒤	진행형 I am biting my nails.(물어뜯는 중이다)	주격 보어 My habit is biting my nails.(물어뜯는 것)

	현재분사	과거분사
형태	동사원형 + -ing	동사원형 + -ed 또는 불규칙 과거분사형
의미	① (　　　　) (~하는) ② 진행 (하고 있는)	① 수동 (~되는, 당하는) ② (　　　　) (~된)
역할	① 명사 앞이나 뒤에서 명사 수식 ② 주격 보어나 목적격 보어로 쓰임 ③ 시제 표현에 쓰임	

개념 20 감정을 나타내는 분사

1 감정을 나타내는 분사는 bore(지루하게 만들다)나 surprise(놀라게 하다)처럼 감정을 나타내는 동사로 만든 현재분사나 과거분사가 (　　　　) 처럼 굳어진 것이다.

2 (　　　　) 는 주어가 감정을 일으키는 대상일 때 쓰고, 과거분사는 주어가 감정을 느끼는 주체일 때 쓴다. 현재분사는 주로 사물이 주어이거나 사물을 수식할 때 쓰고, (　　　　) 는 사람이 주어이거나 사람을 수식할 때 쓴다.

현재분사(능동)		과거분사(수동)	
(　　　　) 지루한	pleasing 즐거운	bored 지루해 하는	(　　　　) 기뻐하는
exciting 신나는	(　　　　) 혼란스러운	(　　　　) 신이 난	confused 혼란스러워 하는
touching 감동적인	disappointing 실망스러운	touched 감동한	(　　　　) 실망한
(　　　　) 놀라운	(　　　　) 재미있는	surprised 놀란	interested 관심 있어 하는
shocking 충격적인	satisfying 만족을 주는	(　　　　) 충격을 받은	satisfied 만족하는

Answers p. 13

A 다음 밑줄 친 부분의 알맞은 형태를 쓰시오.

01 It is interest to learn a foreign language.

02 Do you know the smile girl over there?

03 My mom sometimes makes me fry rice.

04 Paris is one of the most fascinate cities in the world.

05 There are a lot of fall leaves on the ground.

06 The pool is full of swim children.

07 Who is the man lean against the wall?

08 The guests have already arrive at the reception hall.

B 다음 우리말과 같도록 빈칸에 들어갈 말을 〈보기〉에서 골라 알맞은 형태로 쓰시오.

보기 shock tire use draw fall disappoint

01 그는 같은 일을 하는 것에 몹시 지쳤다.

→ He was very ______ of doing the same thing.

02 나의 엄마는 중고가구 사는 것을 좋아하신다.

→ My mother likes to buy ______ furniture.

03 정말 실망스러운 날이었어!

→ What a ______ day it was!

04 우리는 한 남자가 그네에서 떨어지는 것을 보았다.

→ We saw a man ______ off the swing.

05 벽에 있는 그림은 나의 언니가 그린 것이다.

→ The picture on the wall was ______ by my sister.

06 그 과학자들은 충격적인 발견을 했다.

→ The scientists made a ______ discovery.

배열하여 문장 쓰기

136 나는 폭포의 크기에 놀랐다. (at, of the waterfall, I, the size, was, surprised)

I was surprised at the size of the waterfall.

137 유명한 요리사가 쓴 그 책은 재미있다. (a famous cook, the book, by, interesting, is, written)

138 예기치 못한 일이 일어났다. (happened, unexpected, something)

-thing으로 끝나는 대명사의 수식어 위치에 주의!

139 롤러코스터를 타는 것은 나를 신나게 한다. (riding, makes, excited, a roller coaster, me)

140 떨어지는 나뭇잎을 봐. (falling, look, the, at, leaves)

141 그 글자들은 부드러운 붓으로 그려졌다. (a soft brush, were, the characters, with, painted)

142 나는 클래식 음악을 들으면 지루하다. (feel, classical music, I, when, listen to, bored, I)

143 해산물 볶음밥은 정말 맛있었다. (fried, amazing, the, was, seafood, rice)

Answers p. 13

표현 이용하여 문장 쓰기

144 하늘을 나는 새들을 봐.

look at, the, fly, in the sky

Look at the flying birds in the sky.

145 너는 사진 찍는 것에 관심이 있니?

interest, in, take pictures

146 그녀는 그들의 생활이 너무 어려웠기 때문에 충격을 받았다.

shock, because, their lives, very difficult

147 아마존 강은 많은 점에서 흥미롭다.

the Amazon River, interest, in many ways

148 그것은 길을 따라 걷고 있는 여인처럼 보인다.

look, a woman, walk down a road

★ 감각동사 뒤에 명사구가 올 때는 동사 뒤에 like를 쓰는 것에 주의!

149 아빠는 놀라운 일을 제안하셨다.

my father, suggest, a, surprise, event

150 피아노를 연주하는 사람은 누구니?

the man, play the piano

[Self-Editing Checklist] ✔ 대 • 소문자를 바르게 썼나요? Y N ✔ 철자와 문장 부호를 바르게 썼나요? Y N

개념 21

분사구문 1

월 일

Waiting for the bus, I texted you.
(→ While I waited for the bus)

Finishing my homework, I had dinner.
(→ After I finished my homework)

Not getting enough sleep, he felt tired.
(→ As he didn't get enough sleep)

뒤에 분사가 있으므로 생략 가능
(Being) Playing games, I didn't get your call.
(→ Because I was playing games)

분사구문 만드는 법

When I watched TV, I fell asleep.
부사절 주절

~~When~~ I watched TV, I fell asleep. ① 접속사 생략

~~I~~ watched TV, I fell asleep. ② 부사절의 주어 생략 (주절의 주어와 같을 때)

Watching TV, I fell asleep. ③ 동사를 현재분사로 바꾸기 (주절의 시제와 같을 때)

바로 개념

1 분사구문은 부사절(접속사 when, because, if 등 + 주어 + 동사)에서 접속사와 주어를 생략하고 동사를 현재분사(동사원형 + -ing)로 바꿔 부사구로 만든 것이다. 이때 분사는 동사와 접속사의 역할을 동시에 하고, 분사구문은 문장 전체를 수식한다.

2 분사구문은 문장의 앞이나 뒤, 중간에 올 수 있으며, 분사구문의 부정은 분사 앞에 not 또는 never를 쓴다.

3 부사절에 진행 시제나 수동태가 쓰여 분사구문이 「Being + 분사」의 형태인 경우 Being을 생략할 수 있다.

고르며 개념 확인

Answers p. 13

01 ○ Play ○ Playing baseball, he had his leg hurt.

02 Walking along the Han River, I ○ saw ○ seen my neighbor.

03 ○ I seeing ○ Seeing Emma, I noticed she was crying a lot.

04 ○ Knowing not ○ Not knowing what to say, he kept smiling.

05 ○ Being late ○ Late for work, I took a taxi.

06 ○ Taking ○ Be taking a shower, she sang her favorite song.

쓰며 개념 정리 부사절 → 분사구문

07 When we entered the house, we felt something weird.

→ ______ the house, we felt something weird.

08 Because he didn't have an umbrella, he got caught in the rain.

→ ______ ______ an umbrella, he got caught in the rain.

09 As I was hungry, I wanted to eat something.

→ ______ hungry, I wanted to eat something.

월 일

개념 22 분사구문 2

(Being) Walking along the street, I met my friend. 〈시간〉
(→ When I was walking along the street)

Living near the school, she walks there. 〈이유〉
(→ Because she lives near the school)

Listening to music, he washed the dishes. 〈동시동작〉
(→ As he listened to music)

Turning to the right, you can see the mall. 〈조건〉
(→ If you turn to the right)

Being sick, he came to school. 〈양보〉
(→ Although he was sick)

분사구문 의미	부사절에 쓰이는 접속사
시간	when(~할 때), before(~ 전에), after(~ 후에) 등
이유	because, since, as(~ 때문에)
동시동작	as(~하면서), while(~하는 동안)
조건	if(~라면)
양보	though, although(~임에도 불구하고)

1 분사구문은 시간, 이유, 동시동작, 조건, 양보 등 다양한 의미를 나타낸다.
2 분사구문의 의미를 분명하게 나타내기 위해 접속사를 생략하지 않고 남겨 두기도 한다.
3 양보의 의미를 나타내는 분사구문은 잘 사용하지 않으며, 분사구문과 주절의 내용이 상반되면 양보의 의미로 해석한다.

고르며 개념 확인

Answers p. 13

01 Paying the bus fare, she got on the bus.
→ ○ After ○ If she paid the bus fare, she got on the bus.

02 Studying hard, I passed the exam.
→ ○ Though ○ Because I studied hard, I passed the exam.

★03 Taking this medicine, you will feel better.
→ ○ If ○ Though you take this medicine, you will feel better.

★조건을 나타낼 때는 주절에 보통 will, can, may 등이 있다.

04 Having breakfast, he read the newspaper.
→ ○ Since ○ While he was having breakfast, he read the newspaper.

쓰며 개념 정리 분사구문 → 부사절

05 Doing what I say, you will succeed. → ______ what I say, you will succeed.

06 Being kind to others, he is popular with his friends.
→ ______ kind to others, he is popular with his friends.

07 Graduating from college, she started her own business.
→ ______ from college, she started her own business.

Answers p. 13

개념 21 분사구문 1

1 분사구문은 [ ](접속사 when, because, if 등+주어+동사)에서 접속사와 주어를 생략하고 동사를 현재분사(동사원형+-ing)로 바꿔 [ ]로 만든 것이다. 이때 분사는 동사와 접속사의 역할을 동시에 하고, 분사구문은 문장 전체를 수식한다.

2 분사구문은 문장의 앞이나 뒤, 중간에 올 수 있으며, 분사구문의 부정은 [ ] 앞에 not이나 never를 쓴다.

3 부사절에 진행 시제나 수동태가 쓰여 분사구문이 「[ ] + 분사」의 형태인 경우 [ ]을 생략할 수 있다.

분사구문 만드는 법

When I watched TV, I fell asleep.
(When I watched TV: 부사절 / I fell asleep: 주절)

~~When~~ I watched TV, I fell asleep.	① [ ] 생략
~~I~~ watched TV, I fell asleep. (I = I)	② 부사절의 [ ] 생략 (주절의 주어와 같을 때)
Watching TV, I fell asleep.	③ 동사를 [ ]로 바꾸기 (주절의 시제와 같을 때)

개념 22 분사구문 2

1 분사구문은 시간, 이유, 동시동작, 조건, 양보 등 다양한 의미를 나타낸다.

2 분사구문의 의미를 분명하게 나타내기 위해 [ ]를 생략하지 않고 남겨 두기도 한다.

3 양보의 의미를 나타내는 분사구문은 잘 사용하지 않으며, 분사구문과 주절의 내용이 상반되면 양보의 의미로 해석한다.

분사구문 의미	부사절에 쓰이는 접속사
시간	when(~할 때), before(~ 전에), after(~ 후에) 등
이유	because, since, as(~ 때문에)
동시동작	as(~하면서), while(~하는 동안)
조건	if(~라면)
양보	though, although(~임에도 불구하고)

Answers p. 13

A 다음 문장의 밑줄 친 부분을 분사구문으로 바꿔 쓰시오.

01 While I was doing yoga, I felt relaxed.

→ ________, I felt relaxed.

02 When we arrived at the theater, we bought the tickets.

→ ________, we bought the tickets.

03 If you go upstairs, you can find the restroom.

→ ________, you can find the restroom.

04 Because she was so surprised, she passed out. ✱ pass out 기절하다

→ ________, she passed out.

05 After we finished dinner, we went for a walk.

→ ________, we went for a walk.

B 두 문장이 같은 뜻이 되도록 〈보기〉에서 알맞은 접속사를 골라 문장을 완성하시오. (단, 한 번씩만 쓸 것)

보기 because if when though after

01 Coming into the classroom, he saw the students fighting.

→ When he came into the classroom, he saw the students fighting.

02 Getting up 30 minutes earlier, you can have breakfast.

→ ________, you can have breakfast.

03 Not being shy, I don't like to meet new people.

→ ________, I don't like to meet new people.

04 Taking a bath, she drank a glass of cold water.

→ ________, she drank a glass of cold water.

05 Catching a cold, he was absent from school.

→ ________, he was absent from school.

문장 바르게 고쳐 쓰기

151 Listened to music, I cleaned my room.

Listening to music, I cleaned my room.

152 Being feel hungry, he ate a sandwich.

153 Visit Seoul, I met my old friend.

154 My father made some pizza, waited for me.

155 Had too much homework, I could not watch my favorite TV show.

156 Been curious about the boat, they climbed onto it.

157 We are in the coffee shop, drink coffee.

158 Be tired of touring, the band spent more time writing songs.

★ 「Being + 분사」일 때 Being은 생략이 가능

Answers p. 13

표현 이용하여 분사구문 문장 쓰기

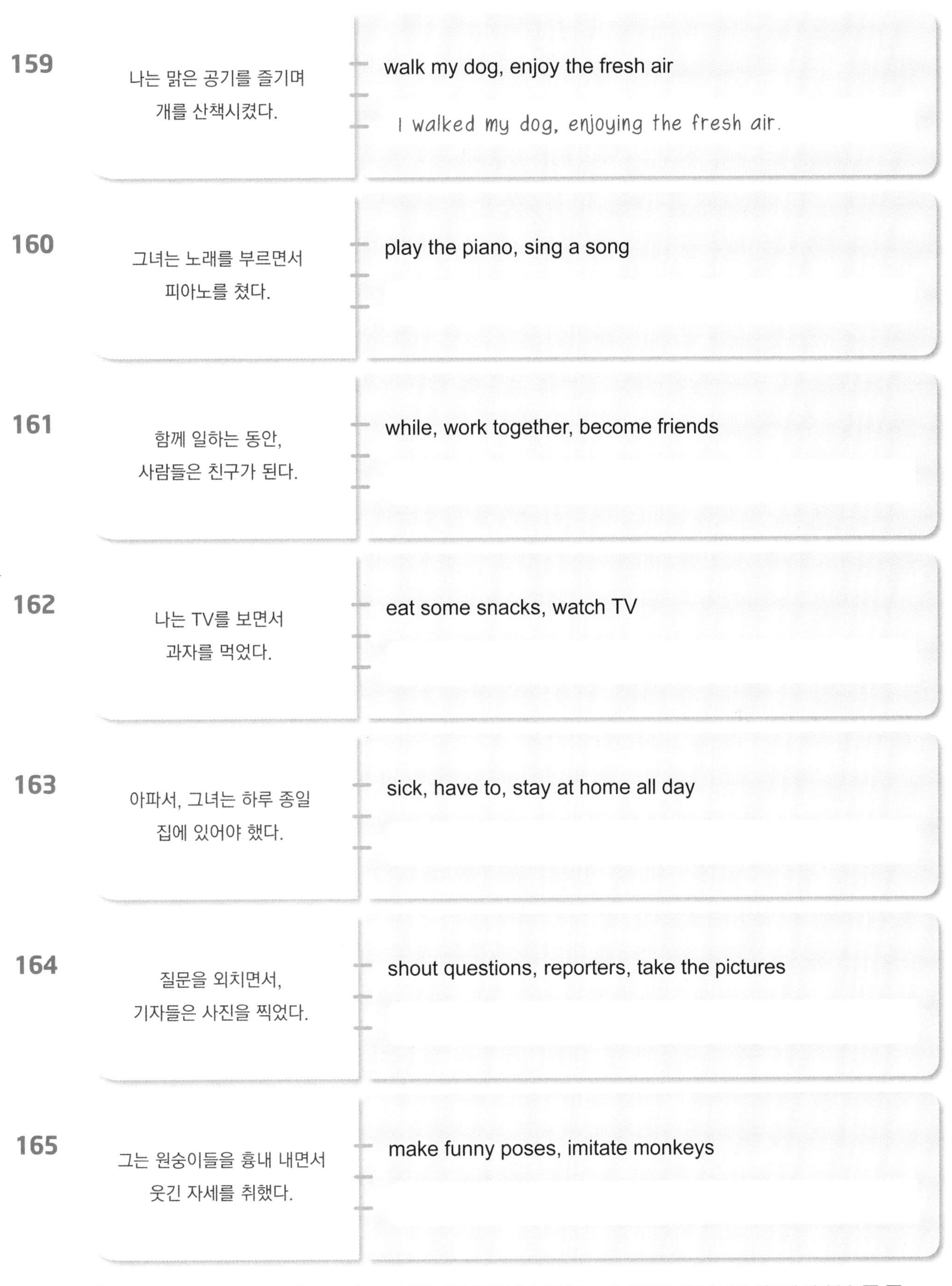

159 나는 맑은 공기를 즐기며 개를 산책시켰다.
walk my dog, enjoy the fresh air
I walked my dog, enjoying the fresh air.

160 그녀는 노래를 부르면서 피아노를 쳤다.
play the piano, sing a song

161 함께 일하는 동안, 사람들은 친구가 된다.
while, work together, become friends

162 나는 TV를 보면서 과자를 먹었다.
eat some snacks, watch TV

163 아파서, 그녀는 하루 종일 집에 있어야 했다.
sick, have to, stay at home all day

164 질문을 외치면서, 기자들은 사진을 찍었다.
shout questions, reporters, take the pictures

165 그는 원숭이들을 흉내 내면서 웃긴 자세를 취했다.
make funny poses, imitate monkeys

[Self-Editing Checklist] ✔ 대 • 소문자를 바르게 썼나요? Y N ✔ 철자와 문장 부호를 바르게 썼나요? Y N

REVIEW TEST UNIT 06 분사와 분사구문

대표유형 01 현재분사와 과거분사

01 다음 문장의 빈칸에 들어갈 말로 알맞은 것은?

> My father bought a ________ car.

① use ② using ③ used
④ to use ⑤ to using

02 다음 문장의 밑줄 친 부분을 알맞은 형태로 고친 것은?

> He always keeps the windows of his house lock when he goes out.

① to lock ② locking ③ are locked
④ locked ⑤ has locked

03 다음 우리말을 영어로 바르게 나타낸 것은?

> 도난당한 차는 주차장에 있었다.

① The stolen car was in the parking lot.
② The stolen car is in the parking lot.
③ The stealing car was in the parking lot.
④ The stealing car is in the parking lot.
⑤ The stealing car being in the parking lot.

04 다음 문장 중 어법상 어색한 것은?
① I sold my broken computer.
② Mike had his hair cut yesterday.
③ He has lived in the house for 50 years.
④ The girl waving at us is my best friend.
⑤ We walked all day under the burned sun.

05 다음 괄호 안의 말이 들어갈 위치로 가장 알맞은 곳은?

> (made in Korea)
> Electronics (①) are (②) very popular (③) and (④) well-known (⑤) in the world.

06 다음 우리말을 영어로 나타낼 때 두 번째로 오는 것은?

> 모나코에서 쓰는 언어는 프랑스어이다.

① spoken ② is ③ the language
④ French ⑤ in Monaco

07 다음 중 밑줄 친 부분이 어법상 어색한 것은?
① Don't wake up the sleeping lion.
② I'd like to have some baked potatoes.
③ Who are those people waiting outside?
④ Who is the woman catching by the police?
⑤ He bought a digital camera made in Germany.

08 다음 밑줄 친 동사의 알맞은 형태를 바르게 짝지은 것은?

> The boy wear a brown sweater is play with his dog on the playground.

① worn — playing ② wearing — playing
③ worn — played ④ wearing — played
⑤ wears — playing

대표유형 02 현재분사 *vs.* 동명사

09 다음 중 밑줄 친 부분의 쓰임이 나머지 넷과 다른 것은?
① Barking dogs seldom bite.
② My dad was reading the newspaper.
③ I'm sorry for keeping you waiting.
④ I felt someone touching my hair.
⑤ The rock looks like an elephant lying down.

10 다음 〈보기〉의 밑줄 친 부분과 쓰임이 다른 것은?

> 보기 The woman doing yoga is my mother.

① She was looking for a sleeping bag.
② My dog is running after the ball.
③ I have some surprising news for you.
④ Listen to the birds singing in the trees.
⑤ There is a sleeping cat under the table.

Answers p. 14

대표유형 03 감정을 나타내는 분사

11 다음 대화의 빈칸에 들어갈 말로 어색한 것은?

A How was the movie last night?
B It was really ________.

① interesting ② exciting ③ boring
④ amazing ⑤ touched

12 각 빈칸에 알맞은 bore의 형태를 바르게 짝지은 것은?

• I'm ________. Let's do something fun.
• The game was a little ________.

① boring — boring ② bored — bored
③ boring — bored ④ bored — boring
⑤ boring — bore

13 다음 중 밑줄 친 부분이 어법상 어색한 것은?

① You look so exciting today.
② Life is sometimes confusing.
③ She was disappointed at the result.
④ It's amazing that he became a doctor.
⑤ We heard shocking news from the teacher.

대표유형 04 분사구문

14 다음 두 문장이 같은 뜻이 되도록 빈칸에 알맞은 것은?

Because I felt tired, I went to bed early.
➔ ________, I went to bed early.

① Feel tired ② Felt tired
③ I feel tired ④ Being felt tired
⑤ Feeling tired

15 다음 문장의 빈칸에 들어갈 접속사로 가장 알맞은 것은?

Driving his car, he sang loudly.
➔ ________ he was driving his car, he sang loudly.

① If ② After ③ As
④ Since ⑤ Though

16 다음 밑줄 친 부분의 성격이 나머지 넷과 다른 것은?

① Being too late, I had to run fast.
② Playing computer games is very exciting.
③ Taking this bus, you will get to the theater.
④ Checking the lunch box, he found it empty.
⑤ Going to school this morning, I saw Julia.

17 다음 밑줄 친 부분의 의미로 가장 알맞은 것은?

Having no money, I couldn't buy a new bike.

① If I had no money
② Before I had no money
③ Though I had no money
④ Because I had no money
⑤ While I had no money

18 다음 문장의 밑줄 친 부분 중 어법상 어색한 것은?

① I ② opening the door, I ③ heard my father ④ snoring very ⑤ loudly.

19 다음 문장 중 어법상 어색한 것은?

① We had a great time, working together.
② Opening the box, she found a necklace.
③ Being so hungry, he ate six slices of pizza.
④ Arriving at the restaurant, you will see her.
⑤ Writing in English, the book is easy to understand.

20 다음 괄호 안의 단어들을 바르게 배열한 것은?

(attention, to, paying, teacher, the, not), he didn't know about the homework.

① Not to paying attention the teacher
② Not paying attention to the teacher
③ Not the teacher paying attention to
④ Paying not attention to the teacher
⑤ Paying attention to the teacher not

01 〈보기〉에 주어진 말을 알맞은 형태로 바꿔 글을 완성하시오.

보기	disappoint	rise	boil	amaze

I went hiking with my parents last Saturday. Early in the morning, we saw the (1) ______________ sun on top of the mountain. It was (2) ______________. At a Korean restaurant, we ate (3) ______________ chicken for lunch. It looked delicious, but we were (4) ______________ with its taste. Everything was perfect except that.

02 〈보기〉에 주어진 표현과 분사구문을 이용하여 그림의 상황을 나타내는 문장을 완성하시오.

보기	turn	sick	left	very

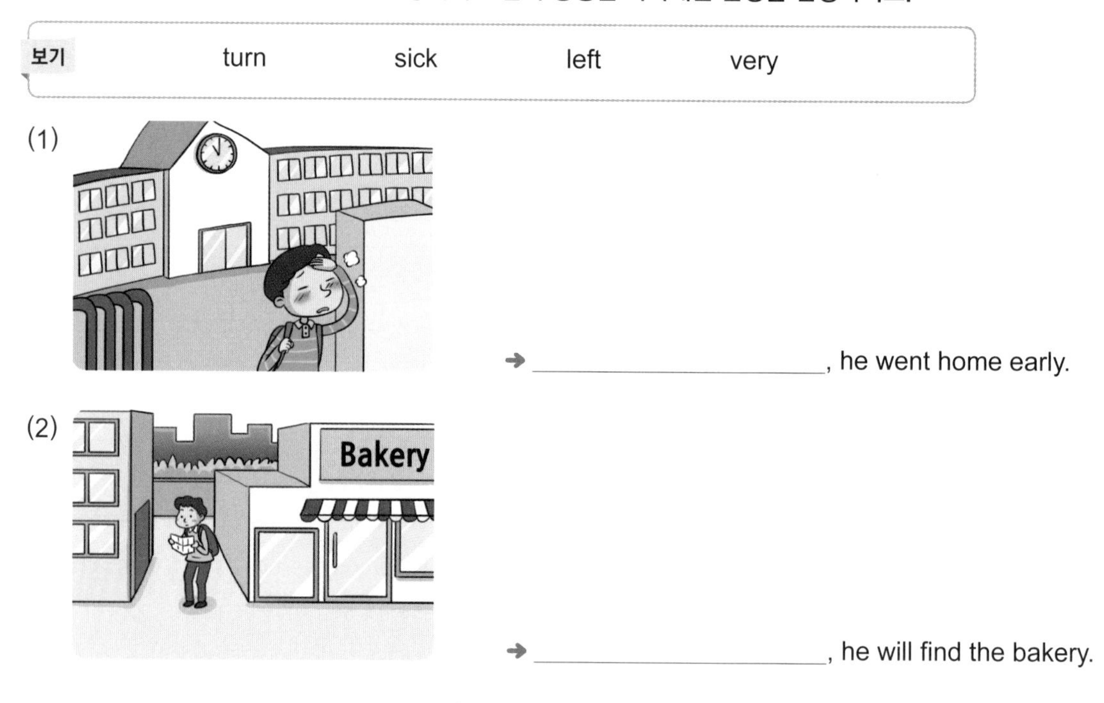

(1) → ______________________, he went home early.

(2) → ______________________, he will find the bakery.

03 주어진 문장과 의미가 같도록 〈조건〉에 맞게 문장을 바꿔 쓰시오.

While we were watching a movie, we ate popcorn.

[조건] 1. 분사구문을 사용할 것
2. 6단어의 완전한 문장으로 쓸 것

→ ______________________________________

[Self-Editing Checklist] ✔ 대 • 소문자를 바르게 썼나요? Y N ✔ 철자와 문장 부호를 바르게 썼나요? Y N

UNIT 07

대명사

핵심 개념 바로 확인 I know! ☺ No idea! 😐

- 부정 대명사는 정해지지 않은 막연한 대상을 나타내는 명사이다. ☺ 😐
- 재귀대명사(~ 자신, ~ 자체)는 주어와 목적어가 같은 대상일 때 또는 주어나 목적어를 강조할 때 쓴다. ☺ 😐

개념 23 부정 대명사

월 일

I saw a movie last night. It was exciting.
(It: 대명사)

I'd like to see a movie. Would you recommend one?
(one: 부정 대명사)

She has two cars. One is new, and the other is old.
(One: (둘 중) 하나는 ~ / the other: 다른 하나는 ...)

I have three puppies. One is white, another is black, and the other is spotted.
(One: (셋 중) 하나는 ~ / another: 또 하나는 ... / the other: 나머지 하나는 ~)

〈짝을 이루어 쓰는 부정 대명사〉

one ~ the other ...	(둘 중) 하나는 ~, 다른 하나는 ...
one ~ another ... the other ~	(셋 중) 하나는 ~, 또 하나는 ... 나머지 하나는 ~
one ~ the others ...	(여럿 중) 하나는 ~, 나머지 모두는 ...
some ~ others ...	(불특정 다수 중) 일부는 ~, 또 다른 일부는 ...
some ~ the others ...	(특정 다수 중) 일부는 ~, 나머지 전부는 ...

바로 개념

1 부정 대명사는 정해지지 않은 막연한 대상을 나타내는 명사로 one, the other, another, some, others 등이 있다.
2 대명사 it은 앞에서 말한 특정한 것을 가리키고 부정 대명사 one은 앞에서 말한 명사와 같은 종류의 불특정한 것을 가리킨다.
3 서로 짝을 이루어 쓰는 부정 대명사들이 있다.

고르며 개념 확인

Answers p. 15

01 He bought me a baseball cap yesterday, but I lost ○ it ○ one .

02 I lost my cell phone, so I have to buy ○ it ○ one .

03 I have two apples. One is red and ○ another ○ the other is green.

04 ○ Some ○ Other like basketball, but others don't.

05 People move from one place to ○ the other ○ another .

06 There are three books. One is mine, and ○ others ○ the others are hers.

쓰며 개념 정리

07 두 명의 소년이 있다. 한 명은 키가 크고 다른 한 명은 작다.

There are two boys. ________ is tall, and ________ is short.

08 가방이 세 개 있다. 하나는 내 것이고, 다른 하나는 Jane의 것이고, 나머지 하나는 Paul의 것이다.

There are three bags. ________ is mine, ________ is Jane's, and ________ is Paul's.

09 어떤 사람들은 외계인이 있다고 믿고, 또 다른 일부는 그렇지 않다.

________ believe there are aliens, and ________ don't.

개념 24 재귀대명사

월 일

I saw myself in the mirror. 〈재귀 용법〉 (I = myself)

You have to take care of yourself. 〈재귀 용법〉 (You = yourself)

I myself saw the ghost last night. 〈강조 용법〉 (I = myself)

My father made this pizza himself. 〈강조 용법〉 (My father = himself)

They all enjoyed themselves at the party. 〈재귀 용법〉
즐겁게 보냈다

인칭대명사(단수)	재귀대명사	인칭대명사(복수)	재귀대명사
I	myself	we	ourselves
you	yourself	you	yourselves
he / she	himself / herself	they	themselves
it	itself		

〈재귀대명사의 관용적 표현〉

by oneself	혼자서(= alone)	for oneself	혼자 힘으로
of oneself	저절로	enjoy oneself	즐겁게 지내다
between ourselves	우리끼리 이야기지만	help oneself (to)	(~을) 마음껏 먹다

바로 개념

1 재귀대명사는 주어와 목적어가 같은 대상일 때 쓰며, 형태는 「대명사의 소유격[목적격] + -self[selves]」이다.
2 재귀 용법: 재귀대명사가 동사나 전치사의 목적어로 쓰이며 이때 재귀대명사는 생략할 수 없다.
3 강조 용법: 재귀대명사가 주어, 목적어 등과 동격으로 쓰여 그 뜻을 강조한다. 이때 재귀대명사는 생략해도 문장이 성립된다.

고르며 개념 확인

Answers p. 15

01 I said to ○ me ○ myself , "What should I do?"

02 The show host introduced ○ them ○ themselves to the guests.

★03 Tim and I decorated the Christmas tree ○ himself ○ ourselves .
★ I가 포함된 복수 주어 → we

04 My sister burned ○ her ○ herself while she was cooking.

05 The old man lives ○ by himself ○ of himself . He's lonely.

★06 Judy, help ○ herself ○ yourself to the cake.
★ 명령문의 주어 → you

쓰며 개념 정리

★07 나는 직접 이 채소들을 재배했다. I grew these vegetables ______.
★ 주어 바로 다음이나 문장 끝에 오는 재귀대명사 → 주로 강조 용법

08 그 소년은 혼자 힘으로 스웨터를 짰다. The boy knitted the sweater ______ ______.

09 그 배우들은 스스로를 자랑스러워 할 것이다. The actors will be proud of ______.

10 이건 비밀이야. 아무에게도 말하지 마. This is between ______. Don't tell anyone.

11 인생 자체가 학습 과정이다. Life ______ is a learning process.

12 그녀는 침대에 누워 잠이 들었다. She laid ______ down on the bed and fell asleep.

개념 23 부정 대명사

1 부정 대명사는 정해지지 않은 막연한 대상을 나타내는 명사로 one, the other, another, some, others 등이 있다.

2 대명사 [ ] 은 앞에서 말한 특정한 것을 가리키고 부정 대명사 [ ] 은 앞에서 말한 명사와 같은 종류의 불특정한 것을 가리킨다.

〈짝을 이루어 쓰는 부정 대명사〉

one ~ [ ] ...	(둘 중) 하나는 ~, 다른 하나는 ...
one ~ [ ] ... [ ] ~	(셋 중) 하나는 ~, 또 하나는 ... 나머지 하나는 ~
one ~ [ ] ...	(여럿 중) 하나는 ~, 나머지 모두는 ...
some ~ [ ] ...	(불특정 다수 중) 일부는 ~, 또 다른 일부는 ...
some ~ [ ] ...	(특정 다수 중) 일부는 ~, 나머지 전부는 ...

개념 24 재귀대명사

1 재귀대명사는 [ ] 와 [ ] 가 같은 대상일 때 쓰며, 형태는 「대명사의 소유격[목적격] + -self[-selves]」이다.

2 재귀 용법: 재귀대명사가 동사나 전치사의 [ ] 로 쓰이며 이때 재귀대명사는 생략할 수 [ ].

3 강조 용법: 재귀대명사가 주어, 목적어 등과 동격으로 쓰여 그 뜻을 강조한다. 이때 재귀대명사는 생략해도 문장이 성립된다.

인칭대명사(단수)	재귀대명사	인칭대명사(복수)	재귀대명사
I		we	
you		you	
he / she		they	
it			

〈재귀대명사의 관용적 표현〉

by oneself	혼자서(= alone)		혼자 힘으로
	저절로		즐겁게 지내다
	우리끼리 이야기지만		(~을) 마음껏 먹다

Answers p. 15

A 다음 빈칸에 알맞은 말을 〈보기〉에서 골라 쓰시오. (중복 사용 가능)

보기 it them one ones another the other the others

01 I have two dresses. One is flower patterned, and ______ is striped.

02 I saw three animals. ______ was a monkey, ______ was an elephant, and ______ was a tiger.

03 Some were on time, but ______ were late for the meeting.

04 My dad bought a T-shirt for me, and I really liked ______.

05 I don't have a racket. Can you lend me ______?

06 I lost my glasses, and I couldn't find ______. So I'm thinking of buying new ______ tomorrow.

B 다음 빈칸에 알맞은 재귀대명사를 쓴 후, 해당하는 용법에 동그라미 하시오.

01 I can make ______ understood in English. (재귀 용법 / 강조 용법)

02 I ______ saw the car accident. (재귀 용법 / 강조 용법)

03 Make ______ at home, boys. ★복수 대상에게 하는 권유문임에 주의 (재귀 용법 / 강조 용법)

04 Ms. Dean runs the shop by ______. (재귀 용법 / 강조 용법)

05 Cats clean ______ to remove dirt. (재귀 용법 / 강조 용법)

06 My brother ______ painted this picture. (재귀 용법 / 강조 용법)

07 The candle went out of ______. (재귀 용법 / 강조 용법)

08 Did Mike and Sam sweep the floor ______? (재귀 용법 / 강조 용법)

09 My mom planted those trees ______. (재귀 용법 / 강조 용법)

10 Lisa and I really enjoyed ______ at the beach. (재귀 용법 / 강조 용법)

표현 이용하여 문장 쓰기

표현 노트

166 내겐 두 마리의 애완동물이 있다. 하나는 개이다. 다른 하나는 고양이다.

I have two pets.

a dog, a cat

167 나는 가방에 두 개의 돌을 넣을 것이다. 하나는 하얀색이고, 다른 하나는 검은색이다.

I will put two stones in a bag.

white, black

168 (둘 중) 하나는 네 자신을 돕기 위함이고, 다른 하나는 다른 사람들을 돕기 위함이다.

One is for helping yourself, and

help, others

169 네 자신에 대해 생각해 보고 너의 미래를 준비해라.

think about, prepare for

170 대부분의 사람들은 자기 자신에 대해 이야기하는 것을 좋아한다.

most, love to, talk about

171 그녀는 자기 자신을 계속 긁는다.

keep, scratch

172 그는 항상 물속에 있는 자기 자신을 바라보았다.

always, look at, in the water

173 그것은 스스로의 복제품들을 다시 만들 수 없다.

cannot, copies of, again

Answers p. 15

밑줄 친 부분에서 어법상 어색한 부분을 고쳐 문장 쓰기

174 I'm a father of two children. One is a high school girl, and other is a middle school boy.
(나는 두 아이의 아버지이다. 한 명은 고등학생 여자아이이고, 나머지 한 명은 중학생 남자아이이다.)

175 Bacteria are very small creatures. Some are good. Another are bad and can make you sick.
(박테리아는 매우 작은 생물체이다. 일부는 이롭다. 또 다른 일부는 해로워서 당신을 아프게 할 수 있다.)

176 Robinson thought to him, "I need to keep calm and focus on baseball."
(Robinson은 마음속으로 '나는 침착함을 유지하고 야구에 집중해야 해'라고 생각했다.)

177 They dance to express feelings, give happiness to others, or enjoy them.
(그들은 감정을 표현하거나, 다른 사람들에게 행복을 주거나 또는 스스로 즐기기 위해 춤춘다.)

178 Mozart him would be surprised by today's quiet audiences.
(모차르트 그 자신은 오늘날의 조용한 관객들에 의해 놀랄 것이다.)

179 She traveled around South America by her last summer.
(그녀는 작년 여름에 혼자 남미를 여행했다.)

180 We also have to think about the weight of the balloons itself and the strings.
(우리는 또한 풍선들 자체의 무게와 끈의 무게에 대해 생각해야 한다.)

[Self-Editing Checklist] ✔ 대 • 소문자를 바르게 썼나요? Y N ✔ 철자와 문장 부호를 바르게 썼나요? Y N

대표유형 01 부정대명사

01 다음 빈칸에 들어갈 말로 알맞은 것은?

Two chimney sweeps came out of a chimney. One was very dirty, and ______ was very clean.

① other ② any ③ another
④ the other ⑤ the others

02 다음 빈칸에 공통으로 들어갈 말로 알맞은 것은?

• I don't like this skirt. Show me ________.
• There are three flowers. One is a rose, ________ is a lily, and the other is a tulip.

① some ② other ③ another
④ ones ⑤ the others

03 다음 우리말에 맞게 빈칸에 들어갈 말로 알맞은 것은?

나는 다섯 편의 영화를 봤다. 하나는 지루했고 나머지는 모두 재미있었다.
→ I watched five movies. One was boring, and ________ were interesting.

① another ② some ③ ones
④ others ⑤ the others

04 다음 빈칸에 들어갈 말이 바르게 짝지어진 것은?

I can speak three languages. One is French, _______ is English, and _______ is Spanish.

① other – another ② other – the other
③ another – the other ④ others – another
⑤ some – others

05 다음 빈칸에 들어갈 말로 알맞은 것은?

There are many types of people in this world. ________ are friendly, but others are rude.

① One ② Some ③ Another
④ The other ⑤ The others

06 다음 빈칸에 들어갈 말이 바르게 짝지어진 것은?

I have two goals for this year. ______ is to make good friends. ______ is to become healthier.

① One – The other ② Other – Another
③ Some – Other ④ Another – One
⑤ Another – The other

07 다음 그림을 설명하는 문장의 빈칸에 들어갈 말을 바르게 짝지은 것은?

There are many balls in the box. ______ are soccer balls, and ______ are basketballs.

① Some – others ② Some – the others
③ Other – another ④ One – the others
⑤ Another – some

대표유형 02 부정대명사 one *vs.* 대명사 it

08 다음 빈칸에 들어갈 말로 알맞은 것은?

I need a pen. Will you lend me ________?

① it ② one ③ some ④ other ⑤ ones

09 다음 중 빈칸에 들어갈 말이 나머지 넷과 다른 것은?

① I lost my camera. I have to buy a new _______.
② Tim has a green bag, and I have a red _______.
③ It's expensive. Please show me a cheaper _______.
④ Do you want a small car or a big _______?
⑤ Mom bought me a bike, but I've lost _______.

10 다음 중 밑줄 친 부분이 어법상 어색한 것은?

① One should obey traffic rules.
② My mom took the clothes and threw them away.
③ I really like that black jacket. I'll buy it.
④ I have a red cap and two yellow one.
⑤ Give me a small balloon, not a big one.

Answers p. 15

대표유형 03 재귀대명사

11 다음 대화의 빈칸에 들어갈 말로 알맞은 것은?

A Can I have another cookie?
B Sure. Please help ________.

① you ② your ③ yourself
④ myself ⑤ itself

12 다음 중 밑줄 친 부분이 어법상 어색한 것은?

① Will you do me a favor?
② Stop it! You're hurting me.
③ I thought she reminded me of my mom.
④ I cut me on a piece of broken glass.
⑤ Freddie didn't invite me to his birthday party.

13 다음 중 빈칸에 한번도 쓰이지 않는 것은?

- Jack said to me, "Please seat ________."
- Why does your dog keep biting ________?
- The king ________ came to see me.
- Beth and I can take care of ________.

① myself ② yourself ③ himself
④ ourselves ⑤ itself

14 다음 문장의 밑줄 친 말과 바꿔 쓸 수 있는 것은?

I don't want to sleep alone.

① by myself ② of itself ③ from myself
④ in itself ⑤ between myself

15 밑줄 친 부분이 어법상 옳은 것의 개수로 알맞은 것은?

ⓐ The Earth itself turns around the Sun.
ⓑ Ms. Wilson looked at herself in the mirror.
ⓒ How do astronauts wash themselves in space?
ⓓ Judy and Sue made a pie by ourselves.
ⓔ He told the students, "Ask yourself who you really are."

① 1개 ② 2개 ③ 3개 ④ 4개 ⑤ 5개

대표유형 04 재귀대명사의 용법

16 다음 중 밑줄 친 부분의 쓰임이 나머지 넷과 다른 것은?

① I myself did that.
② She locked herself out.
③ Don't blame yourself.
④ The kids can dress themselves.
⑤ The pig rubbed itself against the tree.

17 다음 중 밑줄 친 부분의 쓰임이 〈보기〉와 같은 것은?

보기 John himself took this picture.

① She calls herself Liz.
② We painted the wall ourselves.
③ All the visitors enjoyed themselves.
④ "When did I agree?" I said to myself.
⑤ The players must be ashamed of themselves.

18 다음 중 밑줄 친 부분의 쓰임이 나머지 넷과 다른 것은?

① People say that history repeats itself.
② I wrote the letter myself to apologize to her.
③ Mom hurt herself while she was hammering.
④ The man introduced himself to the audience.
⑤ Knowing yourself is the beginning of all wisdom.

19 다음 중 밑줄 친 부분을 생략할 수 없는 것은?

① I spread the rumor myself.
② He himself finished the report.
③ The village itself was clean and quiet.
④ You shouldn't compare yourself to others.
⑤ My sister fixed the computer herself.

20 다음 중 밑줄 친 부분을 생략할 수 있는 것을 모두 고르면?

① Why don't you go there yourself?
② We all should know how to protect ourselves.
③ Mr. Jones himself designed this house.
④ She found herself caught in the trap.
⑤ They can make the right decisions for themselves.

01 괄호 안의 표현과 알맞은 재귀대명사를 이용하여 다음 문장을 완성하시오.

(1) I used to ________________________. (talk to)

(2) Mr. Green must ________________________. (be proud of)

(3) Mindy and Peter ________________________ at the festival last night. (enjoy)

02 〈보기〉에서 알맞은 말을 골라 다음 그림을 설명하는 문장을 완성하시오.

보기	one	another	some	the other	the others

(1)

→ There are two men under the tree. One is standing, and ________________________.

(2)

→ The girl has three balloons. One is red, ________________________, and ________________________.

수행평가 유형 틀린 어법 찾기형

03 다음 글에서 어법상 어색한 부분을 두 군데 찾아 바르게 고치시오.

When you take a photograph of you, it's a selfie. Did people in the past take selfies? The answer is yes. Princess Anastasia used a mirror to take a picture of her. It was probably the world's first teenage selfie ever.

(1) ____________ → ____________

(2) ____________ → ____________

[Self-Editing Checklist] ✔ 대·소문자를 바르게 썼나요? Y N ✔ 철자와 문장 부호를 바르게 썼나요? Y N

UNIT 08

수동태

핵심 개념 바로 확인 I know! No idea!

- 수동태는 동사의 형태 중 하나로, 주어가 동작을 하는 것이 아니라 동작의 대상이 될 때 사용한다.
- 목적어를 갖지 않는 동사는 수동태로 쓰지 않는다.

개념 25

수동태의 의미와 형태

월 일

The novel **is loved** by a lot of people.

My cell phone **was stolen** on the bus.

The children **were saved** by the driver.

The rooms **will be cleaned** after 3 p.m.

The rules **should be followed** by every student.

수동태 문장	의미	'주어'가 (~에 의해) ~되다
	형태	주어 + be동사 + 과거분사 (+ by + 행위자)
	쓰임	행위의 대상(= 주어)을 강조할 때
수동태의 시제	현재	주어 + am/is/are + 과거분사 ....
	과거	주어 + was/were + 과거분사 ....
	미래	주어 + will be + 과거분사 ....
수동태와 조동사		주어 + 조동사 + be + 과거분사 ....

바로 개념

1 수동태는 행위의 대상을 주어로 하는 동사의 형태이다. (*cf.* 능동태: 행위의 주체를 주어로 하는 동사의 형태)
2 수동태 문장은 「주어 + be동사 + 과거분사 + by + 행위자」로 쓰며, 행위자가 일반적인 사람이거나 누구인지 알려지지 않은 경우에는 'by + 행위자'를 생략할 수 있다.
3 수동태의 시제는 be동사의 형태로 나타내며, 조동사를 같이 쓸 때에는 「조동사 + be + 과거분사」로 쓴다.

고르며 개념 확인

Answers p. 16

01 The lawn ○ mows ○ is mowed by my father every weekend.

02 My birthday cake ○ will make ○ will be made by my best friend.

03 The students ○ sang ○ were sung at the festival.

04 Yesterday morning, John ○ hit ○ was hit by a car.

05 The baker ○ bakes ○ is baked the best cookies in town.

06 The TV show ○ watches ○ is watched around the world.

쓰며 개념 정리

07 The bad weather caused the problem.
→ The problem ______ the bad weather.

08 You should clear the table. → The table ______ you.

09 Mr. Walton will translate the movie.
→ The movie ______ Mr. Walton.

10 The old man picked the flowers in the park.
→ The flowers in the park ______ the old man.

개념 26 수동태의 부정문과 의문문

월 일

The dishes are not washed yet.

Was the box delivered to the address by him?

The song will not be played in public places.

Can my computer be fixed by the engineer?

수동태	부정문	주어 + be동사 + not + 과거분사 ....
	의문문	Be동사 + 주어 + 과거분사 ...?
조동사가 있는 수동태	부정문	주어 + 조동사 + not + be + 과거분사 ....
	의문문	조동사 + 주어 + be + 과거분사 ...?

바로 개념

1 수동태의 부정문은 be동사 뒤에 not을 쓰고, 의문문은 be동사를 주어 앞에 쓴다.
2 조동사가 있는 수동태의 부정문은 조동사 뒤에 not을 쓰고, 의문문은 조동사를 주어 앞에 쓴다.

고르며 개념 확인

Answers p. 16

01 The cheese ○ was not ○ not was eaten by my cat.

02 The town ○ will be ○ will is visited by many people.

03 Photos should ○ be not ○ not be taken here.

04 The devices ○ were not ○ not were produced in this factory.

05 The thief must ○ be caught ○ been catch by the police.

06 ○ Was the painting drawn ○ Was drawn the painting by Picasso?

07 ○ Can the project be ○ Can be the project finished by them?

쓰며 개념 정리

★08 The new drama [will be broadcast] on Channel 8 today. (will, broadcast)
★ 동사 broadcast의 과거분사는 원형과 형태가 같다.

09 [ ] by many tourists last year? (the tower, visit)

10 [ ] by your grandmother every day? (the plants, water)

11 The car [ ] by anyone until tomorrow. (should, not, drive)

12 I [ ] to Sally's pajama party last week. (not, invite)

Answers p. 16

개념 25 수동태의 의미와 형태

1 수동태는 행위의 ☐ 을 주어로 하는 동사의 형태이다.

2 수동태 문장에서 행위자가 일반적인 사람이거나 알려지지 않은 경우에는 ☐ 할 수 있다.

3 수동태의 시제는 be동사로 나타내며, 조동사가 있을 경우에는 be동사를 원형으로 쓴다.

수동태 문장	의미	'주어'가 (~에 의해) ~되다 *cf*. 능동태: 행위를 하는 주체를 강조
	형태	☐ + ☐ + ☐ (+ by + 행위자)
	쓰임	행위의 주체보다 대상(= 주어)을 강조할 때
수동태의 시제	현재	주어 + ☐ + 과거분사 ....
	과거	주어 + ☐ + 과거분사 ....
	미래	주어 + ☐ + 과거분사 ....
수동태와 조동사		주어 + 조동사 + be + 과거분사 ....

개념 26 수동태의 부정문과 의문문

1 수동태의 부정문은 be동사 뒤에 ☐ 을 써서 만들고, 의문문은 be동사를 주어 ☐ 에 써서 만든다.

2 조동사가 있는 수동태의 부정문은 조동사 ☐ 에 not을 써서 만들고, 의문문은 조동사를 주어 ☐ 에 써서 만든다.

수동태	부정문	주어 + be동사 + not + 과거분사 ....
	의문문	Be동사 + ☐ + ☐ ...?
조동사가 있는 수동태	부정문	주어 + ☐ + ☐ + ☐ + 과거분사 ....
	의문문	☐ + ☐ + ☐ + 과거분사 ...?

Answers p. 16

A 다음 중 알맞은 것을 골라 문장을 완성하시오.

01 The wall ○ painted ○ was painted by the school students.

02 A beautiful dress ○ made ○ was made by my mother.

03 The movie ○ enjoyed ○ was enjoyed by lots of children.

04 You should ○ change ○ be changed the water in the fish tank.

05 Your items can ○ be ○ is sold at higher prices.

06 The coffee beans ○ are ○ were roasted by him yesterday.

07 The contents of the file will ○ surprise ○ be surprised everyone.

08 This museum ○ visits ○ is visited by over 10,000 people each day.

09 This piano ○ was ○ will be played by a famous pianist tomorrow.

10 Some flowers ○ are ○ were stolen from my garden last night.

11 The notices on the board ○ was ○ were written by the manager.

12 The patient's condition ○ checks ○ is checked by the nurse every day.

B 괄호 안의 말을 바르게 배열하여 문장을 완성하시오.

01 My cell phone ______ yet. (not, fixed, is)

02 These songs ______ by him. (not, were, composed)

03 The lobby ______ by the staff. (cleaned, not, was)

04 ______ seen from here? (be, the river, can)

05 The trees along the road will ______. (be, not, cut)

06 The dog ______ care of at the animal center. (be, should, taken)

07 ______ remembered for a long time? (will, be, the accident)

08 The document ______ immediately. (printed, will, be)

09 The elevator ______ in the right corner. (be, found, can)

10 ______ from my mailbox? (the emails, deleted, should, be)

비교하며 문장 쓰기

			표현 노트
181	그것은 Pablo Picasso에 의해 창작되었다.	It was created by Pablo Picasso.	will
	그것은 Kevin에 의해 창작될 것이다.	It will be created by Kevin.	
182	이것은 하준이에 의해 만들어졌다.	This was made by Hajun.	those
	저것들은 하준이에 의해 만들어졌다.		
183	소리는 전기로 바뀔 수 있다.	Sound can be changed into electricity.	energy, heat
	에너지는 열로 바뀔 수 있다.		
184	그 과정은 계속 반복된다.	The process is repeated again and again.	should
	그 과정은 계속 반복되어야 한다.		
185	하루에 얼마나 많은 초콜릿이 생산되나요?	How much chocolate is produced in a day?	cakes, bake
	하루에 얼마나 많은 케이크가 구워지나요? ★ 셀 수 있는 명사와 셀 수 없는 명사를 구분해야 한다.		
186	스페인은 많은 여행자들에게 사랑받는다.	Spain is loved by lots of tourists.	the store, visit
	그 가게는 많은 여행자들에게 방문을 받는다.		
187	야생생물이 빛 공해에 의해 위협받는다.	Wildlife is threatened by light pollution.	the forest, destroy, a fire
	그 숲은 불로 파괴되었다.		
188	로마는 하루에 세워지지 않았다.	Rome was not built in a day.	the work, complete
	그 일은 하루에 완료되지 않았다.		

Answers p. 17

배열하여 문장 쓰기

189 예술작품은 우리 주변에 있는 모든 종류의 낡은 물건들로 만들어질 수 있다.
(can, be made, all kinds, around us, old things, art, out of, of)

Art can be made out of all kinds of old things around us.

★ make *A* out of *B*: B로 A를 만들다

190 나는 그 책들이 한국으로 돌려보내져야 한다고 생각했다.
(I, the books, to Korea, be, should, that, returned, thought)

191 만화영화 속에서 그 집은 수천 개의 풍선에 의해 들어 올려진다.
(in the animation, the house, by, lifted, thousands of, is, balloons)

192 나는 그 건물의 크기와 독특한 디자인이 인상 깊었다.
(impressed, the building's size, unique design, was, by, I, and)

193 그는 만화책이 학교에서 쓰이기를 바란다. (he, comic books, in school, hopes, will, used, be)

194 먼지는 유니폼의 어두운 색에 의해 가려진다. (the uniforms, the dirt, by, of, is, the dark colors, hidden)

195 그 작은 비닐봉지는 공 모양으로 뭉쳐져 트럭 위에 던져졌다.
(rolled into, the little plastic bag, was, and, onto a truck, a ball, thrown)

★ roll into a ball: 공 모양으로 뭉치다

[Self-Editing Checklist] ✔ 대 • 소문자를 바르게 썼나요? Y N ✔ 철자와 문장 부호를 바르게 썼나요? Y N

개념 27 4형식 문장의 수동태

월 일

Cindy gave me a scarf.
주어 간접목적어(A) 직접목적어(B)

→ I was given a scarf by Cindy.
A B 행위자

→ A scarf was given to me by Cindy.
B 전치사 A 행위자

I am taught Chinese by Mr. Wong.

The shirt was made for Eric by my mom.

4형식 문장의 형태	
주어 + 동사 + 간접목적어(A) + 직접목적어(B)	
4형식 문장의 간접목적어가 주어가 될 때	
주어(A) + be동사 + 과거분사 + B + by + 행위자	
4형식 문장의 직접목적어가 주어가 될 때	
주어(B) + be동사 + 과거분사 + 전치사 + A + by + 행위자	
전치사 to를 쓰는 동사	give, teach, bring, send, show, tell, lend, write 등
전치사 for를 쓰는 동사	buy, choose, find, get, make, cook 등
전치사 of를 쓰는 동사	ask 등

바로 개념

1 4형식 문장의 수동태는 간접목적어나 직접목적어를 각각 주어로 하는 두 종류의 문장으로 쓸 수 있다.
2 동사 중 buy, make, get, sell, read, write 등은 직접목적어만 주어로 쓸 수 있다.
3 4형식 문장의 직접목적어를 주어로 하는 수동태 문장을 쓸 때, 간접목적어였던 명사 앞에 전치사를 쓴다.

고르며 개념 확인

Answers p. 17

01 I ○ gave ○ was given a bunch of flowers by Jiyun.
02 A story ○ told ○ was told to us by the tour guide.
03 The bicycles are lent ○ to ○ for the citizens.
04 Dongho was taught ○ English ○ to English by his mother.
05 The dinner was cooked ○ the family ○ for the family by the chef.
06 They were shown ○ the video clip ○ to the video clip by their teacher.

쓰며 개념 정리

07 얼마간의 중고 책이 도서관에 보내졌다. (send) Some used books [were sent] to the library.
08 그녀는 어머니에게 조언을 좀 받았다. (give) She [ ] some advice by her mother.
09 나는 아이들에게 많은 질문을 받았다. (ask) Many questions [ ] of me by the kids.
10 조용한 장소가 학생들에게 찾아져야 한다. (find) A quiet place should [ ] for the students.
11 새 컴퓨터가 그 학급을 위해 구입될 것이다. (buy) A new computer will [ ] for the class.
12 그들은 지역 농부들에게 과일을 받는다. (bring) They [ ] fruit by the local farmers.

개념 28 5형식 문장의 수동태 1

월 일

The doctor called me a genius.

→ I was called a genius by the doctor.

Jane kept the painting safe from the fire.

→ The painting was kept safe from the fire by Jane.

The movie made him sleepy.

→ He was made sleepy by the movie.

5형식 능동태 문장 → 수동태 문장

주어 + 동사 + 목적어(A) + 목적격 보어(B)

↓

주어(A) + be동사 + 과거 분사 + B + by + 행위자

바로 개념

1 5형식 문장을 수동태 문장으로 바꿀 때, 목적어를 수동태 문장의 주어로 쓰고 목적격 보어는 동사 바로 뒤에 쓴다.

2 5형식으로 자주 쓰이는 동사에는 call, name, make, keep 등이 있다.

고르며 개념 확인

Answers p. 17

01 He ○ calls ○ is called Joe by his friends.

02 I ○ called ○ was called my grandfather Big Papa.

03 The noise ○ made ○ was made him scared.

04 She ○ made ○ was made angry by her mother.

05 Mr. Willis ○ made ○ was made Jordan a good student.

06 The elephants ○ keep ○ are kept healthy by the zookeeper.

07 The lake ○ keeps ○ is kept clean by the village people.

쓰며 개념 정리

08 그 개는 그에 의해 Max라고 이름 지어졌다. (name) The dog [was named Max] by him.

09 나는 나의 부모님에게 Ally라고 불린다. (call) I [ ] by my parents.

10 아기 새는 어미에 의해 따뜻하게 지켜졌다. (keep) The baby bird [ ] by its mother.

11 그는 그 버스에 의해 늦게 되었다. (make) He [ ] by the bus.

12 그녀는 아버지에 의해 축구 선수가 되었다. (make) She [ ] by her father.

개념 27 4형식 문장의 수동태

1 4형식 문장의 수동태는 [ ] 나 [ ] 를 각각 주어로 하는 두 종류의 문장으로 쓸 수 있지만, 동사가 buy, make, get, sell, read, write 등일 때에는 [ ] 만 주어로 쓸 수 있다.

2 4형식 문장의 직접목적어를 주어로 하는 수동태 문장에서는 간접목적어였던 명사 앞에 [ ] 를 쓰며, 전치사는 동사에 따라 다르다.

4형식 문장의 형태	주어 + 동사 + 간접목적어(A) + 직접목적어(B)
간접목적어가 주어가 될 때	주어(A) + be동사 + 과거분사 + B + by + 행위자 (간접목적어) (직접목적어) (주어)
직접목적어가 주어가 될 때	주어(B) + be동사 + 과거분사 + 전치사 + A + by + 행위자 (직접목적어) (간접목적어) (주어) 전치사 to를 쓰는 동사 전치사 for를 쓰는 동사 전치사 of를 쓰는 동사

개념 28 5형식 문장의 수동태 1

1 5형식 문장의 수동태는 [ ] 를 수동태 문장의 주어로 쓰고 [ ] 는 동사 바로 뒤에 쓴다.

5형식 문장의 형태	주어 + 동사 + 목적어(A) + 목적격 보어(B) 5형식으로 자주 쓰이는 동사
5형식 문장의 수동태	주어(A) + be동사 + 과거분사 + B + by + 행위자 (목적어) (목적격 보어) (주어)

Answers p. 17

A 빈칸에 알맞은 전치사를 쓰시오. (필요 없으면 × 표시를 하시오.)

01 A large box was brought ______ me by a man.

02 I was taught ______ English by my grandfather.

03 A horror story was told ______ us by Mr. Gang.

04 The hall will be lent ______ us by the manager.

05 He was asked ______ a favor by his uncle.

06 This question will be asked ______ all respondents by the boss.

07 The letters were written ______ my father by my mother.

08 This robot was made ______ disabled people by an engineer.

09 We were shown ______ magic by the famous magician.

10 Some blankets were bought ______ the poor babies by the neighbors.

B 주어진 문장을 수동태로 바꿀 때, 빈칸에 알맞은 말을 쓰시오.

01 His family call him Sonny.

→ He is called ______ by ______.

02 I named my new car Bolt.

→ My new car was named ______ by ______.

03 The coach will make the team strong.

→ The team will be made ______ by ______.

04 He made me a pair of warm boots.

→ A pair of warm boots was made ______ by ______.

05 A balanced diet can keep you healthy.

→ You can be kept ______ by ______.

06 Judy gave John some candies.

→ John was given ______ by ______.

비교하며 문장 쓰기

번호	우리말	영어 문장	표현 노트
196	이 음식은 탕평채라고 불렸다.	This dish was called *tangpyeongchae*.	rice cake
	그 떡은 송편이라고 불렸다.	The rice cake was called *songpyeon*.	
197	그 물은 얼음에 의해 시원하게 유지되었다.	The water was kept cool by ice.	warm, our clothing
	우리는 옷에 의해 따뜻하게 유지된다.		
198	그는 형에 의해 선생님이 되었다.	He was made a teacher by his brother.	a famous pianist
	그녀는 아버지에 의해 유명한 피아니스트가 되었다.		
199	그것은 Lewis를 위해 내가 만들었다.	It was made for Lewis by me.	bring
	그것은 Lewis에게 내가 전달했다.	It	
200	그것은 웹툰이라고 불린다.	It is called a webtoon.	should
	그것은 웹툰이라고 불려야 한다.		
201	Brian은 Brown 선생님에게 책 몇 권을 받았다.	Brian was given some books by Ms. Brown.	a movie ticket
	나는 Brown 선생님에게 영화표 한 장을 받았다.		
202	그들은 Marco에게 스페인어를 배운다.	They are taught Spanish by Marco.	math
	Marco는 그의 어머니에게 수학을 배운다.		
203	그는 Ed에게 어려운 질문을 받았다.	He was asked a difficult question by Ed.	ask
	어려운 부탁을 Ed가 그에게 했다.	A difficult favor	

Answers p. 17

의미 확장하여 문장 쓰기

204

그녀는 '꼬마 셜록'이라고 불린다. She is called "Little Sherlock."

그녀는 이웃들에게 '꼬마 셜록'이라고 불린다. She is called "Little Sherlock" by her neighbors.

205

그 냅킨은 민지가 만들었다. The napkins were made by Minji.

그 냅킨은 민지가 우리에게 만들어 주었다. The napkins

206

그 인형은 Angel이라고 이름 지어졌다. The doll was named Angel.

그 인형은 내 남동생에 의해 Angel이라고 이름 지어졌다.

207

이 책상은 나의 아버지가 샀다. This desk was bought by my father.

이 책상은 나의 아버지가 내게 사 주셨다.

208

이 군대는 백혈구라 불린다. This army is called the white blood cells.

이 군대는 과학자들에 의해 백혈구라 이름 지어졌다.

★ name *A B*: A를 B라고 이름짓다 (*A* is named *B*: A는 B라고 이름 지어지다)

209

한글은 세종대왕이 만들었다. Hangeul was made by King Sejong.

한글은 세종대왕이 조선 사람들에게 만들어 주었다. Hangeul

★ the Joseon people: 조선 사람들

210

그 이메일은 John에 의해 쓰였다. The email was written by John.

그 이메일은 John에 의해 그 교수에게 쓰였다.

★ professor: 교수

[Self-Editing Checklist] ✔ 대 • 소문자를 바르게 썼나요? Y N ✔ 철자와 문장 부호를 바르게 썼나요? Y N

개념 29

5형식 문장의 수동태 2

월 일

She saw Andy work in the store.

→ Andy was seen to work in the store by her.

Janet heard the boy shouting outside.

→ The boy was heard shouting outside by Janet.

My father made me walk our dog.

→ I was made to walk our dog by my father.

5형식 문장(지각동사)의 형태

주어 + 지각동사 + 목적어 + 목적격 보어(동사원형/현재분사)

목적격 보어가 동사원형일 때의 수동태

주어 + be동사 + 과거분사 + to부정사 + by + 행위자

목적격 보어가 현재분사일 때의 수동태

주어 + be동사 + 과거분사 + 현재분사 + by + 행위자

5형식 문장(사역동사)의 형태

주어 + 사역동사 + 목적어 + 목적격 보어(동사원형)

사역동사의 수동태

주어 + be동사 + 과거분사 + to부정사 + by + 행위자

바로 개념

1 지각동사가 있는 5형식 문장을 수동태로 쓸 때 목적격 보어가 동사원형이면 to부정사로, 현재분사이면 그대로 동사 뒤에 쓴다.

2 사역동사가 있는 5형식 문장을 수동태로 쓸 때 목적격 보어인 동사원형은 to부정사로 고쳐 동사 뒤에 쓴다. 단, 사역동사 let과 have는 수동태로 쓰지 않는다.

고르며 개념 확인

Answers p. 18

01 People saw them come to the school.

→ They were seen ○ coming ○ to come to the school.

02 They heard Jack singing a song loudly.

→ Jack was heard ○ singing ○ to sing a song loudly by them.

03 The lawyer made the man keep quiet.

→ The man was made ○ keep ○ to keep quiet by the lawyer.

04 The clerk made the kids leave the store.

→ The kids were made ○ leave ○ to leave the store by the clerk.

쓰며 개념 정리

05 Amy made me go out. → I ________ by Amy.

06 I saw the thief run to the bank. → The thief ________ by me.

07 Robby heard the dog barking in the yard.

→ The dog ________ by Robby.

개념 30 주의해야 할 수동태

The mountain is covered with lots of snow.

I am tired of listening to loud music.

Bill took care of the poor dog.

→ The poor dog was taken care of by Bill.

My sister turned off the TV.

→ The TV was turned off by my sister.

by 이외의 전치사를 쓰는 수동태

be surprised at	~에 놀라다	be covered with	~으로 덮여 있다
be interested in	~에 흥미가 있다	be filled with	~으로 가득 차다
be tired of	~에 싫증나다	be pleased with	~에 기뻐하다
be worried about	~에 관해 걱정하다	be satisfied with	~에 만족하다
be made of + 성질이 변하지 않는 재료	~으로 만들어지다	be made from + 성질이 변하는 재료	~으로 만들어지다

바로 개념

1 수동태의 행위자를 나타낼 때 by 이외의 전치사를 쓰기도 한다.

2 '동사 + 전치사/부사'가 하나의 동사 역할을 할 때, 수동태는 이것을 한 덩어리로 보아 「be동사 + 과거분사 + 전치사/부사」로 쓴다.

고르며 개념 확인

Answers p. 18

01 I'm interested ○ by ○ in physics.

02 The baseball bat is made ○ from ○ of wood.

03 Cheese is made ○ from ○ of milk.

04 The water tank is filled ○ about ○ with cold water.

05 The desk in the room was covered ○ of ○ with dust.

06 The baby is looked ○ after by Mr. Green ○ by Mr. Green after .

07 The books were thrown ○ away by the writer ○ by the writer away .

쓰며 개념 정리

08 상자는 반지와 목걸이로 가득 차 있었다. The box ______ rings and necklaces.

09 나는 이곳에서의 생활에 싫증이 난다. I ______ my life here.

10 당신은 직업에 만족합니까? Are ______ your job?

11 그는 큰 소리에 놀랐다. He ______ the loud noise.

12 갑자기, 누군가에 의해 불이 켜졌다. Suddenly, the lights ______ by someone.

Answers p. 18

개념 29 5형식 문장의 수동태 2

1 지각동사가 있는 5형식 문장을 수동태로 쓸 때 목적격 보어가 동사원형이면 ______ 로 고치고, ______ 이면 그대로 동사 뒤에 쓴다.

2 사역동사가 있는 5형식 문장을 수동태로 쓸 때 목적격 보어인 동사원형은 ______ 로 고쳐 동사 뒤에 쓴다. 단, 사역동사 let과 have는 수동태로 쓰지 않는다.

5형식 문장의 형태		주어 + 동사 + 목적어 + 목적격 보어 (동사원형 또는 현재분사)
지각동사일 때 5형식 문장 수동태	목적격 보어가 동사원형일 때	주어(목적어) + be동사 + 과거분사 + to부정사(목적격 보어) + by + 행위자(주어)
	목적격 보어가 현재분사일 때	주어(목적어) + be동사 + 과거분사 + 현재분사(목적격 보어) + by + 행위자(주어)
사역동사일 때 5형식 문장 수동태		주어(목적어) + be동사 + 과거분사 + to부정사(목적격 보어) + by + 행위자(주어)

개념 30 주의해야 할 수동태

1 수동태의 행위자를 나타낼 때 by 이외의 전치사를 쓰기도 한다.

2 '동사+전치사/부사'가 하나의 동사 역할을 할 때, 수동태는 이것을 한 덩어리로 보아 「be동사 + 과거분사 + ______」로 쓴다.

be surprised ______	~에 놀라다	be covered ______	~으로 덮여 있다
be interested ______	~에 흥미가 있다	be filled ______	~으로 가득 차다
be tired ______	~에 싫증나다	be pleased ______	~에 기뻐하다
be worried ______	~에 관해 걱정하다	be satisfied ______	~에 만족하다
be made ______ + 성질이 변하지 않는 재료	~으로 만들어지다	be made ______ + 성질이 변하는 재료	~으로 만들어지다

A 주어진 문장을 수동태 문장으로 바꿔 쓸 때 빈칸에 알맞은 말을 쓰시오.

01 My trainer made me exercise really hard.

→ I was made ______ really hard by my trainer.

02 They saw me playing the violin on the stage.

→ I was seen ______ the violin on the stage by them.

03 My mother heard the man shout on the street.

→ The man was heard ______ on the street by my mother.

04 The recycling company picked up the trash in the morning.

→ The trash was ______ by the recycling company in the morning.

05 Referees see the players play games.

→ The players are seen ______ games by referees.

06 Harry threw out the old computer.

→ The old computer was ______ by Harry.

B 〈보기〉에서 알맞은 전치사를 찾아 문장을 완성하시오. (중복 사용 가능)

보기	in	with	about	at	of

01 They were interested ______ my proposals.

02 I was worried ______ my grandfather's health.

03 The beach is covered ______ small gray pebbles.

04 The child was tired ______ playing with the toys.

05 Were you surprised ______ her behavior?

06 Is this table made ______ oak wood?

07 The box is filled ______ useless things.

08 I'm not satisfied ______ their product quality.

비교하며 문장 쓰기

			표현 노트
211	모든 좌석이 사람들로 가득 차 있다. 그 교실은 학생들로 가득 찼다.	All the seats are filled with people. The classroom was filled with students.	the classroom, students
212	이 와인은 사과로 만들어졌다. 이 책상은 나무와 철로 만들어졌다. ★ 재료의 성질에 주의	This wine is made from apples.	wood, steel
213	그녀가 노래하는 것이 목격되었다. 그녀가 노래하는 것이 들렸다.	She was seen to sing [singing].	hear
214	나는 방을 청소하게 되었다. 나의 형은 꽃에 물을 주게 되었다.	I was made to clean the room.	my brother, water
215	그 나무는 눈으로 덮여 있다. 그 바닥은 모래로 덮여 있다.	The tree is covered with snow.	the floor, sand
216	그 전등은 Theo에 의해 꺼졌다. 그 TV는 Theo에 의해 켜졌다.	The light was turned off by Theo.	the TV, turn on
217	나는 시험 결과에 놀랐다. 나는 시험 결과에 기뻤다.	I was surprised at the test results.	pleased
218	그가 길을 건너는 것이 Sienna에게 목격되었다. 그가 Ella와 이야기하는 것이 Sienna에게 들렸다.	He was seen crossing the street by Sienna.	hear, talk to

Answers p. 18

수동태 전환하기

219 Tears filled Max's eyes.

Max's eyes were filled with tears.

220 They heard Henry talk to himself.

★ talk to oneself: 혼잣말하다

221 My mother made me drink carrot juice.

222 Sophie took out the eraser from the pencil case.

★ take out: 꺼내다

223 Daisy saw me running from the dog.

★ run from: ~으로부터 달아나다

224 The play satisfied the critics.

★ play: 연극, critic: 비평가

225 Who saw the car hit the boy?

★ 의문사를 포함하는 구는 의문문의 맨 앞에 쓴다.

[Self-Editing Checklist] ✔ 대 · 소문자를 바르게 썼나요? Y N ✔ 철자와 문장 부호를 바르게 썼나요? Y N

대표유형 01 수동태의 쓰임

01 다음 문장의 빈칸에 알맞은 것은?

The game __________ by a lot of children in the country.

① plays ② is playing ③ is played
④ are played ⑤ has played

02 다음 문장 중 밑줄 친 부분이 어색한 것은?

① Jeffrey wrote the letter yesterday.
② The song was sung by a young boy.
③ The movie directed by Ms. Allen.
④ Dean enjoyed dinner very much.
⑤ An interesting novel will be published soon.

03 다음 밑줄 친 ①~⑤ 중 어법상 어색한 것은?

The speech ① was giving ② to the students ③ by the principal ④ in the hall ⑤ this morning.

04 다음 빈칸에 알맞은 말이 순서대로 짝지어진 것은?

The steak __________ by me. I don't eat meat. I guess somebody else __________ it.

① didn't order – was ordered
② was not ordered – ordered
③ was ordered – was ordered
④ was ordered – was not ordered
⑤ was not ordered – didn't order

대표유형 02 수동태의 형태

05 다음 문장 중 어법상 옳은 것은?

① We are teached by Mr. Ahn.
② My room was not cleaned by I.
③ The letter was wrote by Mike.
④ We were served by the head waiter.
⑤ The English teacher is loved the students.

06 다음 대화의 빈칸에 알맞은 말이 순서대로 짝지어진 것은?

A Who designed the Eiffel Tower?
B It __________ by Gustave Eiffel. It __________ in 1889.

① designed – built ② is designed – is built
③ designed – was built ④ was designed – built
⑤ was designed – was built

[07–08] 다음 중 빈칸에 들어갈 말이 나머지 넷과 다른 것을 고르시오.

07 ① The chair was bought ________ me by Ian.
② The ticket was gotten ________ Dana by Bill.
③ Praise was given ________ me by them.
④ The soup was cooked ________ him by Ann.
⑤ The school was chosen ________ the girl by her parents.

08 ① I was asked a question ________ the man.
② The cat is called Mio ________ my family.
③ The card was sent ________ her by Mike.
④ I was taught Korean ________ Ms. Benson.
⑤ He was scolded ________ an elderly lady.

09 다음 우리말을 바르게 영작한 것은?

나는 그가 시켜서 탁자를 치우게 되었다.

① I was made clear the table by him.
② I was made to clear the table by him.
③ I was made clearing the table by him.
④ I was made to cleared the table by him.
⑤ I was make to clear the table by him.

10 다음 문장 중 어법상 자연스러운 것은?

① Yesterday a man is hit by a truck here.
② I was told the story last year.
③ Many bears was killed by hunters.
④ The restaurant was closed tomorrow.
⑤ The rabbit will been caught by the fox.

Answers p. 18

[11-12] 다음 문장 중 어법상 어색한 것을 고르시오.

11 ① The chair is made of leather and wood.
② The lounge will be cleaned by the staff.
③ Your eyesight is not weakened by a computer.
④ The work was not finished quickly.
⑤ Was sent the letter to the old lady?

12 ① The polar bear must be protected.
② The items won't be sold out today.
③ The picture should be not put here.
④ This Korean wine is made from rice.
⑤ Can it be kept in the garage for some time?

대표유형 03 능동태의 수동태 전환

13 다음 중 능동태 문장을 수동태 문장으로 바르게 바꾼 것은?

① He didn't break the vase.
→ The vase wasn't broken by he.
② Didn't Tom write this book?
→ This book was written not by Tom?
③ The doctor tested my eyes.
→ My eyes are tested by the doctor.
④ Steve Jobs made the iPhone.
→ The iPhone was made for Steve Jobs.
⑤ He watered the plants.
→ The plants were watered by him.

14 다음 문장과 의미가 통하는 것은?

The door was opened by the clerk.

① The clerk opened the door.
② The clerk opened by the door.
③ The clerk was opened by the door.
④ The door opened with the clerk.
⑤ The door was not closed by the clerk.

15 다음 빈칸에 들어갈 말로 알맞은 것은?

I ________________ by his letter.

① made happy ② am making happy
③ made happily ④ was made happy
⑤ was happy made

대표유형 04 5형식 문장의 수동태

16 다음 문장 중 밑줄 친 부분이 어색한 것은?

① You were heard talking on the phone.
② The girl was seen crossing the street.
③ He was made to help his brother.
④ I was seen studied in my room.
⑤ Mr. Rolland was made to give up the project.

17 다음을 수동태 문장으로 바르게 바꾼 것은?

People saw the tiger sleeping there.

① The tiger saw to sleep there.
② The tiger saw sleeping there.
③ The tiger was sleeping there.
④ The tiger was seen slept there.
⑤ The tiger was seen sleeping there.

대표유형 05 주의해야 할 수동태

18 다음 문장 중 어법상 어색한 것은?

① The room was filled with boxes.
② She was satisfied by her clothes.
③ This dessert is made of fruit and honey.
④ The child was tired of watching TV.
⑤ They were pleased with the dance show.

19 다음 문장 중 어법상 자연스러운 것은?

① He took care by the nurse.
② He was taken care by the nurse.
③ He was taken care of by the nurse.
④ He was taken care by the nurse of.
⑤ He was taken by the nurse care of.

20 다음 대화의 밑줄 친 ①~⑤ 중 어법상 어색한 것은?

A Look! The actor ① is surrounded ② of many people. Some of them ③ are asking for an autograph. I think he ④ is surprised ⑤ at this situation.
B Oh, being a celebrity is so hard.

01 다음 빈칸에 알맞은 말을 넣어 대화를 완성하시오.

(1)
A Who wrote *Hamlet*?
B It ______________________ William Shakespeare.

(2)
A Who made Hanguel?
B It ______________________ King Sejong.

02 주어진 문장을 〈조건〉에 맞게 수동태 문장으로 바꿔 쓰시오.

[조건] 1. 시제에 유의할 것
2. 행위자(주어)를 생략하지 말 것

(1) They heard the kids jumping and shouting in the next room.
➔ ______________________

(2) The visitors feed the birds in the park.
➔ ______________________

(3) Bill will buy me the baseball cap.
➔ ______________________

수행평가 유형 대화 수정하기

03 다음 대화를 읽고 어법상 어색한 부분을 세 군데 찾아 고쳐 쓰시오.

A My class will go on a picnic to Green Park tomorrow.
B That sounds good. These days the park is filling with beautiful flowers.
A But I'm worried at the weather. The picnic will cancel if it rains.
B I hope it'll be sunny tomorrow.

(1) ______________ ➔ ______________
(2) ______________ ➔ ______________
(3) ______________ ➔ ______________

[Self-Editing Checklist] ✔ 대 • 소문자를 바르게 썼나요? Y N ✔ 철자와 문장 부호를 바르게 썼나요? Y N

UNIT 09

관계사

핵심 개념 바로 확인

I know! ☺ No idea! 😐

- 관계대명사는 〈접속사 + 대명사〉의 역할을 한다. ☺ 😐
- 관계대명사가 이끄는 절은 앞에 있는 명사를 꾸며 주는 형용사 역할을 한다. ☺ 😐
- 관계부사는 〈접속사 + 부사〉의 역할을 한다. ☺ 😐

개념 31 주격 관계대명사

월 일

I have a brother. + He loves dancing.

→ I have a brother who [that] loves dancing.
사람 선행사 주격 관계대명사

Look at the cows. + They are eating grass.

→ Look at the cows which [that] are eating grass.
동물 선행사 주격 관계대명사

→ Look at the cows eating grass. 「주격 관계대명사 + be동사」 생략

선행사	주격 관계대명사
사람	who
사물, 동물	which
사람, 사물, 동물	that

바로 개념

1 관계대명사는 〈접속사 + 대명사〉의 역할을 하고 관계대명사 앞의 명사(선행사)를 수식하는 형용사절을 이끈다.
2 주격 관계대명사는 관계사절 안에서 주어 역할을 하며 종류는 who, which, that이 있다.
3 주격 관계대명사 다음에는 동사가 오며, 이때 선행사의 인칭과 수에 일치시킨다.
4 「주격 관계대명사 + be동사 + 분사(형용사)」 구문에서 「주격 관계대명사 + be동사」는 생략할 수 있다.

고르며 개념 확인

Answers p. 19

01 I want to have a friend ○ who ○ which makes me happy.

02 Ants are insects ○ who ○ which live in large groups.

★03 Kenya and Colombia are countries ○ which grow ○ that grows coffee.
★ 선행사의 수에 주의

04 The boy who ○ like ○ likes you ○ is ○ are over there.

05 The river ○ that flows ○ which it flows through London is the Thames.

★06 Anyone ○ interested ○ who interested in painting can join the club.
★ 주격 관계대명사와 be동사는 함께 생략 가능하며, 둘 중 하나만 생략할 수 없다.

쓰며 개념 정리 관계대명사절 만들기

07 I know a girl. + She can speak three languages.
→ I know a girl ________ three languages.

08 I don't like movies. They have unhappy endings.
→ I don't like movies ________.

09 The player has many fans. + The player is throwing a ball.
→ The player ________ has many fans.

개념 32

목적격 관계대명사

월 일

Rachel is a girl. + I like her.

→ Rachel is a girl who(m) [that] I like.
사람 선행사 목적격 관계대명사

I lost the book. + You gave it to me.

→ I lost the book which [that] you gave to me.
사물 선행사 목적격 관계대명사

I met a man with whom I worked.
= who(m) [that] I worked with

선행사	목적격 관계대명사
사람	who(m)
사물, 동물	which
사람, 사물, 동물	that

바로 개념

1 목적격 관계대명사는 관계사절 안에서 목적어 역할을 하며 종류는 who(m), which, that이 있다.
2 목적격 관계대명사 다음에는 「주어 + 동사」를 쓰며, 목적격 관계대명사는 생략이 가능하다.
3 선행사가 전치사의 목적어인 경우에 「전치사 + 관계대명사」의 형태로 쓰거나 전치사를 관계사절 끝에 쓴다.
4 「전치사 + 목적격 관계대명사」의 형태일 때는 목적격 관계대명사를 생략할 수 없고, that으로도 바꿔 쓸 수 없다.

고르며 개념 확인

Answers p. 19

01 The show ○ who ○ which I saw yesterday was amazing.

02 Ms. Brown is a teacher ○ who ○ which everyone respects.

03 The necklace ○ who ○ that Lisa was wearing was made of silver.

★04 Laura is the girl with ○ whom ○ that I went to elementary school.
★ 「전치사 + 관계대명사」의 형태에 주의

05 The singer ○ that she met ○ that met she was Daniel.

★06 Here are some presents ○ I got ○ I got them from my family.
★ 목적격 관계대명사가 생략된 형태의 문장이므로 목적어를 또 쓰지 않도록 주의

쓰며 개념 정리 관계대명사절 만들기

07 The boys didn't come. + Sally invited them.

→ The boys ______ didn't come.

08 Did you find the cell phone? + You lost it yesterday.

→ Did you find the cell phone ______?

★09 I don't know the lady. + Chris is talking to the lady.

→ I don't know the lady ______.

★ 전치사에 주의해서 쓰기

Answers p. 19

개념 31 주격 관계대명사

1 관계대명사는 〈 ______ + ______ 〉의 역할을 하고 관계대명사 앞의 ______ (선행사)를 수식하는 형용사절을 이끈다.

2 주격 관계대명사는 관계사절 안에서 주어 역할을 하며 종류는 who, which, that이 있다.

3 주격 관계대명사 다음에는 ______ 가 오며, 이때 선행사의 인칭과 수에 일치시킨다.

4 「주격 관계대명사 + be동사 + 분사(형용사)」 구문에서 「주격 관계대명사 + ______ 」는 생략할 수 있다.

선행사	주격 관계대명사
사람	
사물, 동물	
사람, 사물, 동물	

개념 32 목적격 관계대명사

1 목적격 관계대명사는 관계사절 안에서 목적어 역할을 하며 종류는 who(m), which, that이 있다.

2 목적격 관계대명사 다음에는 「 ______ + ______ 」를 쓰며, 목적격 관계대명사는 생략이 가능하다.

3 선행사가 전치사의 목적어인 경우에 「 ______ + ______ 」의 형태로 쓰거나 전치사를 관계사절 끝에 쓴다.

4 「전치사 + 목적격 관계대명사」의 형태일 때는 목적격 관계대명사를 생략할 수 없고, that으로도 바꿔 쓸 수 없다.

선행사	목적격 관계대명사
사람	
사물, 동물	
사람, 사물, 동물	

Answers p. 20

A 다음 문장에서 밑줄 친 부분이 어법상 맞으면 ○를 쓰고, 틀리면 바르게 고치시오.

01 A vet is a person which treat sick animals.
★ 선행사의 수에 주의
02 The boy riding a bike is my cousin.
03 I want to have a robot which it can cook for me.
04 Is this the camera you bought last weekend?
05 These are the puppies who Jack wants to adopt.
06 What is the name of the artist whom you admire most?
07 Ellen loves meeting the patients that she takes care.
★ take care of: ~을 돌보다
08 There is always someone in your family whom drives you crazy.

B 〈보기〉와 같이 두 문장을 who 또는 which를 이용하여 한 문장으로 쓴 후, 생략이 가능한 부분이 있는 경우에는 동그라미 하시오.

보기 Tim is the boy. My sister likes him. → Tim is the boy (who) my sister likes.

01 A sea horse is a fish. + It is the slowest in the sea.
→

02 The lady is my aunt. + She is wearing glasses.
→

03 I know the girl. + You met her in the library.
→

04 I bought the bread from the baker. + He is John's father.
→

05 Look at the birds. + They are flying over the horizon.
→

06 These are the paintings. + Vincent van Gogh painted them in 1888.
→

관계대명사 who 또는 which를 이용하여 한 문장으로 쓰기

226 This is a bird. + It can talk.

227 It is popular with tourists. + They want to see Korea's past.

228 A plantain is a fruit. + It looks like a banana.

229 There once was a little boy. + He had a bad temper.

230 Here are two stories. + I read them yesterday.

231 He was the person. + Kenneth respected him the most in the world.

232 Scientists did an experiment. + They were studying crows.

233 My dog ate all the cookies. + I made them for my grandma.

Answers p. 20

배열하여 문장 쓰기

234 싱가포르에 사는 사람들은 여러 다양한 문화 출신이다.
(come from, who, in Singapore, people, many different cultures, live)

235 문에서 노크 소리가 들리고 Gambini씨가 초대한 여자가 들어선다.
(Ms. Gambini, walks in, invited, whom, a woman)
There is a knock on the door, and

236 그들이 사랑하는 누군가에게 이야기하고 있을 때, 그들은 미소를 짓기를 멈추지 않았다.
(talking, whom, to someone, they, they, when, loved, were)
★「stop + -ing」: ~하는 것을 멈추다
they didn't stop smiling.

237 만약 당신이 운이 좋다면, 당신은 새끼들에게 치실질을 가르치고 있는 암컷 원숭이들을 볼지도 모른다.
(female monkeys, may, see, to their babies, that, teaching, are, flossing)
★ flossing: 치실질
If you are lucky, you

238 착한 역할을 연기하고 있는 댄서들은 그들의 얼굴을 초록색으로 칠한다.
(paint, green, their faces, who, good characters, dancers, are, playing)

239 그녀가 영화 속에서 입었던 미니 블랙 드레스는 심지어 오늘날도 유명하다.
(which, is, in a movie, the little black dress, she, famous, wore)
even today.

240 결승선을 통과한 사람은 누구라도 어떤 일이든 할 수 있다.
(who, the finish line, can, anything, do, crosses, anyone)

[Self-Editing Checklist] ✔ 대 • 소문자를 바르게 썼나요? Y N ✔ 철자와 문장 부호를 바르게 썼나요? Y N

개념 33 소유격 관계대명사

월 일

I know a boy. + His sister is a singer.

→ I know a boy whose sister is a singer.
사람 선행사 소유격 관계대명사

Look at the cat. + Its tail is long.

→ Look at the cat whose tail is long.
동물 선행사 소유격 관계대명사

→ Look at the cat of which the tail is long.

선행사	소유격 관계대명사
사람	whose
사물, 동물	whose / of which

바로 개념

1 소유격 관계대명사는 관계사절 안에서 사람이나 사물의 소유격인 her, his, their, its 등을 대신한다.
2 소유격 관계대명사의 종류는 whose와 of which가 있고 「소유격 관계대명사 + 명사」의 형태로 쓴다.
3 소유격 관계대명사는 생략할 수 없으며, that과 바꿔 쓸 수도 없다.

고르며 개념 확인

Answers p. 20

01 There was a princess ○ whose ○ that skin was as white as snow.

02 They live in a house ○ which ○ of which the roof is red.

03 I have a dog ○ whose ○ which likes swimming.

04 Alicia has a dog ○ whose ○ that eyes are blue.

05 These are the students ○ whom ○ whose my dad teaches.

06 A magician is a person ○ whom ○ whose job is to perform magic tricks.

쓰며 개념 정리

07 I met a man. + His nickname was Spiderman.

→ I met a man ________.

08 Will you pass me the book? Its cover is black.

→ Will you pass me the book ________?

09 The girl is my daughter. Her hair is long and curly.

→ The girl ________ is my daughter.

개념 34 관계대명사 that vs. 접속사 that

월 일

I know the man that lied to you.
선행사 관계대명사 → 주어가 빠진 불완전한 문장

I know that he lied to you. 〈목적어로 쓰인 접속사〉
접속사 → 완전한 문장

It is surprising that they failed. 〈가주어로 쓰인 접속사〉
접속사

The secret was that Julia loved him. 〈보어로 쓰인 접속사〉
접속사

관계대명사 that	접속사 that
형용사절을 이끎	명사절(주어, 보어, 목적어 역할)을 이끎
선행사 있음	선행사 없음
관계대명사 that + 불완전한 문장	접속사 that + 완전한 문장

바로 개념

1 관계대명사 that은 선행사에 관계없이 주격 또는 목적격 관계대명사 who, which 대신 쓸 수 있다.
2 관계대명사 that은 소유격 관계대명사를 대신할 수 없고 전치사의 목적어로도 쓰일 수 없다.
3 선행사에 다음이 포함된 경우에는 주로 관계대명사 that을 쓴다.
① 「사람 + 사물」 또는 「사람 + 동물」인 경우 ② all, the only, the same, -thing, -body, -one, 최상급, 서수 등
4 접속사 that은 관계대명사 that과 달리 명사절을 이끌고 앞에 선행사가 없으며 완전한 문장과 함께 쓰인다.

고르며 개념 확인

Answers p. 20

01 Everyone in my class thinks that Mindy is friendly. ○ 관계대명사 ○ 접속사
02 Everyone that I know loves Jessica. ○ 관계대명사 ○ 접속사
03 The problem is that we don't have any money. ○ 관계대명사 ○ 접속사
04 I learned about *Jikji*, a book that changed the history of printing. ○ 관계대명사 ○ 접속사
05 This is the most boring movie that I've ever seen. ○ 관계대명사 ○ 접속사
06 It is necessary that we recycle things. ○ 관계대명사 ○ 접속사
07 Deborah realized that she made a huge mistake. ○ 관계대명사 ○ 접속사
08 Some believe that the Earth is not the only planet that has life. ○ 관계대명사 ○ 접속사

쓰며 개념 정리 배열하기

09 She is the only person ______. (trust, I, that, can)
10 ______ are rotten. (that, in the fridge, are, the oranges)
11 I ate ______. (he, made, that, a sandwich)
12 Who was ______ on the moon? (walked, that, the first man)

개념 33 소유격 관계대명사

1 소유격 관계대명사는 관계사절 안에서 사람이나 사물의 [ ] 인 her, his, their, its 등을 대신한다.

2 소유격 관계대명사의 종류는 whose와 of which가 있고「소유격 관계대명사 + [ ]」의 형태로 쓴다.

3 소유격 관계대명사는 생략할 수 없으며, that과 바꿔 쓸 수도 없다.

선행사	소유격 관계대명사
사람	
사물, 동물	

개념 34 관계대명사 that *vs.* 접속사 that

1 관계대명사 that은 선행사에 관계없이 주격 또는 목적격 관계대명사 [ ], [ ] 대신 쓸 수 있다.

2 관계대명사 that은 [ ] 관계대명사를 대신할 수 없고 [ ] 의 목적어로도 쓰일 수 없다.

3 선행사에 다음이 포함된 경우에는 주로 관계대명사 that을 쓴다.
① 「사람 + 사물」 또는 「사람 + 동물」인 경우
② all, the only, the same, -thing, -body, -one, 최상급, 서수 등

관계대명사 that	접속사 that
[ ] 절을 이끎	[ ] 절(주어, 보어, 목적어 역할)을 이끎
선행사 [ ]	선행사 [ ]
관계대명사 that + [ ] 한 문장	접속사 that + [ ] 한 문장

Answers p. 20

A 다음 문장에서 밑줄 친 부분이 어법상 맞으면 ○를 쓰고, 틀리면 바르게 고치시오.

01 The boy that leg is broken is Eric.

02 Did you watch the video of which I posted last night?

03 She works for a company makes artificial hands and legs.

04 I had lunch at the restaurant which owner is French.

05 A desert is a place that gets very little rain.

06 This program is for children whom first language is not English.

07 My ideas come from the music who I listen to every day.

08 I met a man whose daughter is a professional golfer.

09 It is the strangest story that I've ever heard.

10 Viruses are germs whose can cause disease.

B 다음 우리말과 같도록 괄호 안에 주어진 표현을 바르게 배열하시오. (단, 필요 없는 한 단어는 제외할 것)

01 화재로 집을 잃은 가족은 여러분의 도움이 필요합니다. (whom, whose, burned down, house)

→ The family ______ needs your help.

02 타조는 알 크기가 가장 큰 새다. (are, whose, which, eggs, the biggest)

→ Ostriches are the birds ______.

03 우리는 코끼리처럼 보이는 열기구를 탔다. (whose, like, an elephant, that, looked)

→ We rode a hot air balloon ______.

04 내게는 암벽 등반이 취미인 친구가 있다. (hobby, whose, which, is)

→ I have a friend ______ rock-climbing.

05 이 분이 내가 네게 말했던 Carson 선생님이시다. (whose, I, about, told, that, you)

→ This is Mr. Carson ______.

★ 전치사의 위치에 주의

06 그들은 밝은 색으로 칠해진 큰 부채를 이용하여 춤을 춘다. (whose, painted, that, in bright colors, are)

→ They dance with large fans ______.

★ 수동태: 「be동사 + 과거분사」

관계대명사 whose 또는 that을 이용하여 한 문장으로 쓰기

241 That's the man. + His car was stolen.

242 People will have robots. + The robots do everything for them.

243 There are many animals. + They have special talents.

244 I know a boy. + His dream is to be a vet.

245 The karts are waiting. + They are making loud engine noises.

246 Do you see the flower pot? + Sujin made the flower pot.

247 The house is beautiful. + Its roof is covered with snow.

★ be covered with: ~로 뒤덮이다

248 He points to the soccer ball. + She is holding it in her hand.

Answers p. 21

배열하여 문장 쓰기

249 어떤 박테리아는 당신이 먹는 음식을 소화하도록 도울 수 있다.
(can, that, eat, you, you, some bacteria, help, the food, digest)

★「help + 목적격 + 목적격 보어(동사원형 또는 to 부정사)」: …가 하는 것을 돕다

250 사하라 사막은 북아프리카의 대부분에 걸쳐 있는 사막이다.
(most of, that, a desert, the Sahara, covers, is, northern Africa)

251 나는 도서관에서 빌린 책을 찾을 수 없다.
(from the library, borrowed, that, the book, I, I, find, can't)

252 이 대륙은 당신을 놀라게 할 자연 경관으로 가득하다.
(this continent, natural wonders, full of, is, will, surprise, you, that)

253 그녀를 도왔던 단체들 중 하나는 유니세프(UNICEF)였다.
(that, her, UNICEF, one, helped, was, of the groups)

★「one of + 복수 명사」: ~들 중 하나

254 이것을 예방하기 위해 여러분이 할 수 있는 일은 여러 가지가 있다.
(various, you, do, this, there, things, are, can, to prevent)

★ 목적격 관계대명사가 생략된 형태

255 매년 수백만 마리의 새들이 밝은 조명의 건물과 충돌한 후에 죽는다.
(bright lights, after hitting buildings, die, millions of birds, that, have)

Every year

[Self-Editing Checklist] ✔ 대 • 소문자를 바르게 썼나요? Y N ✔ 철자와 문장 부호를 바르게 썼나요? Y N

개념 35 관계대명사 what

월 일

개념 35 관계대명사 what

The thing(선행사) that(관계대명사) I want now is a new cell phone.

= What(주어) I want now is a new cell phone.

This is not what(보어) I expected.

I don't believe what(목적어) you said.

I don't believe the story(선행사) that you said.

관계대명사 what	관계대명사 that
명사절을 이끎	형용사절을 이끎
선행사 없음	선행사 있음
관계대명사 what + 불완전한 문장	관계대명사 that + 불완전한 문장

바로 개념

1 관계대명사 what은 명사절을 이끌며 문장에서 주어, 보어, 목적어로 쓰인다.

2 관계대명사 what은 '~하는 것'이라는 의미이고 선행사를 포함하므로 앞에 선행사가 없다.

3 관계대명사 what은 the thing(s) which [that]로 바꿔 쓸 수 있다.

고르며 개념 확인

Answers p. 21

01 This is the one ○ that ○ what I would like to buy.

02 This is ○ that ○ what I would like to buy.

03 The only food ○ that ○ what we could find was some cold chicken.

04 Do you understand ○ that ○ what the teacher explained?

*05 I showed the police ○ that ○ what I had in my pocket.

06 ○ That ○ What I should do first is to wash the dishes.

★ 선행사가 아닌 명사는 관계대명사 what 앞에 쓸 수 있다.

쓰며 개념 정리 what 또는 that 쓰기

07 여기 네가 찾고 있는 것이 있다. Here is ______ you are looking for.

08 이기는 것만이 중요한 게 아니다. Winning isn't the only thing ______ matters.

09 나는 네가 어제 한 일을 알고 있다. I know ______ you did yesterday.

10 그에게 지금 필요한 것은 물 한 잔이다. ______ he needs now is a glass of water.

11 나는 그들에게 가진 돈 전부를 주었다. I gave them all the money ______ I had.

12 오늘 할 일을 내일로 미루지 마라. Never put off till tomorrow ______ you can do today.

개념 36 관계부사

월 일

I remember the day. + We first met on the day.

→ I remember the day when we first met.
시간 = on which

This is the way. I solved the problem in the way.

→ This is how I solved the problem.
= the way in which

→ This is the way I solved the problem.

	선행사	관계부사	전치사+관계대명사
시간	the day, the time, the week, the year 등	when	in/at/on+which
장소	the place, the house, the city, the country 등	where	in/at/on+which
이유	the reason	why	for which
방법	(the way)	how	in which

바로 개념

1 관계부사는 선행사를 수식하는 절을 이끌며 접속사와 부사의 역할을 한다.
2 선행사에 따라 알맞은 관계부사를 사용해야 하며, 관계부사는 「전치사+관계대명사」와 바꿔 쓸 수 있다.
3 관계부사 how와 선행사 the way는 함께 쓰일 수 없으므로 둘 중 하나는 생략해야 한다.

고르며 개념 확인

Answers p. 21

01 This is the city ○ where ○ how I grew up.

02 Tell me the time ○ why ○ when he will come.

03 This is ○ how ○ the way how I relieve stress.

04 I know the reason ○ when ○ why he cried last night.

05 That is the house ○ where ○ which Jack lives in.

06 January is the month ○ when ○ how the new year starts.

쓰며 개념 정리 관계부사 쓰기

07 월요일은 내가 가장 바쁜 날이다. Monday is the day ______ I am busiest.

08 그가 화났던 이유를 말해줘. Tell me the reason ______ he got angry.

09 네가 그것을 어떻게 고쳤는지 말해줄래? Can you tell me ______ you fixed it?

10 이곳이 내가 일하는 병원이다. This is the hospital ______ I work.

11 나는 삼촌이 살고 계신 마을을 방문했다. I visited the town ______ my uncle lives.

★12 그녀가 일찍 떠났던 이유를 아니? Do you know ______ she left early?

★ 일반적인 명사(the day, the place, the reason 등)가 관계부사의 선행사로 올 경우 생략이 가능함.

개념 35 관계대명사 what

1 관계대명사 what은 명사절을 이끌며 문장에서 ______, ______, ______로 쓰인다.

2 관계대명사 what은 '______'이라는 의미이고 선행사를 포함하므로 앞에 선행사가 ______.

3 관계대명사 what은 the thing(s) which [that]로 바꿔 쓸 수 있다.

관계대명사 what	관계대명사 that
______ 절을 이끎	______ 절을 이끎
선행사 ______	선행사 ______
관계대명사 what + ______ 문장	관계대명사 that + ______ 문장

개념 36 관계부사

1 관계부사는 선행사를 수식하는 절을 이끌며 ______와 ______의 역할을 한다.

2 선행사에 따라 알맞은 관계부사를 사용해야 하며, 관계부사는 「______+관계대명사」와 바꿔 쓸 수 있다.

3 관계부사 ______와 선행사 the way는 함께 쓰일 수 없으므로 둘 중 하나는 생략해야 한다.

	선행사	관계부사	전치사+관계대명사
시간	the day, the time, the week, the year 등		
장소	the place, the house, the city, the country 등		
이유	the reason		
방법	(the way)		

Answers p. 21

A 다음 문장에서 밑줄 친 부분을 어법에 맞게 고치시오.

01 This is the book what I want to borrow.

02 That Julie said to me was a white lie.

03 Shrimp spaghetti is that I want to eat for dinner tonight.

04 Spring is a season why flowers bloom.

05 Jason never cares that others think.

06 Toronto is the city where Hannah grew up in.

07 Please tell me the way how you made this apple pie.

08 Is there anything what you'd like to say?

09 I won't forget the place how I watched the game.

10 The reason how dogs wag their tails is to communicate feelings.

B 다음 두 문장을 관계부사를 이용하여 한 문장으로 바꿔 쓰시오.

01 2018 is the year. I entered middle school then.

➔ 2018 is the year ____________.

02 This is the way. She made a lot of money in the way.

➔ This is ____________.

★ 관계부사를 이용하라고 한 지시에 유의

03 I went to the park. My sister and I used to go there.

➔ I went to the park ____________.

04 Halloween is a day. Kids dress up as ghosts and monsters.

➔ Halloween is a day ____________.

05 Texas is the state. My grandparents live there.

➔ Texas is the state ____________.

06 I know the reason. Freddie missed the class for that reason.

➔ I know the reason ____________.

관계대명사 what 또는 관계부사 이용하여 문장 쓰기 (두 문장은 한 문장으로 쓸 것)

256 The Genie can give Aladdin the thing which he wants.

257 The thing that Aladdin says will come true.

258 I'm sure the thing that she really meant was "yes."

259 Why should I listen to the thing you say now?

260 Today's quiet concerts began in the 19th century. + Many big concert halls were built then.

261 I went to a concert hall at the Seoul Arts Center. + Jo Seongu's piano concert was held there.

262 That's the reason. + This lock looks like a fish for the reason.

263 Jean took some expensive items from the house. + He spent the night at the house.

Answers p. 22

배열하여 문장 쓰기

264 내가 하는 말이 그 말이다.
(what, saying, that's, I'm)

265 나는 24시간 동안 전화기 없이 내가 했던 일을 일기로 쓸 것이다.
(what, without my phone, I, did, keep a diary of)

I'm going to ______ for 24 hours.

266 Leipzig는 1813년에 Wagner가 태어났던 도시이다.
(was, where, born, the city, Wagner)

Leipzig is ______ in 1813.

267 그는 일본인들이 그에게 시키는 것을 하지 않았다.
(what, told, to do, him, the Japanese)

He did not do ______

「tell + 목적격 + 목적격 보어(to 부정사)」: …에게 ~하라고 시키다

268 Jean이 살던 19세기에는 배고픈 사람들이 많았다.
(in the 19th century, was, living, Jean, when, hungry people, a lot of)

There were ______

269 그것이 우리가 수백만 년 동안 생존해왔던 이유이다.
(for millions of years, survived, that's, we, why, have)

that's why ~: 그것이 ~한 이유이다 cf. that's because ~: 그것은 ~ 때문이다

270 이것이 인간의 뇌가 작용하는 방식이다.
(is, the human brain, how, this, works)

[Self-Editing Checklist] 대 • 소문자를 바르게 썼나요? Y N 철자와 문장 부호를 바르게 썼나요? Y N

대표유형 01 알맞은 관계사 찾기

01 다음 빈칸에 들어갈 말이 바르게 짝지어진 것은?

- Dolphins are sea animals ________ communicate with sounds and body movements.
- We're looking for volunteers ________ want to share their time.

① who — which ② which — who
③ that — whose ④ whom — that
⑤ which — whom

02 다음 빈칸에 들어갈 말이 바르게 짝지어진 것은?

- Do you know the year _____ the first World Cup was held?
- Chris told me the reason _____ he was late.

① when – why ② where – how
③ why – when ④ how – because
⑤ which – how

03 다음 빈칸에 들어갈 말로 알맞은 것은?

Show me the thing. You have it in your hand.
→ Show me ________ you have in your hand.

① who ② that ③ what ④ which ⑤ whose

04 다음 빈칸에 who가 들어갈 수 없는 것을 모두 고르면?

① Dan is a chef _____ cooks Chinese food.
② I have a friend _____ name is Jim.
③ This is the ring _____ Rachel designed.
④ There lived a king _____ everyone respected.
⑤ There are many fans _____ are cheering .

05 다음 중 빈칸에 들어갈 말이 나머지 넷과 다른 것은?

① Is this ________ she ordered?
② There is nothing ________ I can do.
③ Do you really believe ________ Jeff said?
④ ________ makes me happy is your smile.
⑤ Young children learn to copy ________ they see.

06 다음 빈칸에 들어갈 말로 알맞은 것을 모두 고르면?

This is the town ________ I grew up.

① where ② which ③ what
④ of which ⑤ in which

대표유형 02 관계사가 쓰인 문장 만들기

07 다음 두 문장을 한 문장으로 바르게 나타낸 것은?

- Suji is the girl. • I saw her on TV.

① Suji is the girl that I saw her on TV.
② Suji who I saw the girl is on TV.
③ Suji is the girl whom I saw on TV.
④ Suji whose I saw on TV is the girl.
⑤ Suji is the girl on TV which I saw.

08 다음 우리말에 맞게 괄호 안의 단어들을 배열할 때 여섯 번째로 오는 것은?

엄마는 내가 구운 쿠키를 좋아하셨다.
(I, the, which, cookies, baked, liked, Mom)

① I ② the ③ which
④ cookies ⑤ baked

09 다음 중 빈칸에 들어갈 수 없는 것은?

Bella knows ____________________.

① what she has to do
② the story that I told her sister
③ something is going wrong
④ how he escaped from the prison
⑤ that has long blond hair

10 다음 문장에서 who가 들어가기에 알맞은 곳은?

The waterfall is (①) named after Jimmie Angel, (②) a pilot (③) from the United States (④) first flew (⑤) over the waterfall in 1933.

Answers p. 22

대표유형 03 관계대명사의 쓰임 구별

11 다음 중 밑줄 친 부분의 쓰임이 나머지 넷과 다른 것은?

① Lily has everything that she wants.
② It is strange that Anthony didn't come.
③ You're the only one that understands me.
④ The bike that I bought last week was broken.
⑤ There are a few bugs that feed on human blood.

12 다음 중 밑줄 친 부분의 쓰임이 나머지 넷과 다른 것은?

① Beth is the woman who I work with.
② I met a boy who enjoys climbing.
③ The man who lives next door is Canadian.
④ Nick was the runner who came first.
⑤ Ms. Lee is a teacher who is very strict.

13 다음 중 밑줄 친 부분의 쓰임이 나머지 넷과 다른 것은?

① What you did was wrong.
② That's not what I really meant.
③ I can't give you what you need.
④ Painting is what he likes to do best.
⑤ I asked Ashley what her address was.

14 다음 중 밑줄 친 부분의 쓰임이 〈보기〉와 같은 것은?

보기 This is the doll that my mom made.

① Do you remember that tall boy?
② He's the one that the director wanted to cast.
③ The subway station is not that far from here.
④ It turned out that Ryan cheated on the test.
⑤ Tilda was so tired that she fell asleep soon.

대표유형 04 관계대명사의 생략

15 다음 밑줄 친 부분 중 생략할 수 없는 것은?

① This is the poem which he wrote.
② Amelia is the woman whom I talked about.
③ Education is a right that everyone should have.
④ I lost the watch which was made in Italy.
⑤ A botanist is a scientist who studies plants.

16 다음 밑줄 친 부분 중 생략할 수 없는 것은?

① I know the girl that Leo likes.
② Do you know the boy that likes you?
③ Is there anything that you didn't understand?
④ I believe that it wasn't your fault.
⑤ The seafood that we had yesterday was terrible.

17 다음 문장에서 관계대명사 that이 생략된 곳은?

Patricia (①) designed (②) products (③) anybody (④) could (⑤) use safely.

대표유형 05 통합형

18 다음 중 밑줄 친 부분이 어법상 옳은 것은?

① She bought a house which door is painted red.
② It is about a hero whom saves the world.
③ That's exactly the thing what I sent to you.
④ May is the month when she will get married.
⑤ Let me know the way how this machine works.

19 다음 중 두 문장을 바르게 연결한 것은?

① Mr. Kim is a farmer. He grows oranges.
→ Mr. Kim is a farmer which grows oranges.
② Tim is the roommate. I used to live with him.
→ Tim is the roommate with that I used to live.
③ This is the hospital. I was born in the hospital.
→ This is the hospital in where I was born.
④ The travelers were kind. He met them.
→ The travelers who he met them were kind.
⑤ Jake has a sister. Her job is a lawyer.
→ Jake has a sister whose job is a lawyer.

20 다음 문장 중 어법상 어색한 것은?

① The dogs playing in the garden are friendly.
② Jisu forgot to bring the book I lent her.
③ I want a country where is ruled by law.
④ Here is what you can do to prevent back pain.
⑤ Anyone who wants to come is welcome.

01 다음 두 문장을 관계대명사 who, which, whose 중 하나를 이용하여 한 문장으로 쓰시오.

(1) Mr. Rogers is my neighbor. + He works for a computer company.

→ ____________________

(2) She saved a man. His life was in danger.

→ ____________________

(3) The magic show was great. + We saw the magic show last Sunday.

→ ____________________

02 〈보기〉에서 알맞은 표현을 골라 조건에 맞게 그림 속 인물 또는 동물을 묘사하는 문장을 완성하시오.

보기
play the guitar
sleep on the bench
water the flowers

[조건] 1. 관계대명사 who 또는 which를 사용할 것 2. 현재진행형을 사용할 것

(1) The boy ____________________ is Dave.

(2) The girl ____________________ is Tiffany.

(3) The cat ____________________ is cute.

03 다음 〈보기〉와 같이 상황을 읽고 그에 알맞은 말을 목적격 관계대명사를 이용하여 쓰시오.

보기 You sent your friend Jina a text message last night.
But she does not reply. You tell her ...
→ Have you read the text message which I sent you last night?

Your friend Sam took some pictures in Paris.

You saw them and you liked them. You tell him ...

→ I like the ____________________.

[Self-Editing Checklist] ✔ 대 • 소문자를 바르게 썼나요? Y N ✔ 철자와 문장 부호를 바르게 썼나요? Y N

UNIT 10

접속사

핵심 개념 바로 확인

I know! ☺ No idea! ☹

- 접속사는 단어와 단어, 구와 구, 절과 절을 잇는다. ☺ ☹
- 접속사와 함께 주절을 한정짓는 절을 종속절이라고 한다. ☺ ☹

개념 37 상관접속사

Both you and I like Michael.

He visited not only Mokpo but also Gwangju.

Nicole is not American but Australian.

Either this bag or that one is Janice's.

She said neither yes nor no.

both *A* and *B*	A와 B 둘 다
not only *A* but also *B*	A뿐만 아니라 B도 (= *B* as well as *A*)
not *A* but *B*	A가 아니라 B
either *A* or *B*	A 또는 B 둘 중 하나
neither *A* nor *B*	A도 B도 아닌

바로 개념

1 상관접속사는 두 개 이상의 단어가 함께 쓰여 하나의 접속사 역할을 한다.
2 상관접속사가 이어주는 말은 명사와 명사, 동사와 동사 등 문법적으로 동등해야 한다.
3 「both *A* and *B*」가 주어로 올 때 동사는 항상 복수형으로 쓴다. 나머지는 B에 동사를 맞춘다.

고르며 개념 확인

Answers p. 23

01 Either you ○ and ○ or I must go there.

02 Mr. Johnson is not a surgeon ○ and ○ but a dentist.

03 You can get there ○ either ○ neither by train or by ship.

04 I want to buy both this book ○ and ○ or that magazine.

05 ○ Either ○ Neither Denise nor Billy will answer the question.

06 Both my father and mother ○ work ○ works for the bank.

★07 He as well as his sons ○ was ○ were disappointed with the concert.

★ *A* as well as *B* → 동사는 A에 맞춘다.

쓰며 개념 정리

08 너도 나도 그것에 책임이 없다. ______ you ______ I am responsible for it.

09 나는 영어와 일본어 둘 다 할 수 있다. I can speak ______ English ______ Japanese.

10 이 책은 재미는 없지만 유익하다. This book is ______ interesting ______ informative.

11 그녀는 수의사뿐만 아니라 작가로도 일한다. She works ______ ______ as a vet ______ ______ as a writer.

개념 38 명령문, and / or

월 일

Study hard, and you will pass the exam.

Study hard, or you will fail the exam.

Take this medicine, and you will get better.

Take this medicine, or you will get worse.

Look at the painting carefully, and you'll find something strange.

명령문, and ...	~해라, 그러면 …할 것이다
명령문, or ...	~해라, 그렇지 않으면 …할 것이다

1 명령문 뒤에 접속사 and가 오면 '~해라, 그러면 …할 것이다'라는 의미이다.
2 명령문 뒤에 접속사 or가 오면 '~해라, 그렇지 않으면 …할 것이다'라는 의미이다.

고르며 개념 확인

Answers p. 23

01 Take the taxi, ○ and ○ or you'll be late.

02 Smile, ○ and ○ or the world will smile at you.

03 Speak louder, ○ and ○ or no one can hear you.

04 Wait here, ○ and ○ or I'll be right back.

05 Hurry up, ○ and ○ or we'll catch the train!

06 Be careful on the slippery floor, ○ and ○ or you'll fall down.

쓰며 개념 정리

07 If you have enough breakfast, you can focus better in class.

→ Have enough breakfast, ______________.

08 If you don't take your umbrella, you will get wet.

→ Take your umbrella, ______________.

09 If you don't turn on the TV right now, you will miss the show.

→ Turn on the TV right now, ______________.

Answers p. 23

개념 37 상관접속사

1 두 개 이상의 단어가 함께 쓰여 하나의 접속사 역할을 하는 것이 [ ] 이다.

2 상관접속사가 이어주는 말은 명사와 명사, 동사와 동사 등 문법적으로 [ ] 해야 한다.

상관접속사	의미	주어로 쓰일 때 동사의 수
both *A* and *B*		복수 취급
not only *A* but also *B*		
A as well as *B*	B뿐만 아니라 A도	A에 맞춤
not *A* but *B*		
either *A* or *B*		
neither *A* nor *B*		

개념 38 명령문, and / or

1 명령문 뒤에 접속사 and 또는 or가 쓰여 예상되는 결과를 나타낼 수 있다.

형태	의미
명령문, [ ] ...	~해라, 그러면 …할 것이다
명령문, [ ] ...	~해라, 그렇지 않으면 …할 것이다

Answers p. 23

A 다음 중 알맞은 것을 골라 문장을 완성하시오.

01 I invited Jumi as ○ well ○ good as Soyoung.

02 He lives in both Seoul ○ and ○ or Sejong.

03 Not Ethan ○ and ○ but Josh took the picture.

04 My sister as well ○ as ○ but my parents likes the singer.

05 ○ Both ○ Either New York and Tokyo are very big cities.

06 ○ Not ○ Neither his father nor his brother listened to him.

07 ○ Also ○ Not swimming but walking will help you lose weight.

08 You should choose either this computer ○ or ○ nor that one.

09 I neither want to go out ○ or ○ nor want to stay inside.

10 Not ○ only ○ but his students but ○ too ○ also other teachers needed Mr. White.

B 자연스러운 문장이 되도록 빈칸에 and 또는 or를 쓰시오.

01 Get some sleep, ______ you will feel better.

02 Go to bed early, ______ you will get up late.

03 Mix blue and yellow, ______ you will get green.

04 Turn the volume down, ______ I will turn it off.

05 Practice more, ______ you won't pass the audition.

06 Take line No. 3, ______ you can get to Gyeongbokgung.

07 Stop saying negative words, ______ everyone will hate you.

08 Read this book, ______ you will know more about the Joseon Dynasty.

비교하며 문장 쓰기

표현 노트

			표현 노트
271	Tamu와 나 둘 다 그들처럼 되고 싶어한다. Grace와 나 둘 다 피자를 먹고 싶어한다.	Both Tamu and I want to be like them. Both Grace and I want to eat pizza.	pizza
272	Steve는 똑똑할 뿐만 아니라 친절하다. Chloe는 재미있을 뿐만 아니라 성실하다.	Steve is not only smart but also generous.	funny, diligent
273	장화를 신어라, 그렇지 않으면 발이 젖을 것이다. 코트를 입어라, 그러면 감기에 걸리지 않을 것이다.	Put on your boots, or your feet will get wet.	your coat, catch a cold
274	Lily나 Harry가 너를 도울 수 있다. Lily나 Harry 둘 다 너를 도울 수 없다.	Either Lily or Harry can help you.	neither
275	지금 떠나라, 그러면 그곳에 제 때 도착할 것이다. 지금 떠나라, 그렇지 않으면 그들을 만나지 못할 것이다.	Leave now, and you will get there on time.	meet
276	Ava가 아니라 그녀의 엄마가 그 개를 돌본다. Ava가 아니라 그녀의 언니들이 저녁을 준비한다.	Not Ava but her mother takes care of the dog.	her sisters, prepare dinner
277	나는 이야기를 읽는 것뿐만 아니라 쓰는 것도 좋아한다. 나는 쿠키를 먹는 것뿐만 아니라 굽는 것도 좋아한다. ★ 목적어로 동명사가 쓰인다.	I like not only reading stories but also writing them.	cookies, bake
278	나는 서울과 부산을 둘 다 방문했다. 나는 서울과 부산 둘 중 하나를 방문할 것이다.	I visited both Seoul and Busan.	either

Answers p. 23

배열하여 문장 쓰기

279 나의 아버지와 나 둘 다 우리 정원의 나무 밑에서 자는 것을 좋아한다.
(both, and, under the tree, sleep, my father, I, like, in our garden, to)

Both my father and I like to sleep under the tree in our garden.

★ both *A* and *B*: A와 B 둘 다

280 나는 오래된 것뿐만 아니라 새 것도 원한다. (I, the old one, but, the new one, also, want, only, not)

★ not only *A* but also *B*: A뿐만 아니라 B도

281 주제를 바꿔라, 그렇지 않으면 네 짝이 잠들어 버릴 것이다.
(the topic, or, fall, change, your partner, will, asleep)

282 플랑크톤뿐만 아니라 가재와 물고기도 그곳에 산다. (plankton, and, fish, there, crabs, not, also, only, live, but)

★ not only *A* but also *B*: A뿐만 아니라 B도 (주어로 쓰일 경우 동사는 B에 맞춘다.)

283 나는 점심으로 피자나 파스타 둘 중 하나를 만들 것이다. (will, for lunch, I, either, make, or, pasta, pizza)

284 내가 아니라 Amelia가 테니스 수업을 듣고 싶어 한다. (I, but, Amelia, tennis lessons, take, not, wants, to)

★ not *A* but *B*: A가 아니라 B (주어로 쓰일 경우 동사는 B에 맞춘다.)

285 다른 사람들을 최우선으로 여겨라, 그러면 모두가 너와 이야기하고 싶어할 것이다.
(others, and, everyone, put, will, with you, first, want, to talk)

★ put *A* first: A를 최우선으로 하다

[Self-Editing Checklist] ✔ 대 • 소문자를 바르게 썼나요? Y N ✔ 철자와 문장 부호를 바르게 썼나요? Y N

개념 39 명사절을 이끄는 that

월 일

That he often lies is true.
(주어)

= It is true that he often lies.
(가주어) (진주어)

The problem is that they spend too much money.
(보어)

I think (that) James is interested in math.
(목적어)

Do you know (that) Rachel has a twin sister?
(목적어)

that + 주어 + 동사	주어 역할	~하는 것은 (「It ~ that ...」 형태로 쓸 수 있음)
	보어 역할	~하는 것(이다)
	목적어 역할	~하는 것을 (that 생략 가능)

바로 개념

1 접속사 that이 이끄는 명사절은 문장에서 주어, 보어, 목적어 역할을 한다.
2 접속사 that이 이끄는 명사절이 주어 역할을 할 때 보통 가주어 it을 주어 자리에 쓰고 that절은 문장 끝에 쓴다.
3 접속사 that이 이끄는 명사절이 목적어 역할을 할 때 that은 생략할 수 있다.

고르며 개념 확인

Answers p. 24

01 He said ○ that ○ so the rumor was true.
02 I guess ○ and ○ that he is too busy these days.
03 The fact was ○ if ○ that she didn't pay for the service.
04 People believed ○ what ○ 없음 the Earth was flat.
05 It was surprising ○ that ○ 없음 Andy would move to another city.
06 Do you think ○ that ○ it your country would be the World Cup winner?

쓰며 개념 정리

07 사실은 그가 내 책을 잃어버렸다는 것이다. The fact is ______ he lost my book.
08 나는 네가 잘할 거라고 생각해. I think ______ you will do a good job.
09 문제는 그 문이 잠겨 있다는 것이다. The problem is ______ the door is locked.
10 비행기가 곧 이륙한다는 것은 확실하다. It is certain ______ the plane takes off soon.
11 그녀는 개가 말썽을 피울 거라고 추측했다. She guessed ______ the dog would cause trouble.
12 너는 그가 집에 없다는 것을 알았니? Did you know ______ he was not at home?

개념 40 간접의문문

월 일

I don't know if she likes you.

He wonders whether the museum is closed.

I can't hear what the boy is saying.

Can you tell me when you bought the shoes?

Where do you guess the family stays?

의문사가 없는 의문문	if + 주어 + 동사 / whether + 주어 + 동사
의문사가 있는 의문문	의문사 + 주어 + 동사 └▸ 접속사 역할 주절의 동사가 think, believe, guess 등일 때: 의문사 + do you think[believe, guess, ...] + 주어 + 동사 ...?

바로 개념

1 의문문이 다른 문장의 일부(주로 목적어)가 되는 것을 간접의문문이라고 한다.
2 의문사가 없는 의문문을 종속절(간접의문문)로 쓰면 접속사 if 또는 whether가 절을 이끈다.
3 의문사가 있는 의문문을 종속절(간접의문문)로 쓰면 「의문사 + 주어 + 동사 …」가 된다. 주절의 동사가 think, believe, guess, suppose, imagine 등일 때에는 의문사를 문장 맨 앞에 쓴다.

고르며 개념 확인 괄호 안의 말이 들어갈 위치 찾기

Answers p. 24

01 I don't know ○ I can ○ open this can ○ . (how)

02 Please ○ tell me ○ the man hid treasures ○ . (where)

03 ○ Do you know ○ she gave ○ to her son? (what)

04 ○ Do you believe ○ they can do ○ for you? (what)

05 She was ○ wondering ○ Katie would come to school ○ . (if)

06 ○ Do you imagine ○ the city will change ○ ? (how)

07 We didn't ○ see ○ the girl ran to ○ . (where)

쓰며 개념 정리

08 I'm not sure ______ . (if, this news, I, you, can, tell)

09 ______ the rabbit dug a hole? (you, suppose, where, do)

10 Are you wondering ______ ? (call, "Mad Hatter", why, her, we)

11 I don't know ______ for ice cream. (they, whether, use, real fruit)

Answers p. 24

개념 39 명사절을 이끄는 that

1 접속사 that이 이끄는 명사절은 문장에서 명사처럼 [ ], [ ], [ ] 역할을 한다.

2 접속사 that이 이끄는 명사절이 주어 역할을 할 때 가주어 [ ]을 주어 자리에 쓰고 that절은 문장 끝에 쓴다.

3 접속사 that이 이끄는 명사절이 목적어 역할을 할 때 that은 [ ]할 수 있다.

	역할	의미
that + 주어 + 동사	[ ]	~하는 것은 (「It ~ that ...」 형태로 쓸 수 있음)
	[ ]	~하는 것(이다)
	[ ]	~하는 것을 (that 생략 가능)

개념 40 간접의문문

1 의문문이 다른 문장의 일부가 되는 것을 간접의문문이라고 하며, 주로 문장에서 [ ] 역할을 한다.

2 의문사가 없는 의문문을 종속절(간접의문문)로 쓰면 접속사 [ ] 또는 [ ]가 절을 이끈다.

3 의문사가 있는 의문문을 종속절(간접의문문)로 쓰면 「의문사 + 주어 + 동사 ...」가 되며 의문사가 접속사 역할을 한다.

4 주절의 동사가 think, believe, guess, suppose, imagine 등일 때에는 의문사를 문장 맨 앞에 쓴다.

종류	간접의문문의 형태
의문사가 없는 의문문	if + 주어 + 동사 / whether + 주어 + 동사
의문사가 있는 의문문	[ ] + [ ] + [ ] 주절의 동사가 think, believe, guess 등일 때: 의문사 + do you think [believe, guess, ...] + 주어 + 동사 ...?

Answers p. 24

A 다음 문장에서 that이 들어갈 위치를 고르시오.

01 Do you ① know ② they will show ③ the movie at the festival?

02 It is ① true ② John didn't say a word ③ to us.

03 ① The fact is ② the Earth moves ③ around the Sun.

04 The truth ① is ② Ellen tried to save ③ the animals.

05 I guess ① they will arrive ③ at the meeting late ③.

06 They ① thought ② I didn't want to ③ talk with them.

07 I didn't know ① the library was ② closed ③ on Mondays.

08 Daniela didn't think ① she could ② come back that early ③.

B 주어진 의문문을 빈칸에 알맞은 형태로 바꿔 넣어 문장을 완성하시오.

01 How can I lock this door?

➔ I don't know ______________.

02 Was he satisfied with my new book?

➔ Do you know ______________?

03 Where is Joan's Bakery?

➔ Can you tell me ______________?

04 What does she do in her free time?

➔ ________ do you think ______________?

05 Do you want to learn foreign languages?

➔ I don't know ______________.

06 Where did your mother send the package?

➔ ________ do you guess ______________?

비교하며 문장 쓰기

표현 노트

			표현 노트
286	Chagall은 Icarus가 어리석다고 생각했다.	Chagall thought that Icarus was foolish.	a great artist
	나는 Chagall이 훌륭한 화가라고 생각했다.	I thought that Chagall was a great artist.	
287	나는 내가 가장 행복한 새라고 생각했다.	I thought that I was the happiest bird.	hope, again
	나는 그가 다시 행복하기를 바란다.		
288	여러분은 빛이 공해를 일으킬 수 있다는 것을 알았나요?	Did you know that light can cause pollution?	think
	여러분은 빛이 공해를 일으킬 수 있다고 생각하나요?		
289	나는 그녀가 왜 늦게 왔는지 모른다.	I don't know why she came late.	here
	나는 그녀가 언제 여기에 왔는지 모른다.		
290	여러분은 그가 누구를 그리고 있다고 생각합니까?	Who do you think he is painting?	talk about
	여러분은 그가 무엇에 대해 말하고 있다고 생각합니까? ★ 주절의 동사에 주의		
291	그들은 많은 동물이 도구를 사용할 수 있다는 것을 밝혀냈다.	They found out that many animals can use tools.	guilty
	경찰은 그가 유죄라는 것을 밝혀냈다.	The police	
292	그녀는 그녀의 명성이 다른 사람들을 도울 수 있다는 것을 깨달았다.	She realized that her fame could help others.	the children
	그는 그가 아이들을 도울 수 있다는 것을 깨닫지 못했다.		
293	진실은 그녀가 그 편지를 썼다는 것이다.	The truth is that she wrote the letter.	the fact, be in danger
	사실은 많은 동물이 위험에 처해 있다는 것이다.		

Answers p. 24

의미 확장하여 문장 쓰기

표현 노트

294
손님들이 언제 도착할까? — When will the guests arrive?
손님들이 언제 도착할지 내게 말해줘. — Tell me when the guests will arrive.
tell

295
누가 내 카메라를 훔쳤을까? — Who stole my camera?
나는 누가 내 카메라를 훔쳤는지 모른다.
know

296
Noah는 너를 좋아하지 않는다. — Noah doesn't like you.
진실은 Noah는 너를 좋아하지 않는다는 것이다.
the truth

297
그 산맥은 얼마나 길지? — How long is the mountain range?
너는 그 산맥이 얼마나 긴지 아니?
know

298
나는 그의 비밀을 다시는 말하지 않을 것이다. — I will never tell his secrets again.
나는 그의 비밀을 다시는 말하지 않겠다고 약속한다.
promise

299
그녀는 어디에 살지? — Where does she live?
나는 Mary에게 그녀가 어디에 사는지 물어볼 거야.
ask

300
화가가 우리에게 말하려는 것은 무엇일까? — What is the artist trying to tell us?
화가가 우리에게 말하려는 것은 무엇이라고 생각하니?
think

[Self-Editing Checklist] ✔ 대 · 소문자를 바르게 썼나요? Y N ✔ 철자와 문장 부호를 바르게 썼나요? Y N

개념 41 부사절을 이끄는 접속사 1: 시간, 이유

월 일

When I get to the airport, I'll call you.

As soon as she saw me, Ellen started to run.

I've known Mr. Smith since I was 12.

I bought a bottle of water because I was thirsty.

As she felt bored, she turned on the TV.

시간을 나타내는 접속사	when	~할 때
	while	~하는 동안
	as	~하면서
	as soon as	~하자마자
	since	~ 이후로
이유를 나타내는 접속사	because	~ 때문에
	as	~ 때문에
	since	~ 때문에

바로 개념

1 부사절은 주절의 앞이나 뒤에 쓰일 수 있다. 단, 주절의 앞에 올 때에는 부사절 끝에 콤마(,)를 쓴다.
2 시간을 나타내는 부사절에서는 미래에 관해 말할 때 현재 시제를 쓴다.

고르며 개념 확인

Answers p. 24

01 ○ As ○ When time goes by, I miss my hometown more.

02 Don't disturb me ○ whether ○ while I watch the online lecture.

03 The girl started to cry ○ as soon as ○ that she saw her mother.

04 I've thought of her ○ since ○ while I saw her yesterday.

05 Don't touch the button ○ as soon as ○ while the machine is working.

06 Calvin went to see a doctor ○ because ○ that he got a cold.

쓰며 개념 정리

07 Tom이 집에 왔을 때 Jay는 없었다. Jay was out ______ Tom came home.

08 어두워지면서 나는 두려움을 느꼈다. ______ it got dark, I felt scared.

09 물이 끓는 동안 내가 소스를 만들게. ______ the water is boiling, I'll make sauce.

10 그녀는 열 살 이후로 이 동네에 살았다. She has lived in this town ______ she was 10.

11 물이 깊어서 나는 여기에서 수영할 수 없다. I can't swim here ______ the water is deep.

12 그가 도착하자마자 비가 오기 시작했다. It started to rain ______ he arrived.

개념 42 부사절을 이끄는 접속사 2: 조건, 양보, 결과

월 일

If you feel cold, I'll close the window.

Unless you help me, I can't finish this work.

Though the weather was fine, he stayed home.

The pizza was so big that they left some of it.

I am so sleepy that I can't stay awake.

조건을 나타내는 접속사	if	만일 ~라면
	unless	만일 ~ 아니라면 (= if ~ not)
양보를 나타내는 접속사	though, although, even though	비록 ~이지만, ~에도 불구하고
결과를 나타내는 접속사	so	그래서
	so ~ that	매우 ~해서 …하다
	so ~ that ... can	매우 ~해서 …할 수 있다 (= ~ enough + to부정사)
	so ~ that ... can't	너무 ~해서 …할 수 없다 (= too ~ to부정사)

바로 개념

1 조건을 나타내는 부사절에서는 미래에 관해 말할 때 현재 시제를 쓴다.

2 「so ~ that …」은 결과를 나타내지만 「so that …」은 목적(~하기 위해)을 나타내는 것에 유의한다.

고르며 개념 확인

Answers p. 24

01 Ask me ○ if ○ so there is any problem.

02 I don't believe him ○ even though ○ so that he is your friend.

03 ○ If ○ Unless you want to catch a cold, put on your coat.

04 ○ Because ○ Though this watch looks old, it's still useful.

05 ○ If ○ Though she is smart, Jisu will pass the test easily.

06 The boxes were ○ enough ○ so big that I couldn't move them.

07 My dog was sick, ○ if ○ so I took it to the vet.

쓰며 개념 정리

08 준비가 되지 않았다면 시도하지 마라. Don't try to do it ______ you are prepared.

09 나는 커피가 너무 뜨거워서 마실 수 없었다. The coffee was so hot ______ I couldn't drink it.

10 네가 어려움에 처했다면 언제든 내게 전화해. ______ you are in trouble, call me anytime.

11 나는 피곤했지만 영화를 보러 갔다. ______ I was tired, I went to the movies.

12 그녀는 매우 화가 나서 말을 멈췄다. She got so angry ______ she stopped talking.

개념 41 부사절을 이끄는 접속사 1: 시간, 이유

1 부사절은 주절의 앞이나 뒤에 쓰일 수 있다. 단, 주절의 ________ 에 올 때에는 부사절 끝에 콤마(,)를 쓴다.

2 시간을 나타내는 부사절에서는 ________ 에 관해 말할 때 현재 시제를 쓴다.

시간을 나타내는 접속사		
	when	
	while	
	as	~하면서
	as soon as	
	since	

이유를 나타내는 접속사	
	because
	as
	since

개념 42 부사절을 이끄는 접속사 2: 조건, 양보, 결과

1 조건을 나타내는 부사절에서는 ________ 에 관해 말할 때 현재 시제를 쓴다.

2 「so ~ that ...」은 결과를 나타내지만 「so that ...」은 ________ (~하기 위해)을 나타내는 것에 유의한다.

조건을 나타내는 접속사	________	만일 ~라면
	________	만일 ~ 아니라면 (= if ~ not)
양보를 나타내는 접속사	though, although, even though	비록 ~이지만, ~에도 불구하고
결과를 나타내는 접속사	________	그래서
	so ~ ________	매우 ~해서 …하다 (*cf.* so that: ~하기 위해)
	so ~ ________ ... can	매우 ~해서 …할 수 있다 (= ~ enough + to부정사)
	so ~ ________ ... can't	너무 ~해서 …할 수 없다 (= too ~ to부정사)

Answers p. 25

A 우리말과 같도록 알맞은 접속사를 추가하여 괄호 안의 말을 바르게 배열하시오.

01 엄마가 나가시자마자 나는 컴퓨터를 켰다. (Mom, out, went)

→ ______, I turned on the computer.

02 그녀는 이 도시에 이사 온 이후로 이 집에서 살고 있다. (she, this city, to, moved)

→ ______, she has lived in this house.

03 내가 방 청소를 하는 동안 쓰레기를 내다 버려 줄 수 있니? (the room, I'm, cleaning)

→ Can you throw out the garbage ______?

04 지민이는 배가 아파서 오늘 학교를 결석했다. (she, a stomachache, had)

→ Jimin was absent from school ______.

05 낮이 길어지기 시작하면서 눈이 녹기 시작했다. (the days, longer, to grow, began)

→ ______, the snow began to melt.

06 비밀번호를 알지 못하면 들어갈 수 없다. (know, you, the password)

→ You can't get in ______.

07 비록 여러 해가 지났지만, 우리는 아직 그를 기억한다. (have, many years, passed)

→ ______, we still remember him.

B 두 문장이 같은 의미가 되도록 빈칸에 알맞은 말을 쓰시오.

01 We will go hiking tomorrow if it is not cold.

= We will go hiking tomorrow ______ it is cold.

02 She was strong enough to lift the barbell.

= She was ______ strong ______ she could lift the barbell.

03 Although Eddie was young, he had to take care of his sister.

= ______ ______ Eddie was young, he had to take care of his sister.

04 The child was so short that she couldn't reach the cake on the table.

= The child was ______ ______ ______ reach the cake on the table.

비교하며 문장 쓰기

	문장	영작	표현 노트
301	모든 것이 잘 된다면 그들은 싸움에서 이긴다. 그들이 싸움에서 이긴다면 여러분은 회복한다.	If all goes well, they win the fight. If they win the fight, you get well.	get well
302	걷는 동안 셀카를 찍지 마라. 먹는 동안 TV를 보지 마라.	Don't take selfies while you're walking.	watch TV, eat
303	내 여동생을 본다면, 이 책을 줘. 네가 그녀에게 이 책을 주지 않으면, 그녀는 수업을 못 듣는다.	If you see my sister, give her this book.	take the class
304	배에서 꼬르륵 소리가 나서 그는 부엌에 들어갔다. 그는 두통이 있어서 약을 먹었다.	His stomach growls, so he enters the kitchen.	a headache, some medicine
305	우리 삶이 변하면서 새 직업들이 나타날 것이다. 시간이 흐르면서 많은 것이 변할 것이다.	As our lives change, new jobs will appear.	go by, change
306	우리는 매우 피곤해서 외출할 수 없었다. 그는 너무 아파서 숙제를 할 수 없었다.	We were so tired that we could not go out.	sick, do his homework
307	나는 무언가를 할 때 그것에 집중한다. 나는 책을 읽을 때 메모를 한다.	When I do something, I give it my attention.	read a book, take notes
308	그는 매우 행복해서 기쁨으로 뛰어 올랐다. 나는 매우 추워서 뜨거운 차를 마셨다.	He was so happy that he jumped for joy.	cold, hot tea

Answers p. 25

배열하여 문장 쓰기

309 그 안경은 너무 두꺼워서 그녀는 그것으로 잘 볼 수 없었다.
(were, the glasses, couldn't, with them, thick, that, she, so, see well)

The glasses were so thick that she couldn't see well with them.

310 그 씨들은 바람이 그것들을 멀리 날려 보낼 수 있도록 가벼워야 한다.
(blow, must, be, that, far away, the wind, so, can, the seeds, them, light)

so that: ~하기 위해서, ~할 수 있도록

311 나는 스마트폰을 지니고 있지 않을 때 초조한 기분이다.
(I, my smartphone, have, don't, with me, nervous, I, feel, when)

312 Bob 삼촌은 기계를 좋아해서 가게는 조리용 기계로 가득 찼다.
(was, liked, machines, so, cooking machines, the shop, Uncle Bob, full, of)

be full of: ~으로 가득 차다

313 나는 숙제를 하는 동안 SNS의 게시물들을 읽곤 했다.
(used, doing, my homework, I, while, to read, I, SNS postings, was)

used to: ~하곤 했다

314 오래된 만화책을 좀 찾아서 우리는 정말 신났다.
(really excited, because, some old comic books, we, we, found, were)

315 비록 경주에서 우승하지 못했어도 너는 최선을 다했다.
(even, you, your, didn't, did, you, win, best, the race, though)

do one's best: 최선을 다하다

[Self-Editing Checklist] 대·소문자를 바르게 썼나요? Y N 철자와 문장 부호를 바르게 썼나요? Y N

대표유형 01 상관접속사의 형태와 쓰임

01 우리말과 같도록 빈칸에 알맞은 말이 짝지어진 것은?

> Mike도 나도 수영을 좋아하지 않는다.
> = ________ Mike ________ I like swimming.

① Either – or ② Both – but
③ Not – but ④ Not – also
⑤ Neither – nor

02 다음 문장 중 밑줄 친 부분이 어색한 것은?

① I want to buy either apples or bananas.
② Both he and she are interested in art.
③ The movie is neither funny nor cool.
④ I can play tennis as well badminton.
⑤ He works not as a chef but as a manager.

03 다음 두 문장의 의미가 같도록 빈칸에 알맞은 말을 고르면?

> Not only Sojin but also Yuna likes to play soccer.
> = Yuna ________ Sojin likes to play soccer.

① both ② but ③ either
④ so that ⑤ as well as

대표유형 02 「명령문, and/or」의 쓰임

04 다음 문장 중 밑줄 친 부분의 쓰임이 어색한 것은?

① Hurry up, or you'll be late.
② Speak low, or everyone will hear you.
③ Be careful, or you'll be in danger.
④ Take a break, or you'll get too tired.
⑤ Study hard, or you'll get a good grade.

05 다음 문장의 빈칸에 들어갈 말로 알맞은 것은?

> Be honest, ________ everyone will like you.

① and ② but ③ or ④ nor ⑤ that

대표유형 03 명사절을 이끄는 접속사 that

06 다음 문장의 빈칸에 들어갈 말로 가장 알맞은 것은?

> Do you know ________ he needs our help?

① and ② but ③ or ④ so ⑤ that

07 다음 문장 중 밑줄 친 that을 생략할 수 있는 것은?

① It is true that she won the race.
② The fact is that there is no water.
③ It was certain that it would rain heavily.
④ We didn't know that we had to leave.
⑤ The problem is that I don't want that job.

08 다음 두 문장의 빈칸에 공통으로 들어갈 말은?

> • I said ________ I was a lucky person.
> • Which do you want, this or ________?

① and ② but ③ that ④ if ⑤ so

대표유형 04 간접의문문

09 다음 문장 중 어법상 어색한 것은?

① Can you tell me where the bakery is?
② I don't know when we can visit her.
③ I'm not certain if they will come back.
④ I wonder whether Bill walked the dog.
⑤ Do you guess what your cat likes to do?

10 다음 문장의 빈칸에 들어갈 말로 알맞지 않은 것은?

> I don't know ________________.

① what should I do
② where the station is
③ who will throw the party
④ when the opening show begins
⑤ how many people are in the hall

Answers p. 25

11 다음 문장 중 밑줄 친 부분이 어법상 어색한 것은?

① Tell me whether you will be at home.
② You don't know who is the tall guy.
③ You can go home now if you want to.
④ I wonder if we should wear uniforms.
⑤ I don't remember when we met there.

대표유형 05 부사절의 종류와 쓰임

12 다음 두 문장의 빈칸에 들어갈 말이 순서대로 바르게 짝 지어진 것은?

- She is looking for a new job ________ she needs more money.
- We had a good time ________ it was cold and rainy.

① although – so　② if – though
③ because – though　④ when – while
⑤ since – so that

[13–14] 우리말과 같도록 빈칸에 알맞은 말을 고르시오.

13

내가 TV를 보고 있는 동안 초인종이 울렸다.
➜ The bell rang ________ I was watching TV.

① so　② since　③ while
④ unless　⑤ though

14

비가 그치지 않으면 야구 경기는 취소될 것이다.
➜ ________ it stops raining, the baseball game will be canceled.

① If　② Though　③ As
④ Unless　⑤ When

15 다음 중 어법상 어색한 것을 모두 고르면?

① We will go there if we will buy a car.
② You can go first as you're the youngest.
③ Since Luna was 10, she has learned Chinese.
④ I told the truth because I had nothing to lose.
⑤ I'll meet Tom when I will arrive at the airport.

16 다음 중 밑줄 친 When[when]의 쓰임이 나머지 넷과 다른 것은?

① When are you going to leave?
② Time goes very fast when you are busy.
③ When it gets dark, you can see stars.
④ My cat was sleeping when I came back.
⑤ My eyes feel dry when I use my smartphone.

17 다음 두 문장의 의미가 같도록 빈칸에 알맞은 말을 고르면?

I couldn't go to school because I had a fever.
= I had a fever, ________ I couldn't go to school.

① until　② so　③ that
④ unless　⑤ while

18 다음 우리말을 가장 바르게 영작한 것은?

나는 일어나자마자 전화기를 확인한다.

① As I wake up, I check my phone.
② I check my phone since I wake up.
③ I check my phone while I wake up.
④ Though I wake up, I check my phone.
⑤ As soon as I wake up, I check my phone.

대표유형 06 so ~ that 구문

19 다음 두 문장의 의미가 같도록 빈칸에 알맞은 말을 고르면?

I was too busy to meet my friends.
= I was so busy that I ________ my friends.

① met　② don't meet　③ can meet
④ could meet　⑤ couldn't meet

20 다음 문장의 빈칸에 들어갈 말로 알맞은 것은?

The cookie was ________ hard that I almost broke my teeth.

① so　② too　③ even
④ very　⑤ that

01 다음 문장에서 어법상 어색한 부분을 찾아 바르게 고쳐 문장을 다시 쓰시오.

(1) Neither Stan nor I is against you.

→ ______________________________

(2) Do you know what does the sign mean?

→ ______________________________

(3) As soon as spring will come, they will start to build a new house.

→ ______________________________

02 〈보기〉와 같이 두 문장을 한 문장으로 바꿔 쓰시오.

보기 The drama is very interesting. I can't turn off the TV.
→ The drama is so interesting that I can't turn off the TV.

(1) The jacket is very thin. I don't wear it when it's cold.

→ ______________________________

(2) The park is very far from here. We can't walk there.

→ ______________________________

수행평가 유형 문장 완성형

03 (A)와 (B)에서 서로 어울리는 것끼리 이어 문장을 만들어 쓰고 우리말로 해석하시오.

(A)
- if you feel hungry
- unless the tree is very tall
- although the girl was short

(B)
- she ran very fast
- the cat can climb it
- have this sandwich

(1) ______________________________

(해석) ______________________________

(2) ______________________________

(해석) ______________________________

(3) ______________________________

(해석) ______________________________

[Self-Editing Checklist] ✔ 대 • 소문자를 바르게 썼나요? Y N ✔ 철자와 문장 부호를 바르게 썼나요? Y N

UNIT 11

비교 구문

핵심 개념 바로 확인 I know! No idea!

- 비교급은 한 쪽이 다른 쪽보다 특정 상태나 성질의 정도가 더할 때 쓴다.
- 최상급은 어떤 것의 특정 상태나 성질이 정도가 가장 높을 때 사용한다.

개념 43 비교급 - 최상급 만들기

월 일

This laptop is nicer than mine.

That rope is the thinnest one in my store.

The blue bag is heavier than the red one.

My grandma is more generous than my mom.

Her seat was the farthest from the stage.

	원급		비교급	최상급
대부분의 형용사/부사	–		+ -(e)r	+ -(e)st
	nice		nicer	nicest
「단모음 + 단자음」으로 끝날 때	–		+ 단자음 + -er	+ 단자음 + -est
	thin		thinner	thinnest
「자음 + -y」로 끝날 때	–		-y → -ier	-y → -iest
	heavy		heavier	heaviest
3음절 이상 / -ful, -ous, -able, -less, -ing 등으로 끝날 때	–		more + 원급	most + 원급
	generous		more generous	most generous
불규칙 변화	old	나이 먹은	older	oldest
		손위의	elder	eldest
	far	먼	farther	farthest
		더한	further	furthest
	little		less	least

바로 개념

1 어떤 것이 다른 것보다 '더 ~할' 때 형용사/부사의 비교급을, 여럿 중 '가장 ~할' 때 최상급을 쓴다.

2 비교급은 대개 -(e)r 또는 more를, 최상급은 -(e)st 또는 most를 붙여 만든다.

고르며 개념 확인

Answers p. 26

01 hot – ○ hoter ○ hotter

02 much – ○ mucher ○ more

03 boring – ○ boringer ○ more boring

04 fine – ○ finer ○ finner

05 funny – ○ funnyest ○ funniest

06 important – ○ importanter ○ more important

07 dangerous – ○ dangerousest ○ most dangerous

쓰며 개념 정리

08 우리는 얼마나 더 멀리 가야 하지? How much _____ should we go? (far)

09 나는 더 이상 달릴 수 없을 것 같다. I don't think I can run _____. (far)

10 그는 나의 가장 큰형이다. He is my _____ brother. (old)

11 그 책은 이 학교에서 가장 오래되었다. The book is the _____ in this school. (old)

12 우리 엄마는 커피를 덜 마셔야 한다. My mom should drink _____ coffee. (little)

개념 44 원급 비교 / 배수 비교

월 일

The little boy is as creative as you.

Aretha spoke as loudly as the teacher.

The food was not so tasty as you said.

Your computer works twice as fast as mine.
(twice: 배수 비교)

This box is three times as big as that one.
(three times: 배수 비교)

원급 비교 긍정	A ~ as + 원급 + as + B A가 B만큼 ~하다
원급 비교 부정	A ~ not so [as] + 원급 + as + B A는 B만큼 ~하지 않다
배수 표현을 사용한 비교	A ~ 배수 표현 + as + 원급 + as + B A는 B보다 …배만큼 ~하다 배수 표현: twice, 「3 이상의 수 + times」

바로 개념

1 두 대상의 성질 또는 수량이 같을 때 형용사와 부사의 원급을 이용하여 원급 비교 구문을 쓸 수 있다.
2 '몇 배'를 나타내는 배수 표현을 원급 비교 구문과 함께 써서 '…배만큼 ~하다'라는 의미를 나타낼 수 있다.

고르며 개념 확인

Answers p. 26

01 I am ○ two ○ twice as old as you.

02 Today is not as ○ cold ○ colder as yesterday.

03 Those trees are ○ as ○ so tall as the building.

04 This coat is not ○ so ○ since warm as I expected.

05 The park is five ○ time ○ times as big as our schoolyard.

쓰며 개념 정리

06 이 사과파이는 우리 할머니의 파이만큼 맛있다. (as, is, delicious, my grandma's, as)

→ This apple pie ______________.

07 이 새 앱은 예전 것보다 두 배 빠르게 작동한다. (as, as, works, the old one, fast, twice)

→ This new app ______________.

08 난 어제만큼 기분이 좋지 않아. (not, as, yesterday, as, feeling, good)

→ I am ______________.

09 그가 오늘 산 TV는 내 TV보다 세 배 비싸다. (is, times, as, my, three, TV set, expensive, as)

→ The TV set he bought today ______________.

Answers p. 26

개념 43 비교급 - 최상급 만들기

	원급	비교급	최상급
대부분의 형용사/부사	–	+ -(e)r	+ -(e)st
	soft		
「단모음 + 단자음」으로 끝날 때	–	+ 단자음 + -er	+ 단자음 + -est
	fat		
「자음 + -y」로 끝날 때	–	-y → -ier	-y → -iest
	pretty		
3음절 이상 / -ful, -ous, -able, -less, -ing 등으로 끝날 때	–	more + 원급	most + 원급
	exciting		
불규칙 변화	old 나이 먹은		
	old 손위의		
	far (거리가) 먼		
	far (정도가) 더한		
	little		

개념 44 원급 비교 / 배수 비교

1 두 대상의 성질 또는 수량이 같을 때 형용사와 부사의 [ ] 을 이용하여 '…만큼 ~하다'라는 의미의 원급 비교 구문을 쓸 수 있다.

2 '몇 배'를 나타내는 배수 표현을 원급 비교 구문과 함께 써서 '…배만큼 ~하다'라는 의미를 나타낼 수 있다.

원급 비교 긍정	A ~ as + 원급 + as + B 의미: [ ]	원급 비교 부정	A ~ not so [as] + 원급 + as + B 의미: [ ]
배수 표현을 사용한 비교	A ~ 배수 표현 + as + 원급 + as + B 의미: [ ] 배수 표현: twice, 「3 이상의 수 + times」		

Answers p. 27

A 다음 형용사 또는 부사의 알맞은 비교급과 최상급을 쓰시오.

01 sweet – ______ – ______

02 close – ______ – ______

03 bad – ______ – ______

04 much – ______ – ______

05 delicious – ______ – ______

06 lucky – ______ – ______

07 adorable – ______ – ______

08 loud – ______ – ______

09 fancy – ______ – ______

10 cruel – ______ – ______

11 slim – ______ – ______

12 talented – ______ – ______

B 다음 우리말과 같도록 괄호 안의 단어를 사용하여 문장을 완성하시오.

01 James는 Jason만큼 천천히 걷는다. (slowly)

→ James walks ______ ______ ______ Jason.

02 그 웹 사이트는 그 책만큼 너에게 유용할 거야. (useful)

→ The website will be ______ ______ ______ the book for you.

03 그는 너만큼 영어를 잘하지 못한다. (well)

→ He doesn't speak English ______ ______ ______ you.

04 이 건물은 저 탑만큼 가치가 있지 않다. (valuable)

→ This building is ______ ______ ______ ______ the tower.

05 거실은 내 방보다 두 배가 넓다. (large)

→ The living room is ______ ______ ______ ______ my room.

06 네 머리가 내 머리보다 세 배는 길어 보인다. (long)

→ Your hair looks ______ ______ ______ ______ ______ mine.

비교하며 문장 쓰기

번호	우리말	영어 문장	표현 노트
316	크기가 더 크면 포장지를 덜 사용한다.	Larger sizes use less packaging.	less, make trash
	포장지가 더 적으면 쓰레기가 덜 나온다.	Less packaging makes less trash.	
317	보름달은 작아질 것이다.	A full moon will become smaller.	a half moon, grow
	반달은 커질 것이다.		
318	12월은 일 년 중 가장 추운 달이다.	December is the coldest month of the year.	August, hot
	8월은 일 년 중 가장 더운 달이다.		
319	나는 다른 사람들처럼 처음에는 무서웠다.	I was as scared as the others at first.	diligent
	나는 Jacob처럼 처음에는 부지런했다.		
320	나는 Tamu와 달릴 때 가장 행복하다.	I'm happiest when I run with Tamu.	pleasant, play baseball
	그는 야구를 할 때 가장 즐겁다.		
	★ 서술적 용법으로 쓰인 형용사는 최상급일 때 the를 쓰지 않아도 된다.		
321	타이밍은 심폐소생술을 하는 것만큼 중요하다.	Timing is as important as doing CPR.	walk fast, good
	빠르게 걷는 것은 조깅만큼 좋다.		
	★ 주어로 동명사구를 쓴다.		
322	이 자는 저것보다 두 배 길다.	This ruler is twice as long as that one.	this string, that stick
	이 끈은 저 막대보다 세 배 길다.		
323	그의 축구공은 그에게 금처럼 귀중했다.	His football was as precious as gold to him.	science, interesting
	과학은 내게 음악만큼 흥미롭다.		

Answers p. 27

배열하여 문장 쓰기

324 그들의 움직임은 꽃이나 날고 있는 새처럼 아름다워 보인다.
(their movements, as, or, flowers, flying birds, as, look, beautiful)

Their movements look as beautiful as flowers or flying birds.

325 만화는 정보를 더 명확하고 쉽게 배우도록 할 수 있다.
(to learn, and, make, information, clearer, easier, can)

Comics

✰ 5형식 문장의 구조에 주의

326 그녀는 Stella의 엄마가 하는 것만큼 따뜻하게 Stella를 돌보았다.
(Stella's mom, warmly, did, Stella, as, as, cared for)

She

✰ care for: ~을 돌보다, 신경 쓰다

327 화성에서의 일 년은 지구에서의 일 년의 약 두 배만큼 길다.
(as, is, twice, a year, on Earth, about, long, as)

A year on Mars

✰ Mars: 화성, Earth: 지구

328 우리 중 얼마나 많은 사람이 반 고흐처럼 운이 좋을까?
(lucky, Van Gogh, as, as, are)

How many of us

329 오직 지구상에서 가장 뛰어난 달리기 선수만이 그 경주에 참여할 수 있다.
(can, on, the planet, the race, take part, in)

Only the greatest runners

330 흰긴수염고래의 혀만으로도 평균적인 아프리카 코끼리만큼의 무게가 나갈 수 있다.
(much, weigh, an average African elephant, as, can, as)

The blue whale's tongue alone

[Self-Editing Checklist] ✔ 대 • 소문자를 바르게 썼나요? Y N ✔ 철자와 문장 부호를 바르게 썼나요? Y N

개념 45 여러 가지 비교급 표현 / 비교급의 강조

This hat is **bigger than** that one.

The situation was **worse than** before.

The sky was getting **darker and darker**. 〈비교급 구문〉

The faster you drive a car, **the more dangerous** you are. 〈비교급 구문〉

His advice was **much more useful** than I thought. 〈비교급의 강조〉

비교급을 활용한 여러 가지 표현

A ~ 비교급 + than + *B*	A는 B보다 더 ~하다
비교급 + and + 비교급	점점 더 ~한
the + 비교급 ~, the + 비교급 ...	더 ~할수록 더 …하다

비교급의 강조

much / a lot / far / even + 비교급 ⇨ 훨씬 더 ~한

바로 개념

1 비교급을 사용해 두 대상을 비교할 때 「*A* ~ 비교급 + than + *B*」로 쓴다.
2 비교급을 강조할 때 비교급 앞에 much, a lot, far, even 등을 쓴다.
3 비교급을 활용하여 다양한 비교 구문을 쓸 수 있다.

고르며 개념 확인

Answers p. 27

01 John can jump ○ higher ○ highest than Benny.

02 The weather is getting hotter ○ and ○ but hotter.

03 My dog Rocky is ○ a lot ○ lots smaller than your cat.

04 The show will be ○ much ○ very more exciting than you expect.

05 The ○ hard ○ harder you practice, the ○ good ○ better you will dance.

쓰며 개념 정리

06 그녀의 점수는 평균보다 높았다. Her score was ______ than the average. (high)

07 그 선수는 점점 더 강해지고 있다. The player is growing ______ and ______. (strong)

08 그의 목소리는 너보다 훨씬 더 컸다. His voice was ______ ______ than yours. (loud)

09 내 여동생은 나보다 훨씬 더 키가 작다. My sister is ______ ______ than me. (short)

10 네가 더 친절할수록 모두 너를 더 좋아할 거야. ______ ______ you are, ______ ______ everybody will like you. (friendly, much)

개념 46 여러 가지 최상급 표현

월 일

She is the tallest student in her class.

Who is the strongest person of them?
그들 중

Ted runs the fastest of the six members.
여섯 멤버 중

The elephant is one of the biggest animals.

It is the longest novel that I've ever read.

최상급을 활용한 여러 가지 표현

the + 최상급 ~ + in + 장소, 집단	…에서 가장 ~한
the + 최상급 ~ + of + 복수 명사	… 중에서 가장 ~한
one of the + 최상급 + 복수 명사	가장 ~한 … 중의 하나
the + 최상급 + 명사 (+ that) + 주어 + have ever + 과거분사	지금까지 …한 것 중 가장 ~한

바로 개념

1 최상급 앞에는 대개 the를 쓴다.
2 최상급 표현 뒤에는 비교 범위를 나타내는 표현이 올 때가 많다.

고르며 개념 확인

Answers p. 27

01 Who is ○ the busier ○ the busiest person in the company?

02 Ms. Franklin was ○ the better ○ the best singer in the U.S.

03 This is ○ a worse ○ the worst experience I've ever had.

04 I think it is ○ the great ○ the greatest painting in the world.

05 Health is one of the most important ○ thing ○ things in your life.

06 The ring is ○ an expensive ○ the most expensive present he has ever bought.

쓰며 개념 정리

07 Russia is the largest country [ ] the world.

08 It's the best ice cream that I [ ] [ ] eaten.

09 My uncle is the most skillful driver [ ] my family.

10 Junho is the laziest [ ] the young boys.

11 This is the most touching story that we [ ] [ ] heard.

12 Playing online games is [ ] of the most pleasant things to do.

개념 45 여러 가지 비교급 표현 / 비교급의 강조

1 비교급을 사용해 두 대상을 비교할 때 「*A* ~ 비교급 + than + *B*」로 쓴다.

2 비교급을 ________ 할 때 비교급 앞에 much, a lot, far, even 등을 쓴다.

비교급 표현	의미
A ~ 비교급 + than + *B*	
비교급 + and + 비교급	
the + 비교급 ~, the + 비교급 …	
much / a lot / far / even + 비교급	

개념 46 여러 가지 최상급 표현

1 최상급 앞에는 대개 ________ 를 쓴다.

2 최상급 표현 뒤에는 '~에서, ~ 중에서'라는 의미로 비교 범위를 나타내는 표현이 올 때가 많다.

최상급 표현	의미
the + 최상급 ~ + in + ________	…에서 가장 ~한
the + 최상급 ~ + of + ________	… 중에서 가장 ~한
________ of the + 최상급 + 복수 명사	가장 ~한 … 중의 하나
the + 최상급 + 명사 (+ that) + 주어 + have ever + 과거분사	지금까지 …한 것 중 가장 ~한

Answers p. 27

A 다음 우리말에 맞게 괄호 안의 말을 이용하여 문장을 완성하시오.

01 그 벽은 보기보다 약하다. (weak)

→ The wall is ______ ______ it looks.

02 이 학교가 동네에서 가장 오래된 건물이다. (oldest building)

→ This school is ______ ______ ______ ______ the town.

03 내 남동생은 나보다 훨씬 더 어리다. (much, young)

→ My brother is ______ ______ ______ me.

04 풍선은 점점 더 커졌다. (big)

→ The balloon became ______ ______ ______.

05 이것은 내가 지금까지 한 것 중 가장 어려운 일이다. (hard work, ever do)

→ This is ______ ______ ______ that I've ______ ______.

B 우리말과 같도록 괄호 안의 말을 바르게 배열하여 문장을 완성하시오.

01 많이 잘수록 너는 더 피곤할 것이다. (you, more tired, the, will, be)

→ The more you sleep, ______.

02 나는 이 학생들 중 가장 빠른 달리기 선수이다. (students, of, runner, these, the fastest)

→ I am ______.

03 그것은 내가 지금까지 본 것 중 가장 지루한 영화이다. (seen, I, the most boring, have, ever, movie)

→ It is ______.

04 컴퓨터는 역사상 가장 유용한 도구 중 하나이다. (devices, the most useful, one, of)

→ The computer is ______ in history.

05 그녀는 학교에서 가장 인기 있는 학생이다. (her school, student, the most popular, in)

→ She is ______.

06 나는 이것보다 훨씬 더 싼 배낭을 원한다. (much, this one, a, cheaper, than, backpack)

→ I want ______.

교과서에서 뽑은 360 문장 마스터하기

비교하며 문장 쓰기

			표현 노트
331	화성은 지구보다 훨씬 더 춥다.	Mars is much colder than Earth.	Jupiter, even
	목성은 지구보다 훨씬 더 크다.	Jupiter is even bigger than Earth.	
332	너의 방은 내 방보다 훨씬 더 깨끗하다.	Your room is much cleaner than mine.	much, large
	내 방은 네 방보다 훨씬 더 크다.		
333	그것은 네 사막 중 가장 덥다.	It is the hottest of the four deserts.	rich, city
	그것은 세 도시 중 가장 부유하다. ★ of 뒤에는 복수 명사		
334	그것이 이 책에서 가장 어려운 문제이다.	It is the most difficult problem in this book.	scary, scene
	그것이 이 영화에서 가장 무서운 장면이다.		
335	그는 내가 만난 중 가장 친절한 사람이다.	He is the kindest person I have ever met.	smart, teach
	그 소녀는 내가 가르친 중 가장 똑똑한 학생이다.		
336	그 소년은 키가 자랄수록 더 빨리 달렸다.	The taller the boy got, the faster he ran.	the + 비교급 ~, the + 비교급 ... get, sleep
	그 개는 나이를 먹을수록 더 많이 잤다.		
337	무엇이 한국에서 가장 인기 있는 음식이지?	What is the most popular food in Korea?	famous, actor
	누가 한국에서 가장 유명한 배우지?		
338	그는 나보다 더 아름답다.	He is more beautiful than I am.	lucky
	나는 그보다 더 운이 좋다.		

Answers p. 27

배열하여 문장 쓰기

339 나는 네가 세상에서 가장 행복한 새라고 생각해.
(in, you, the happiest, the world, think, I, are, bird)

I think you are the happiest bird in the world.

340 나는 작년에 찍은 것보다 더 많은 사진을 찍고 싶다.
(I, more pictures, want, last year, than, I, took, to take)

341 여름에는 에펠탑이 겨울보다 15cm 더 높아진다.
(the Eiffel Tower, than, in winter, 15 cm, taller, gets)

In summer,

342 두 번째 방은 첫 번째 것보다 탈출하기 훨씬 더 어렵다.
(harder, much, the first one, than, to escape, the second room, is)

343 아타카마 사막은 별을 보기에 지구상에서 가장 좋은 장소 중 하나이다.
(on Earth, the Atacama, the best, is, one, of, to watch stars, places)

344 나는 전구가 비행기보다 더 중요하다고 생각해.
(think, more important, the light bulb, is, I, the airplane, than)

345 나는 모든 악기 중 기타가 가장 아름다운 소리를 가졌다고 생각한다.
(I, the most beautiful, all musical instruments, think, has, of, sound, the guitar)

★ musical instrument: 악기

[Self-Editing Checklist] ✔ 대 • 소문자를 바르게 썼나요? Y N ✔ 철자와 문장 부호를 바르게 썼나요? Y N

대표유형 01 비교급과 최상급 변화

01 다음 문장 중 어법상 어색한 것은?

① I tried to eat less.
② She is much older than me.
③ This bag looks heavier than mine.
④ What is most important thing to you?
⑤ I am the happiest person in the world.

02 주어진 우리말과 같도록 할 때 빈칸에 가장 알맞은 것은?

그녀는 나의 가장 큰언니이다.
➔ She is my ________ sister.

① old ② older ③ oldest
④ elder ⑤ eldest

03 다음 문장의 빈칸에 들어갈 수 없는 것은?

This copy machine is more ________ than the old one.

① heavy ② useful ③ helpful
④ practical ⑤ expensive

대표유형 02 원급 비교와 배수 비교

04 주어진 우리말과 같도록 할 때 빈칸에 가장 알맞은 것은?

중국은 그 나라보다 10배 크다.
➔ China is ________ as big as the country.

① ten ② tenth ③ ten time
④ ten times ⑤ the tenth time

05 다음 문장과 의미가 같은 것은?

The bus is not so fast as the taxi.

① The bus is the fastest.
② The taxi is the fastest of all.
③ The taxi is faster than the bus.
④ The taxi is slower than the bus.
⑤ The taxi is not faster than the bus.

06 다음 대화의 빈칸에 들어갈 말로 알맞은 것은?

A Is this your cat?
B Yes, its name is Choco.
A Its name is as ________ as it is.

① cute ② cuter ③ cutest
④ more cute ⑤ most cute

07 다음 문장 중 밑줄 친 부분이 어색한 것은?

① The horse runs as fast as the cheetah.
② This school is twice as big as ours.
③ The lion is not as strong so the hippo.
④ I don't play the piano so well as you.
⑤ The building is three times as tall as City Hall.

대표유형 03 비교급의 강조

08 주어진 우리말과 같도록 할 때 빈칸에 들어갈 수 있는 말을 모두 고르면?

그의 상태는 내가 생각하는 것보다 훨씬 더 심각했다.
➔ His condition was ________ more serious than I thought.

① very ② much ③ most
④ a lot ⑤ far

09 다음 문장의 빈칸에 들어갈 말로 어색한 것은?

The desk is ________ smaller than the table.

① more ② much ③ even
④ far ⑤ a lot

대표유형 04 여러 가지 비교급 표현

10 다음 문장 중 나머지 넷과 의미가 다른 것은?

① The sofa is more expensive than the bed.
② The bed is more expensive than the sofa.
③ The sofa is not as cheap as the bed.
④ The bed is cheaper than the sofa.
⑤ The bed is not as expensive as the sofa.

Answers p. 28

11 다음 우리말을 바르게 영작한 것은?

> 더 높이 올라가면 더 많이 볼 수 있다.

① Higher you go, more you can see.
② The high you go, the many you can see.
③ The higher you go, the more you can see.
④ More than you see, higher than you can go.
⑤ The more you can see, the higher you go.

12 밑줄 친 단어의 알맞은 형태가 순서대로 짝지어진 것은?

> • I need a small bag than this one.
> • They couldn't walk more, and they couldn't go far.

① smallest - far ② smaller - farer
③ smaller - farest ④ smaller - further
⑤ smallest - furthest

[13-14] 다음 문장 중 어법상 어색한 것을 고르시오.

13 ① The more you get, the more you want.
② The patient is getting better and better.
③ This cake is a lot of tastier than that one.
④ I want to make this cream soup thicker.
⑤ You have to walk faster to catch the train.

14 ① Eric is as talented as his brother.
② His feet felt heavier and heavier.
③ The painting is more beautiful than the photo.
④ Steve's father looks much stronger than him.
⑤ The longer you walk, the tired you will be.

대표유형 05 여러 가지 최상급 표현

15 다음 문장 중 밑줄 친 부분이 어색한 것은?

① The food was most delicious.
② Tom is the funniest person of them.
③ You are more diligent student in the class.
④ Ms. Louis is one of the best marathon runners in the country.
⑤ The most important thing in my life is my family.

16 다음 문장의 밑줄 친 ①~⑤ 중 어법상 어색한 부분은?

> Seoraksan is ① one of ② the ③ most beautiful ④ mountain ⑤ in Korea.

17 다음 밑줄 친 단어의 형태로 가장 알맞은 것은?

> It is beautiful song that I've ever heard.

① a beautiful ② beautifuler
③ more beautiful ④ the beautiful
⑤ the most beautiful

18 다음 빈칸에 가장 알맞은 말이 순서대로 짝지어진 것은?

> • The beach is the most peaceful place ________ this area.
> • He is the smartest student ________ them.

① of – in ② of – as ③ in – of
④ in – on ⑤ as – of

19 다음 표와 일치하는 말이 순서대로 짝지어진 것은?

이름	Liam	Dana	Kyle	Erin
나이	16세	17세	13세	17세
키	180 cm	153 cm	155 cm	167 cm

> • Dana is not ________ as Erin.
> • Liam is ________ of the four students.
> • Kyle is ________ one.

① so tall – the oldest – a younger
② as tall – the tallest – the shortest
③ so tall – the tallest – the youngest
④ as old – the oldest – the youngest
⑤ so old – the tallest – the shortest

20 다음 중 밑줄 친 부분의 쓰임이 어색한 것을 모두 고르면?

① The turtle lives longer than the rabbit.
② Emma has the shortest hair in her class.
③ The Nile is a longest river in the world.
④ I will give you the most precious thing.
⑤ Jack is the wiser person we have ever met.

01 우리말과 같도록 괄호 안의 단어를 활용하여 문장을 완성하시오.

(1) 여름 평균 기온이 점점 더 높아지고 있다. (get, high)

→ The average summer temperature is ________ ________ ________ ________.

(2) 그는 내가 본 가장 열정적인 예술가이다. (passionate, see)

→ He is ________ ________ ________ artist that I ________ ________ ________.

02 다음 주어진 〈조건〉에 맞게 그림을 묘사하는 문장을 완성하시오.

[조건] 1. 배수를 나타내는 표현을 사용할 것　　2. 「as ~ as」 구문을 사용할 것

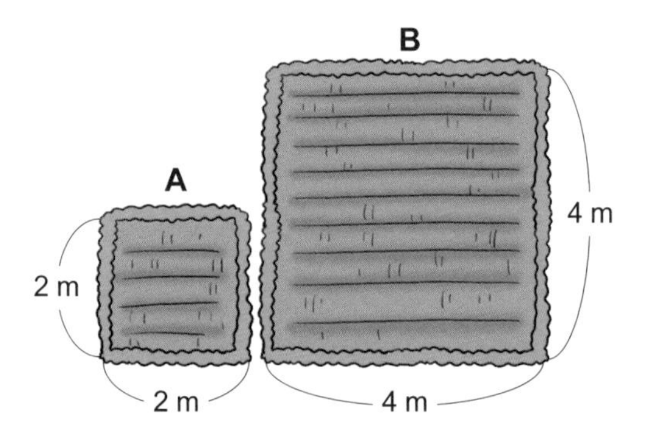

(1) The apple tree is ________________ the orange tree.

(2) Field B is ________________ Field A.

수행평가 유형 표 설명하기

03 다음 세 지역의 월별 평균 기온을 나타내는 표를 보고, 〈보기〉 중 알맞은 단어를 골라 문장을 완성하시오. (단, 필요할 경우 단어의 형태를 변형할 것)

city \ month	January	July
Seoul	1℃	30℃
Busan	8℃	27℃
Gangneung	5℃	28℃

보기: warm / cold / hot

(1) Seoul ________________ the other two cities in July.

(2) Gangneung is ________________ as Seoul in January.

(3) Busan is ________________ the three cities in January.

[Self-Editing Checklist] ✔ 대 • 소문자를 바르게 썼나요? Y N ✔ 철자와 문장 부호를 바르게 썼나요? Y N

UNIT 12

가정법

핵심 개념 바로 확인 I know! ☺ No idea! 😐

- 직설법은 사실이거나 실제로 일어날 수 있다고 생각하는 일을 표현한 것이다. ☺ 😐
- 가정법은 실제로 일어날 수 없다고 생각하는 일을 표현한 것이다. ☺ 😐

개념 47 가정법 과거

월 일

If I were wrong, I would apologize to my friends.
(→ As I'm not wrong, I won't apologize to my friends.)

If he knew Emma's phone number, he could call her.
(= As he doesn't know Emma's phone number, he can't call her.)

if절			주절		
If	주어	were ~, 동사의 과거형 ~,	주어	조동사 과거형 (would, could, might 등)	동사원형 ~.

바로 개념

1 가정법 과거는 '만약 ~라면, …할 텐데'라는 의미로 현재 사실과 반대되거나 실제로 일어날 가능성이 거의 없는 일을 가정할 때 쓴다. 형태는 과거형이지만 의미상으로는 현재나 미래에 관한 것이므로 해석에 주의한다.

2 if절과 주절의 위치는 바꿔 쓸 수 있고, if절의 동사가 be동사인 경우 주어의 인칭과 수에 관계없이 were를 쓴다.

3 if가 '만약 ~라면'이라는 뜻으로 조건을 나타내는 부사절을 이끄는 경우에는 실제로 일어날 가능성이 있는 일을 나타낸다.

고르며 개념 확인

Answers p. 29

01 If I ○ were ○ am rich, I would travel to space.

02 If it snows heavily tomorrow, we ○ will ○ would cancel the trip.

03 May I use this computer if it ○ were ○ is available?

04 Julia could go to the party if she ○ were ○ is not sick.

05 If you were here, I ○ am not ○ would not be lonely.

06 You will see a subway station if you ○ walked ○ walk two blocks.

07 If David ○ studied ○ studies hard, he could pass the exam.

쓰며 개념 정리

08 be — If I ______ a student, I could get a discount.

09 love — It would be great if my girlfriend ______ my present.

10 rain — We could go out and play badminton if it ______.

11 will, take — If Tim had a dog, he ______ a good care of it.

12 busy — If I ______, I would pick you up at the airport.

개념 48 I wish 가정법 / as if 가정법

월 일

I wish you were here.
(→ I'm sorry that you are not here.)

I wish I could play the guitar.
(→ I'm sorry that I can't play the guitar.)

Julia walks as if she were a supermodel.
(→ In fact, she is not a supermodel.)

He talks as if he knew everything.
(→ In fact, he doesn't know everything.)

I wish 가정법 과거	I wish + 주어 + were 또는 (조)동사의 과거형
as if 가정법 과거	as if + 주어+ were 또는 (조)동사의 과거형

바로 개념

1 I wish 가정법 과거는 '~라면 좋을 텐데'의 의미로 현재 이루기 힘든 소망이나 현실에 대한 아쉬움을 나타낸다. 소망하는 시점과 소망하는 내용의 시점이 일치한다.
2 as if 가정법 과거는 '마치 ~인 것처럼'의 의미로, 주절과 같은 시점의 사실과 반대되는 상황을 가정할 때 쓴다.
3 I wish 뒤에 나오는 명사절이나 as if에 이어지는 절에 be동사가 쓰이면 주어의 인칭이나 수에 관계없이 were를 쓴다.

고르며 개념 확인

Answers p. 29

01 Don't treat me as if I ○ am ○ were a child.

02 I wish I ○ have ○ had no homework today.

03 I wish my mother ○ allowed ○ allows me to go to the concert.

04 My dog looked at me as if it ○ understood ○ understands me.

05 I wish I ○ am ○ were popular in my class.

06 I remember the incident ○ I wish ○ as if it happened yesterday.

쓰며 개념 정리

07 그는 내 도움이 필요한 것처럼 보인다. (need) He looks ______ my help.

08 나에게 강아지가 있으면 좋을 텐데. (have) ______ a puppy.

09 네가 그렇게 해 주면 좋을 텐데. (will, do) ______ so.

10 그녀는 마치 그를 아는 것처럼 말한다. (know) She talks ______ him.

11 내가 아침에 일찍 일어날 수 있으면 좋을 텐데. (can, get) ______ up early.

12 Jack은 마치 배우인 것처럼 행동한다. (be) Jack acts ______ an actor.

개념 47 가정법 과거

1 가정법 과거는 '[ ]'라는 의미로 현재 사실과 반대되거나 실제로 일어날 가능성이 거의 없는 일을 가정할 때 쓴다. 형태는 과거형이지만 의미상으로는 현재나 미래에 관한 것이므로 해석에 주의한다.

2 if절과 주절의 위치는 바꿔 쓸 수 있고, if절의 동사가 be동사인 경우 주어의 인칭과 수에 관계없이 [ ]를 쓴다.

3 if가 '만약 ~라면'이라는 뜻으로 조건을 나타내는 부사절을 이끄는 경우에는 실제로 일어날 가능성이 있는 일을 나타낸다.

if절			주절		
If	주어	were ~, 동사의 과거형 ~,	주어	조동사 과거형 (would, could, might 등)	동사원형 ~.

개념 48 I wish 가정법 / as if 가정법

1 I wish 가정법 과거는 '[ ]'의 의미로 현재 이루기 힘든 소망이나 현실에 대한 아쉬움을 나타낸다. 소망하는 시점과 소망하는 내용의 시점이 일치한다.

2 as if 가정법 과거는 '[ ]'의 의미로, 주절과 같은 시점의 사실과 반대되는 상황을 가정할 때 쓴다.

3 I wish 뒤에 나오는 명사절이나 as if에 이어지는 절에 be동사가 쓰이면 주어의 인칭이나 수에 관계없이 [ ]를 쓴다.

I wish 가정법 과거	I wish + 주어 + were 또는 (조)동사의 과거형	I wish I [ ] a scholarship. 장학금을 받으면 좋을 텐데. (get)
as if 가정법 과거	as if + 주어 + were 또는 (조)동사의 과거형	The man climbs a tree as if [ ] [ ] Spiderman. 그는 마치 스파이더맨인 것처럼 나무를 탄다. (be)

바로 기본 확인 노트

Answers p. 29

A 다음 문장에서 밑줄 친 부분을 어법에 맞게 고치시오.

01 If you exercised regularly, you can be healthier. ______

02 I wish I can explore the North Pole some day. ______

03 If they have arrived on time, they could catch the train. ______

04 She always acts as if she tries her best. ______

05 What will happen if we didn't drink water for a day? ______

06 They talk as if they can finish the work today. ______

07 I wish there are no more wars. ______

B 다음 문장을 〈보기〉와 같이 가정법 과거 문장으로 바꿔 쓰시오.

보기
As I don't have enough time, I can't eat breakfast.
→ If I had enough time, I could eat breakfast.
I'm sorry that I don't have a girlfriend. → I wish I had a girlfriend.
In fact, she is not a lawyer. → She acts as if she were a lawyer.

01 I'm sorry that I don't have a sister or brother.

→ ______ a sister or brother.

02 As you are not careful, you will be hurt.

→ ______ careful, you ______ hurt.

03 In fact, Brian is not Korean.

→ Brian speaks Korean ______ Korean.

04 As I am tired, I can't play computer games.

→ ______ tired, I ______ computer games.

05 In fact, Emma doesn't have a fever.

→ Emma looks ______ a fever.

06 I'm sorry that I'm not as wise as my grandmother.

→ ______ as wise as my grandmother.

가정법 문장으로 바꿔 쓰기

346 As she is under 19, she can't drive a car.

If she were not under 19, she could drive a car.

347 As I don't have big wings, I can't fly.

348 As she doesn't live alone, she can't have a cat.

349 I'm sorry that I can't speak English well.

350 In fact, we are not in a different world.

We felt

351 As I don't have a vacation, I won't take a trip to Dokdo.

352 I'm sorry that I am not stronger.

353 As you are not wise, you won't listen to me.

Answers p. 29

배열하여 문장 쓰기

354 만약 내가 자유롭다면, 정말 행복할 텐데. (so happy, if, free, I, be, were, I, would)

355 만약 네가 어른이라면, 그것을 해낼 수 있을 텐데. (were, make it, if, could, an adult, you, you)

356 동물들과 이야기할 수 있으면 좋을 텐데. (I, talk to, wish, could, I, animals)

357 만약 네가 우주에 있다면, 너는 무중력을 경험할 것이다.
(zero gravity, if, in outer space, you, experience, were, you, would)

358 만약 내가 5개 국어를 한다면, UN에서 일할 것이다.
(at the UN, five languages, would, if, spoke, I, work, I)

★ UN(United Nations 국제 연합)

359 만약 내게 충분한 시간이 있다면, 하루 종일 내가 가장 좋아하는 드라마를 볼 텐데.
(if, I, my favorite drama, would, I, had, watch, enough time, all day)

360 나는 마치 하늘을 만질 수 있는 것처럼 느꼈다. (the sky, felt, could, I, as if, touch, I)

[Self-Editing Checklist] ✔ 대 • 소문자를 바르게 썼나요? Y N ✔ 철자와 문장 부호를 바르게 썼나요? Y N

대표유형 01 가정법 과거

01 다음 문장의 밑줄 친 동사의 형태로 알맞은 것은?

If Ed knew her email address, he write an email to her.

① wrote ② writes ③ will write
④ would write ⑤ has written

[02-03] 다음 주어진 문장과 의미가 같은 것을 고르시오.

02

As I am ill, I can't join you.

① If I were ill, I could join you.
② If I were ill, I couldn't join you.
③ If I were not ill, I could join you.
④ If I were not ill, I didn't join you.
⑤ If I were not ill, I couldn't join you.

03

If he were awake, he would hear you.

① As he isn't awake, he won't hear you.
② As he isn't awake, he hears you.
③ As he is awake, he will hear you.
④ As he was awake, he heard you.
⑤ As he is awake, he hears you.

04 다음 우리말과 같도록 할 때 빈칸에 알맞은 것은?

네가 서두른다면 통학 버스를 탈 수 있을 텐데.
➔ If you ________ up, you could catch the school bus.

① hurry ② hurried ③ be hurried
④ can hurry ⑤ don't hurry

05 다음 밑줄 친 부분 중 어법상 어색한 것은?

① What ② will ③ you ④ do ⑤ if you were Superman?

[06-07] 다음 문장의 빈칸에 들어갈 말로 알맞은 것을 고르시오.

06

If Bill could swim, he ________ afraid of the water.

① isn't ② weren't ③ will be
④ won't be ⑤ wouldn't be

07

____________, I would not go there alone.

① If I am you ② If you are me
③ If I would be you ④ If you were me
⑤ If I were in your shoes

08 다음 중 밑줄 친 If[if]의 역할이 나머지 넷과 다른 것은?

① If I see your sister, I will call you.
② If you took the subway, you wouldn't be late.
③ I might buy the pants if they were on sale.
④ If he finished it, he would be perfect.
⑤ If I were taller, I could be a model.

09 다음 중 밑줄 친 부분이 어법상 어색한 것은?

① If I had some money, I would save it.
② If I weren't busy, I could go to a movie.
③ If it snowed, we would build a snowman.
④ If you didn't go, I won't go either.
⑤ If he didn't have cat allergies, he would get a cat.

10 다음 빈칸에 들어갈 말을 바르게 짝지은 것은?

• If I ________ time tomorrow, I will see you off.
• If I won the lottery, I ________ others.

① have — help ② had — help
③ have — will help ④ had — helped
⑤ have — could help

Answers p. 29

대표유형 02 I wish 가정법 과거

11 다음 문장 중 어법상 어색한 것은?

① I wish I were more confident.
② I wish I could speak Chinese.
③ I wish Kate would come to see me.
④ I wish it doesn't rain so much.
⑤ I wish every day were Saturday.

12 다음 주어진 문장과 의미가 같은 것은?

I wish I lived near the ocean.

① I'm sorry that I live near the ocean.
② I'm sorry that I lived near the ocean.
③ I'm sorry that I don't live near the ocean.
④ I'm sorry that I didn't live near the ocean.
⑤ I'm sorry that I have lived near the ocean.

13 다음 문장의 빈칸에 들어갈 말로 알맞은 것은?

I wish I ________ someone to talk to.

① had ② have ③ will have
④ have had ⑤ am having

14 다음 우리말을 영어로 바르게 바꾼 것은?

그녀가 나를 용서해 주면 좋을 텐데.

① I wish she forgive me.
② I wish she forgives me.
③ I wish she will forgive me.
④ I wish she would forgive me.
⑤ I wish she wouldn't forgive me.

대표유형 03 as if 가정법 과거

15 다음 우리말을 영어로 나타낼 때 필요 없는 것은?

그 소년은 마치 어른처럼 행동한다.

① behaves ② as if ③ were
④ would ⑤ an adult

16 다음 두 문장의 의미가 같을 때 빈칸에 알맞은 것은?

In fact, the desk isn't made of stone.
➜ The desk looks as if it ________ made of stone.

① is ② isn't ③ would ④ were ⑤ weren't

17 다음 문장의 빈칸에 들어갈 말로 알맞은 것은?

Jimin speaks English fluently ________ she were American.

① as if ② though ③ when
④ while ⑤ because

18 다음 우리말과 같도록 주어진 말을 배열할 때, 다섯 번째에 오는 것은?

그들은 마치 서로 싫어하는 것처럼 보인다.
(each other, they, hated, as if, look, they)

① hated ② look ③ as if
④ they ⑤ each other

대표유형 04 통합형

19 다음 빈칸에 들어갈 말을 순서대로 바르게 짝지은 것은?

• If I ________ my leg, I would go hiking.
• I wish I ________ play the piano.
• He acts as if he ________ not angry.

① don't break — can — is
② don't break — could — is
③ didn't break — can — is
④ didn't break — can — were
⑤ didn't break — could — were

20 다음 문장 중 어법상 어색한 것은?

① I wish I were the only child.
② Act as if it were impossible to fail.
③ If I were you, I will take the chance.
④ If it were fine today, we could play baseball.
⑤ He talks as if he met Mr. Brown.

01 다음 문장을 괄호 안의 지시대로 바꿔 쓰시오.

(1) I'm sorry that I can't turn back time. (가정법으로)

➜ ______________________________

(2) If I were a pilot, I could fly all over the world. (직설법으로)

➜ ______________________________

(3) As the jacket is small for him, he can't wear it. (가정법으로)

➜ ______________________________

02 괄호 안의 표현들과 가정법 과거를 이용하여 그림의 상황을 나타내는 문장을 쓰시오.

(1)

(he, sick, can, hang out with his friend)

➜ ______________________________

(2)

(she, have, enough money, will, buy, a new dress)

➜ ______________________________

(3)

(I, own, a dog, will, walk, every day)

➜ ______________________________

03 다음 대화를 읽고, 밑줄 친 우리말을 〈조건〉에 맞게 영작하시오.

A You look disappointed. What's wrong?
B I want to go camping with my friends, but my parents won't allow me to go.
A I think it's because they worry about you.
B I know, but I'm 18. <u>그들은 마치 내가 열 살인 것처럼 나를 대하셔.</u>

[조건] 1. treat, ten을 쓸 것
2. 8단어의 완전한 문장으로 쓸 것

➜ ______________________________

[Self-Editing Checklist] ✔ 대 • 소문자를 바르게 썼나요? Y N ✔ 철자와 문장 부호를 바르게 썼나요? Y N

용기를 주는
좋은 말

미래를 바꾸는 긍정의 한 마디

저는 미래가 어떻게 전개될지는 모르지만, 누가 그 미래를 결정하는지는 압니다.

오프라 윈프리(Oprah Winfrey)

오프라 윈프리는 불우한 어린 시절을 겪었지만 좌절하지 않고 열심히 노력하여 세계에서 가장 유명한 TV 토크쇼의 진행자가 되었어요.
오프라 윈프리의 성공기를 오프라이즘(Oprahism)이라 부른다고 해요.
오프라이즘이란 '인생의 성공 여부는 온전히 개인에게 달려있다'라는 뜻이랍니다.

인생의 꽃길은 다른 사람이 아닌, 오직 '나'만이 만들 수 있어요.

문장

바로 쓰는 문법

ANSWERS

CHUNJAE
EDUCATION, INC.

바로 쓰는 문법

문장

Background Knowledge

바로 개념 확인 1

p. 9

01	Bill	주어	knows	동사	us	목적어
02	Her dogs	주어	made	동사	her	목적어
	happy	보어				

바로 개념 확인 2

p. 12

A	He	대명사	looks	동사	nice	형용사
	and	접속사	happy	형용사	in	전치사
	the	관사	picture	명사		
B	Oh	감탄사	I	대명사	think	동사
	so	부사	too	부사		

바로 개념 확인 3

p. 13

01 형용사구 02 부사구 03 명사구

바로 개념 확인 4

p. 14

01 종속절 02 종속절 03 등위절 04 종속절

UNIT 01 문장의 형식

개념 01 1형식과 2형식

p. 16

01 1형식 02 1형식 03 2형식 04 2형식
05 1형식 06 2형식 07 1형식

08	주어 The movie	동사 was	보어 boring
09	주어 She	동사 smiled	보어 ×
10	주어 Your voice	동사 sounds	보어 strange
11	주어 the bus	동사 comes	보어 ×
12	주어 Leaves	동사 turn	보어 red

개념 02 3형식과 4형식

p. 17

01 to
02 him a question
03 for
04 for
05 lend me
06 to
07 brought him
08 gives me
09 told us
10 send a letter to
11 bought a doll for
12 pass me

바로 개념 확인 노트 개념 01-02

p. 18

개념 01 1형식과 2형식

1 부사 2 명사, 형용사 3 like

1형식	주어 + 동사 There / Here + 동사* + 주어 *존재, 왕래 등을 나타내는 동사: be동사, live, go, come 등 **주어가 대명사인 경우: 「There / Here + 주어 + 동사」로 씀
2형식	주어 + be동사 + 보어(명사, 형용사) 주어 + 상태동사* + 보어(명사, 형용사) *keep, stay, get, become, grow, turn 등 주어 + 감각동사* + 보어(형용사만 가능) *look, sound, feel, taste, smell

개념 02 3형식과 4형식

1 목적어 2 간접목적어

3형식	주어 + 동사 + 목적어
4형식	주어 + 수여동사 + 간접목적어 + 직접목적어 사람(~에게) 사물(~을[를])

4형식 주어 + 동사 + 간접목적어 + 직접목적어
↓
3형식 주어 + 동사 + 직접목적어 + 전치사 + 간접목적어

바로 기본 확인 노트 개념 01-02

p. 19

A
01 nice
02 us math 또는 math to us
03 lived a wise king
04 made a desk for
05 smells like
06 lend me
07 stayed healthy
08 sound right

B
01 She became tired of
02 wrote every student a letter
03 offers jobs to the homeless
04 There are many books
05 like riding our bikes
06 asked a favor of me
07 tastes like mint

교과서에서 뽑은 *360* 문장 마스터하기

pp. 20-21

001 There is a knock on the door.
002 She bought me flowers.
003 A full moon will soon become smaller.
004 Here comes the new English teacher.
005 You look like a zombie.
006 I feel sleepy in every class.
007 My grandfather told us a funny story.
008 Mom always gives helpful advice to me.

009 Everything is peaceful.
010 He looks very strict and serious.
011 He became a good friend to her.
012 I showed my graphic novel to my friends.
013 My sister laughs a lot.
014 My throat feels funny.
015 There is no royal road to learning.

개념 03 5형식 1 p. 22

01 warm
02 called
03 to study
04 interesting
05 cozy
06 to forgive
07 to go
08 her dog Cash
09 to help her sister
10 you safe
11 to stay out late
12 him president

개념 04 5형식 2 p. 23

01 go
02 singing
03 read
04 to clean
05 talking
06 dive
07 carry
08 attend his class
09 flying around her
10 burning in the car
11 look taller
12 to learn swimming

바로 개념 확인 노트 개념 03-04 p. 24

개념 03 5형식 1

1 to부정사 2 명사, 형용사 3 동작

5형식	주어 + 동사* + 목적어 + 형용사 *find, keep, leave, make 등 주어 + 동사* + 목적어 + 명사 *name, call, choose, think, make 등 주어 + 동사* + 목적어 + to부정사 *want, ask, tell, allow, expect, advise, order 등

개념 04 5형식 2

1 시키다 2 to부정사 3 help 4 현재분사

5형식	주어 + 사역동사* + 목적어 + 동사원형 *make, have, let 등 주어 + 지각동사* + 목적어 + 동사원형 / 현재분사(-ing) *see, watch, hear, smell, feel, look at, listen to 등

바로 기본 확인 노트 개념 03-04 p. 25

A
01 to water
02 (to) repair
03 play [playing]
04 empty
05 nervous
06 follow
07 wash

B
01 let me watch TV
02 told us to hand in
03 Lisa talk [talking] about
04 wants his son to take
05 her daughter to feed
06 people live [living]
07 a man in a wheelchair (to) go

교과서에서 뽑은 360 문장 마스터하기 pp. 26-27

016 He heard the doorbell ring.
017 I wanted people to know the truth.
018 We saw the sun rising over the mountain.
019 People call New York City the Big Apple.
020 They told him to stop growing a beard.
021 She painted the trees green.
022 Let me take care of things myself.
023 You can make the world a better place.
024 I want you to come home early.
025 Abraham Lincoln made beards popular.
026 He felt someone follow [following] him in the woods.
027 He helped me (to) make the chair.
028 The teacher told us not to run on the stairs.
029 I saw Amy read [reading] a book to the children.
030 We call such people celebrities.

REVIEW TEST pp. 28-30

01 ④	02 ③	03 ⑤	04 ③	05 ④
06 ②	07 ⑤	08 ②, ④	09 ⑤	10 ①
11 ⑤	12 ②, ⑤	13 ③	14 ④	15 ③
16 ②	17 ③	18 ③	19 ①, ④	20 ④

서술형 • 수행평가형

01 (1) My dad bought a computer for me for my birthday.
(2) She sent me text messages.
(3) I found this translation app very useful.
02 (1) I saw your sister playing [play] the guitar in the park.
(2) He didn't hear the phone ringing [ring].
03 Do allow her [Julia] to bring friends home
Don't don't let her [Julia] go out in the evening alone

01 감각동사 look 뒤에는 형용사 보어만 쓴다. kindly는 '친절하게'라는 뜻의 부사이다.

02 ③ honey는 명사이고 감각동사 뒤에 명사가 오려면 동사 뒤에 전치사 like를 써야 한다. ⑤ carefully는 보어가 아니라 looked를 꾸미는 수식어 역할을 하는 부사이다.

03 <보기>와 ⑤는 2형식이다. ①, ③, ④는 목적어가 있는 3형식, ②는 1형식이다.

04 4형식을 3형식으로 바꿀 때 make는 간접목적어 앞에 for를 쓴다.

05 4형식을 3형식으로 바꿀 때 buy는 간접목적어 앞에 for를 쓴다.

06 introduce는 3형식 동사이고, 나머지는 모두 4형식에 쓰인 수여동사로 두 개의 목적어를 갖는다.

07 ⑤는 4형식으로 a nice skirt는 직접목적어이다. 나머지는 모두 5형식에 쓰인 목적격 보어이다.

08 5형식에서 to부정사를 목적격 보어로 쓰는 동사는 tell과 ask이다.

09 ⑤ made는 4형식에 쓰인 수여동사로 me는 간접목적어이고, a kite는 직접목적어이다. 나머지는 모두 5형식이다.

10 want는 목적격 보어로 to부정사를 쓴다.

11 'We will elect her leader.'로 leader는 목적격 보어이다.

12 ① warm ③ to go ④ angry

13 목적격 보어가 동사원형이므로 사역동사 had로 바꿔 쓸 수 있다. ask, tell, want, advise는 목적격 보어로 to부정사를 쓴다.

14 목적격 보어가 crying이므로 목적격 보어로 동사원형이나 to부정사를 쓰는 help는 쓸 수 없다.

15 ③의 make는 3형식에서 '만들다'는 의미로 쓰였고, 나머지는 모두 5형식에서 '~하도록 시키다'라는 뜻의 사역동사로 쓰였다.

16 ① happy ③ (to) fall ④ adopt ⑤ shake 또는 shaking

17 '개를 산책시키는 Tom을 봤다'는 의미의 5형식 문장을 만들 수 있고, 지각동사는 목적격 보어로 동사원형 또는 현재분사를 쓴다.

18 첫 번째 빈칸: make가 사역동사일 때 목적격 보어로 동사원형을 쓴다. 두 번째 빈칸: 지각동사는 목적격 보어로 동사원형 또는 현재분사(-ing)를 쓴다. 세 번째 문장: advise는 to부정사를 목적격 보어로 쓴다.

19 ① 4형식을 3형식으로 바꿀 때 ask는 간접목적어 앞에 전치사 of를 쓴다. ④ 지각동사는 목적격 보어로 동사원형이나 현재분사를 쓴다.

20 ⓐ sounds → sounds like ⓒ set → to set, get이 준사역동사로 쓰였을 때 목적격 보어로 to부정사를 쓴다. ⓔ for → to

서술형 • 수행평가형

01 (3) 주어진 문장은 「주어 + 동사 + 목적어(명사절을 이끄는 that절)」 형태의 3형식이다. 5형식으로 바꿀 때 목적어와 목적격 보어 역할을 하는 것을 that절에서 찾는다.

02 「지각동사 + 목적어 + 목적격 보어」의 5형식으로 쓴다.

03 allow는 목적격 보어로 to부정사를 쓰고, 사역동사 let은 목적격 보어로 동사원형을 쓴다.

UNIT 02 시제

개념 05 과거, 현재, 미래 시제 p. 32

01 tonight
02 in 1987
03 becomes
04 every day
05 worked
06 to buy
07 at that time
08 we went
09 you get
10 She graduated
11 I will [am going to] learn
12 There are

개념 06 진행 시제 p. 33

01 has
02 were
03 are running
04 love
05 believed
06 was
07 tastes
08 He lived
09 I was crying
10 She studies
11 They are having
12 We are going 또는 We will [are going to] go

바로 개념 확인 노트 개념 05-06 p. 34

개념 05 과거, 현재, 미래 시제

1 현재 2 현재 3 시간, 조건
4 will, be going to

과거 시제	현재 시제	미래 시제
was, were / 일반동사 과거형	am, are, is / 일반동사 현재형	will / be going to
① 과거의 동작·상태 ② 역사적 사실	① 현재의 동작·상태 ② 일반적인 사실, 습관 ③ 불변의 진리, 속담	미래에 일어날 일이나 계획
yesterday, ago, last ~, in+과거년도, at that time, then 등	now, always, every ~, on weekends, at this moment, once a week 등	tomorrow, soon, in the future, next ~ 등

개념 06 진행 시제

2 현재 3 소유, 감각, have

과거 진행 시제	현재 진행 시제
was / were + 동사원형 + -ing	am / are / is + 동사원형 + -ing
~하고 있었다, ~하는 중이었다	~하고 있다, ~하는 중이다
과거 특정 시점에 진행 중이었던 동작이나 상태	현재 진행 중인 동작이나 상태

바로 기본 확인 노트 개념 05-06 p. 35

A
01 took
02 tastes
03 It will [is going to] be
04 always love
05 visited
06 watches
07 have
08 is going

B
01 과거 시제로 She took off her shoes.
과거 진행 시제로 She was taking off her shoes.
미래 시제로 She will [is going to] take off her shoes.
02 과거 시제로 I baked some cookies for my sister.
현재 진행 시제로 I am baking some cookies for my sister.
미래 시제로 I will [am going to] bake some cookies for my sister.
03 과거 시제로 They drank a cup of coffee.
과거 진행 시제로 They were drinking a cup of coffee.
현재 진행 시제로 They are drinking a cup of coffee.

교과서에서 뽑은 *360* 문장 마스터하기 pp. 36-37

031 The train will leave in half an hour.
The train left half an hour ago.
032 He is staying in Korea now.
He was staying in Korea then.
033 Sometimes I suffer from a headache.
Last night, I suffered from a headache.
034 He always buys too many things.
He bought too many things today.
035 They were talking in the hallway.
They talked in the hallway.
036 We traveled to Spain last year.
We are going to travel to Spain next year.
037 I will make bags from old clothes.
I made bags from old clothes.
038 I am reading an article about plants.
I read an article about plants.
039 Yesterday a teenager saved the life of an old man.
040 My father usually comes home late from work.
041 More difficulties were waiting for me.
042 Bacteria are very small creatures.
043 She will [is going to] visit the art center to enjoy a free concert.
044 The movie is playing at the theater.
045 The king was having dinner with his officials.

개념 07 현재완료 시제 1 p. 38

01 rained
02 has rained
03 have played
04 played
05 didn't visit
06 have not visited
07 have not broken
08 Have you been, haven't
09 I have used
10 has not decided
11 Has she read, she has
12 has grown up

개념 08 현재완료 시제 2 p. 39

01 경험
02 완료
03 계속
04 경험
05 결과
06 계속
07 완료
08 It has snowed
09 I have not learned [learnt]
10 The hospital has been
11 She has left
12 Have you touched

바로 개념 확인 노트 개념 07-08 p. 42

개념 07 현재완료 시제 1

1 현재
2 haven't, hasn't
3 when

긍정문	주어 + have [has] + 과거분사 ~.	He has worked as a nurse.
부정문	주어 + have [has] + not + 과거분사 ~.	He has not worked as a nurse.
의문문	Have [Has] + 주어 + 과거분사 ~? - Yes, 주어 + have [has]. / No, 주어 + haven't [hasn't].	Has he worked as a nurse? - Yes, he has. / No, he hasn't.
	의문사 + have [has] + 주어 + 과거분사 ~?	How long has he worked as a nurse? - For five years.

개념 08 현재완료 시제 2

1 앞, 끝
2 기간, 과거 시점
3 been, gone

용법	의미	함께 자주 쓰이는 표현
경험	~해 본 적이 있다	once, ~ times, ever, never, before 등
계속	(지금까지 계속) ~해 왔다	since(~부터), for(~ 동안), so far(지금까지), how long 등
완료	(지금) 막 ~했다	just(방금), already(이미), yet(아직, 벌써) 등
결과	~해 버렸다	go, lose, grow, leave 등

바로 기본 확인 노트 개념 07-08 p. 43

A
01 have eaten
02 Have, received
03 has had
04 have been
05 has, started
06 has not shown

B
01 never seen
02 has not signed

03 Have you ever been　04 took
05 just left　06 did you start

교과서에서 뽑은 360 문장 마스터하기 pp. 44-45

046 He has been to Spain twice.
047 People have built wooden houses for a long time.
048 I have never seen anything like this before.
049 Have you heard of beach safety rules?
050 I have run in the rain without an umbrella.
051 Advances in science and technology have caused many changes in our lives.
052 What have you done to your hair?
053 My grandmother has lost her memory.
054 You have seen comic history or science books.
055 I have just finished my homework.
056 He has donated his old clothes to charity before.
057 I have known him since I was a child.
058 Have you played the game yet?
059 She has studied English for three years.
060 How long has it been since you started playing the guitar?

REVIEW TEST pp. 46-48

01 ④	02 ②	03 ④	04 ⑤	05 ③
06 ③	07 ②	08 ④	09 ③	10 ④
11 ⑤	12 ②	13 ③	14 ①	15 ④
16 ③	17 ②	18 ⑤	19 ①, ③, ④	
20 ②				

서술형 • 수행평가형

01 (1) She was sleeping on the sofa.
(2) We are going to ride bikes in the park.
02 (1) How long has he lived here?
(2) Have you ever been to a ballpark?
03 (1) has swum in the sea
(2) has done bungee jumping
(3) have not [never] danced on stage

01 첫 번째 빈칸: 반복되는 일은 현재 시제를 쓴다. 두 번째 빈칸: next Tuesday가 있으므로 미래 시제가 되도록 Will을 쓴다.
02 be going to 뒤에 동사원형이 있어야 will과 바꿔 쓸 수 있다. 「be동사 + going to + 명사」는 '~에 가는 중이다'라는 의미로 현재 진행 시제이다.
03 ④ 일반동사 과거 시제 부정문으로 didn't enjoy로 고친다.
04 과거 진행 시제로 묻고 있으므로 was washing으로 답한다.
05 ③ like는 상태를 나타내는 동사로 진행형으로 쓸 수 없다. am liking → like
06 has가 있으므로 현재완료 시제임을 알 수 있다.
07 시드니에 가 본 적이 있는지 묻는 질문에 한 번 가 본 적이 있다고 답하는 대화이다. have been to는 '~에 가 본 적이 있다'는 의미로 현재완료 시제의 경험을 나타낸다.
08 현재완료 시제 의문문에 대한 긍정의 답은 「Yes, 주어 + have [has].」이고, 부정의 답은 「No, 주어 + haven't [hasn't].」이다. 의문문의 주어가 you이므로 대답은 I로 한다.
09 ③ last Monday는 과거 특정 시점을 나타내는 부사구이므로 현재완료 시제와 함께 쓰려면 빈칸에 since가 들어가야 한다. 나머지는 모두 기간을 나타내는 표현이므로 for를 쓴다.
10 How long ~?은 '얼마나 오래 ~?'라는 의미이므로 요리사로 일한 기간을 알려주는 표현으로 답한다.
11 현재완료 시제의 부정문은 「have [has] + not + 과거분사」이다.
12 보기와 ②는 결과를 나타낸다. ①, ④ 계속 ③, ⑤ 경험
13 ③ ride의 과거분사형은 ridden이다.
14 ①은 '30년 동안 수학을 가르쳐왔다'라는 계속의 의미이고, 나머지는 모두 '~해 본 적이 있다'라는 경험의 의미이다.
15 주절이 현재완료일 때 since가 이끄는 종속절은 과거 시제를 쓴다. am → was
16 현재완료 시제는 특정 과거 시점을 나타내는 부사(구)와 함께 쓰지 않는다.
17 A의 말에는 yesterday가 있으므로 과거 시제를 쓰고, B의 말에는 「since + 과거 시점」이 있으므로 현재완료 시제를 쓴다.
18 a week ago는 과거를 나타내는 부사구이므로 빈칸에 Did를 쓴다. 나머지는 모두 현재완료 시제로 Have를 쓴다.
19 ① 과거 사실이므로 has painted를 painted로 고친다. ③ will 뒤에는 동사원형을 쓴다. ④ 의문사 주어는 3인칭 단수 취급하므로 have를 has로 고친다.
20 ② 의문사 when은 현재완료 시제와 함께 쓰지 않는다. have you finished → did you finish

서술형 • 수행평가형

01 (1) 네가 집에 왔을 때 Emma는 무엇을 하는 중이었니?
(2) 너와 Andy는 방과 후에 무엇을 할 거니?
02 (1) '얼마나 오래 ~?'는 How long ~?을 이용한다.
(2) '~해 본 적이 있다'는 경험을 나타내는 현재완료를 쓴다.
03 (1) 빈칸 뒤에 many times(여러 번)라는 표현이 있으므로 Jenny가 해 본 것을 현재완료 시제로 나타낸다.
(2) 빈칸 뒤에 once(한 번)이라는 표현이 있으므로 준호가 해 본 적이 있는 것을 현재완료로 쓴다.
(3) 둘 다 공통으로 해 보지 못한 것을 현재완료 부정문으로 쓴다.

UNIT 03 조동사

개념 9 can / may / will p. 50

01 can
02 wasn't able to
03 will be able to
04 may not
05 won't
06 Are
07 can [may] leave
08 can't [am not able to] help
09 may not be
10 will [am going to] buy
11 won't [isn't going to] be
12 will be able to find

개념 10 must / should / used to p. 51

01 must
02 must
03 had better not
04 be
05 don't have to
06 used to go
07 must not bully
08 must be
09 shouldn't [had better not] walk
10 have [need] to keep wearing
11 doesn't have [need] to call / need not call
12 used to be

바로 개념 확인 노트 개념 9-10 p. 52

개념 9 can / may / will

1 ~할 수 있다, can, be able to

조동사	의미		부정
can	능력·가능	~할 수 있다 (= be able to)	cannot [can't]
	허가	~해도 된다(= may)	
may	약한 추측	~일지도 모른다	may not (축약형 없음)
	허가	~해도 된다(= can)	
will	미래 예측·의지	~할 것이다, ~하겠다 (= be going to)	will not [won't]

개념 10 must / should / used to

1 must not, don't have to
2 had better

조동사	의미		부정
must	의무	~해야 한다 (= have to)	must not [mustn't]
	강한 추측	~임이 틀림없다	*cf.* cannot (~일 리가 없다)
should	의무, 충고, 조언	~해야 한다, ~하는 것이 좋다 (= had better)	should not [shouldn't] / had better not
used to	현재 지속되지 않는 과거의 습관·상태	~ 하곤 했다, ~이었다	
would	과거의 습관	~하곤 했다	

바로 기본 확인 노트 개념 9-10 p. 53

A
01 speak
02 exchange
03 shouldn't spend
04 must not smoke
05 Are
06 be
07 doesn't have [need] to 또는 need not
08 will appear
09 had better not make
10 Do

B
01 can't [aren't able to] understand
02 may not be false
03 must be hungry
04 must [should] not pick
05 don't have [need] to water / need not water
06 may be able to master

교과서에서 뽑은 360 문장 마스터하기 pp. 54-55

061 Elephants can't see well at night.
062 Joseph was a big man, and he was able to fall the tree.
063 I heard (that) it's going to be sunny this Saturday.
064 He must be proud of his appearance.
065 We don't have to cancel the picnic.
066 In this park, you should not [shouldn't] feed wild animals.
067 You had [You'd] better eat less fast food.
068 The boy used to get angry easily and hurt others with his words.
069 The student wasn't able to hear or see.
070 We are going to give all the money to a nursing home.
071 Do I have to sleep on the floor?
072 He doesn't have to work on weekends.
073 We will be able to order easily and fast by using it.
074 You'd better not use the elevator.
075 She used to be quiet when she was a little girl.

REVIEW TEST pp. 56-58

01 ⑤	02 ①	03 ③	04 ②	05 ②, ④
06 ③	07 ①	08 ④	09 ③	10 ④
11 ⑤	12 ④	13 ②	14 ⑤	15 ③
16 ③	17 ⑤	18 ①	19 ④	20 ⑤

서술형 • 수행평가형

01 (1) Can, ride, can't
(2) able to play
(3) Are, able to, can't
02 (1) used to have
(2) used to be
03 (1) 예시답안) should get enough rest
예시답안) should not [shouldn't] drink cold liquids
(2) 예시답안) should exercise regularly
예시답안) should not [shouldn't] eat snacks at night

01 '너의 잘못이 아니다'라는 내용이 이어지므로 '불필요'의 의미를 나타내는 말인 don't have to가 와야 한다.
02 '항상 거짓말을 한다'라는 내용이 이어지므로 '~일 리가 없다'라는 의미의 can't가 알맞다.
03 Julia는 Todd를 만나는 것을 싫어한다고 했으므로 '오지 않을지도 모른다'라는 의미가 되도록 may not이 와야 한다.
04 used to는 현재 지속되지 않는 과거의 습관이나 상태를 나타낸다.
05 지하철을 타라고 조언하는 내용이 되도록 should 또는 had better가 와야 한다.
06 don't have to, don't need to, need not은 모두 '~할 필요가 없다'라는 의미이다.
07 be able to는 능력·가능의 의미를 나타내는 can과 바꿔 쓸 수 있다. 주어진 문장은 과거 시제이므로 couldn't로 바꿔 쓸 수 있다.
08 ④는 '불필요'의 의미를 나타내며 나머지는 모두 '금지'의 의미를 나타낸다.
09 ③은 의무를 나타내는 must [have to]를 써야 자연스럽다.
10 두 번째 문장의 must는 '~임이 틀림없다'라는 의미로 강한 추측을 나타낸다.
11 ⑤ used to는 현재는 지속되지 않는 과거의 습관이나 상태를 나타내므로 '지금은 아니다'라는 의미의 문장이 이어져야 자연스럽다.
12 ④는 강한 추측의 의미로 쓰였으므로 의무를 나타내는 has to와 바꿔 쓸 수 없다.
13 ②는 허가의 의미로 쓰였고 나머지는 모두 능력·가능을 나타낸다.
14 ⑤는 약한 추측을 나타내고 나머지는 모두 허가의 의미를 나타낸다.
15 ③은 강한 추측의 의미로 쓰였고 나머지는 모두 의무를 나타낸다.
16 had better의 부정은 had better not이고 다음에는 동사원형이 와야 한다.
17 조동사는 연달아 쓸 수 없으므로 will, can, not의 의미를 담으려면 won't be able to가 된다.
18 「used to + 동사원형」은 '(과거에) ~하곤 했다, ~이었다'라는 의미이다.
cf. 「be used to + (동)명사」: ~하는 데 익숙하다,
「be used to + 동사원형」: ~하는 데 이용되다
19 ① snows → snow ② should polite → should be polite
③ don't → am not ⑤ would → used to
20 ⓐ may are → may be ⓑ Will you can → Will you be able to

서술형 • 수행평가형

01 능력·가능을 나타내는 can은 be able to와 바꿔 쓸 수 있다. be able to는 주어의 수와 인칭에 따라 be동사가 달라짐에 주의한다.
02 「used to + 동사원형」은 현재 지속되지 않는 과거의 습관이나 상태를 나타낼 때 쓴다.
03 should는 '~해야 한다, ~하는 것이 좋다'라는 의미로 충고, 조언, 제안 등을 할 때 주로 쓴다. 부정문은 should not을 이용한다.

UNIT 04 to부정사

개념 11 to부정사의 명사적 용법 p. 60

01 To tell	02 to be	03 to go
04 is	05 not to be	06 to complete
07 To lose [Losing]	08 to design [designing]	
09 to build	10 to control	
11 not to leave	12 to enjoy [enjoying]	

개념 12 It ~ to / to부정사의 의미상 주어 p. 61

01 it	02 to surf	03 for
04 of	05 us	06 of
07 It, to save	08 It, to eat	09 for me to finish
10 of him to follow	11 for her to choose	12 for AI to write

바로 개념 확인 노트 개념 11-12 p. 62

개념 11 to부정사의 명사적 용법

1 앞　　2 ~하는 것, ~하기

개념 12 It ~ to / to부정사의 의미상 주어

1 it　　2 의미상 주어

★ to부정사의 의미상 주어 나타내기

생략하는 경우	① 의미상 주어가 일반인일 때 ② 의미상 주어가 문장의 주어와 일치할 때
for + 목적격	to부정사의 행위자가 일반인이나 문장의 주어가 아닌 대부분의 경우
of + 목적격	사람의 성격을 나타내는 형용사가 보어로 쓰일 때 * 성격 형용사: kind, polite, wise, rude, foolish, stupid, careful, brave 등

바로 기본 확인 노트 개념 11-12 p. 63

A 01 keeps → to keep [keeping]
02 meeting → to meet
03 be → to be
04 to building → to build [building]
05 visit → to visit
06 to not → not to
07 of → for
08 me → for me
09 for → of
10 at → of

B 01 It is necessary to eat enough vegetables.
02 It may not be easy to take care of a pet.
03 It was exciting to see magic tricks.
04 It will be difficult to get used to the new school.
05 It is not safe to ride a bike without your helmet.
06 It is becoming more common to see foreigners learning Korean.

교과서에서 뽑은 *360* 문장 마스터하기 pp. 64-65

076 The first goal is to get along with my new classmates.
077 We plan to play the instruments in a mini-concert.
078 We agreed not to wrap our gifts.
079 It is good to exercise regularly.
080 It is a lot of fun to throw colorful powder at everyone.
081 It was exciting to think about all the new things.
082 It is hard to believe that you can understand us.
083 Is it possible for you to live without your smartphone?
084 Our mission is to build a city on Mars.
085 The best tip to prevent these health problems is to use your smartphone less.
086 To put paper near the fire is dangerous.
087 It is important to understand the roles of mudflats.
088 Germs are everywhere, but it is impossible to see them with your eyes.
089 Besides, will it be easy to take the cubs away [to take away the cubs] from their mother?
090 It is necessary to wear sunscreen to prevent sunburn.

개념 13 의문사 + to부정사 p. 66

01 what　02 to book　03 whom
04 how to spend　05 where　06 which
07 what to buy　08 when to go　09 how to read
10 where to sleep　11 who(m) to invite　12 how to get over

개념 14 to부정사의 형용사적 용법 p. 67

01 to sell　02 to share
03 nothing fun to do　04 to play with
05 to go　06 sweet to bite
07 many books to read　08 no money to pay
09 a blanket to cover　10 a house to live in
11 somebody to talk with　12 something hot to drink

바로 개념 확인 노트 개념 13-14 p. 68

개념 13 의문사 + to부정사

2 should

what + to부정사	무엇을 ~할지
when + to부정사	언제 ~할지
where + to부정사	어디로 ~할지
how + to부정사	어떻게 ~할지, ~하는 방법
which + to부정사	어느 것을 ~할지
who(m) + to부정사	누구를 ~할지

개념 14 to부정사의 형용사적 용법

2 목적어　　3 대명사, 형용사, to부정사

바로 기본 확인 노트 개념 13-14 p. 69

A 01 what to do　02 where to stay
03 how to play　04 to change
05 to look after　06 something important to tell

B 01 what to wear
02 places to live
03 something spicy to eat
04 whom to trust
05 paper to write on

06 anything exciting to post

07 many things to see

08 how to make pizza

09 a pool to swim in

10 some tips to help you

교과서에서 뽑은 360 문장 마스터하기 pp. 70–71

091 Jaden does not [doesn't] know how to respond.

092 Can you tell me where to sit?

093 I can't decide what to eat first.

094 We didn't know which restaurant to go to.

095 I have a lot of work to finish today.

096 You can have an opportunity to help others.

097 I want something cold to drink.

098 The girl needed somebody to understand her.

099 Do you know what to do when an earthquake strikes?

100 Can you show the audience how to perform CPR?

101 My second goal is to learn how to play the guitar.

102 I may have nothing now, but I will always have something to remember.

103 He doesn't want to miss the chance to meet his role model.

104 The boys had no place to play soccer.

105 There are several ways to protect yourself from germs.

개념 15 to부정사의 부사적 용법 p. 72

01 to celebrate
02 difficult to learn
03 not to be
04 to say
05 to see
06 to find
07 to buy
08 to hear
09 to use
10 to sleep
11 to be
12 to pass

개념 16 too ~ to / enough to p. 73

01 too
02 old enough
03 to sleep
04 for me
05 so
06 kind enough
07 too sick to go to school
08 too difficult for her to answer
09 fast enough to run 100 meters in 12 seconds

바로 개념 확인 노트 개념 15–16 p. 74

개념 15 to부정사의 부사적 용법

목적	~하기 위해서	「in order to [so as to] + 동사원형」과 바꿔 쓸 수 있음
감정의 원인	~해서, ~하니	감정을 나타내는 형용사를 뒤에서 수식
판단의 근거	~하다니	주로 함께 쓰는 표현: must 등
결과	…해서 (결국) ~하다	주로 함께 쓰는 표현: live, grow up, wake up 등
형용사 수식	~하기에	형용사를 뒤에서 수식

개념 16 too ~ to / enough to

too + 형용사 / 부사 + (for + 목적격 +) to부정사
(→ 의미상 주어)

⇨ so + 형용사 / 부사 + that + 주어 + can't + 동사원형

형용사 / 부사 + enough + (for + 목적격 +) to부정사
(→ 의미상 주어)

⇨ so + 형용사 / 부사 + that + 주어 + can + 동사원형

바로 기본 확인 노트 개념 15–16 p. 75

A 01 to watch a soccer match / 그들은 축구 경기를 보기 위해 경기장에 갔다.

02 to complete within a month / 그 과정은 한 달 안에 완료하기 어렵다.

03 to fail the test / 나는 시험에 낙제해서 무척 실망했다.

04 to save electricity / 우리는 전기를 아끼기 위해 불을 꺼야 한다.

B 01 They were so busy that they couldn't talk with me.

02 The food is too salty for us to eat.

03 The necklace is so expensive that she can't buy it.

04 The gloves were too small for him to put on.

05 The book was easy enough for the children to understand.

교과서에서 뽑은 360 문장 마스터하기 pp. 76–77

106 Sally went to the park to walk her dog.

107 To honor her, UNICEF made a statue.
To achieve my dream, I went to many auditions.

108 I was in a hurry to catch a train.

109 She was surprised to see other things.

110 Your teeth are too weak to chew.

111 I was so tired that I could not [couldn't] go out.

112 The child is too short to ride the roller coaster.
David is tall enough to reach the window.

113 Betty is clever enough to solve the problem.

114 We set our alarm clocks to wake up on time.

115 They use human hair to floss their teeth.

116 I'll put more effort into studying math to overcome my weakness.

117 I thought they were too old to understand me.

118 Back then, clocks were too expensive for ordinary people to buy.

119 He is quite old, but healthy enough to take a short trip.

120 It was large enough to display various things about the Korean War.

REVIEW TEST

pp. 78–80

01 ②	02 ③	03 ②	04 ①	05 ⑤
06 ②	07 ④	08 ①	09 ⑤	10 ①
11 ①	12 ④	13 ②	14 ④	15 ③
16 ③	17 ②	18 ①	19 ②	20 ①

서술형 • 수행평가형

01 (1) a pencil to write with (2) a bench to sit on
(3) some food to eat

02 (1) It, of them to (2) It, for him to
(3) how to be safe

03 (1) help → to help
(2) healthy something → something healthy
(3) so busy → too busy

01 첫 번째 빈칸에는 보어 역할을 하는 to부정사가, 두 번째 빈칸에는 동사 hope의 목적어 역할을 하는 to부정사가 와야 한다.

02 to부정사가 형용사적 용법으로 쓰일 때 수식을 받는 명사가 전치사의 목적어이면 전치사를 반드시 써야 한다. (← talk with somebody)

03 목적을 나타내는 to부정사가 쓰여야 한다. 이때 to부정사는 「in order to [so as to] + 동사원형」과 바꿔 쓸 수 있다.

04 many exciting activities to enjoy의 어순이다. to부정사는 형용사처럼 명사 또는 대명사를 뒤에서 수식할 수 있다.

05 ① Be → To be [Being] ② became → become ③ not accept → not to accept ④ to live → to live in

06 to부정사가 문장의 주어로 쓰일 때 주로 가주어 it을 앞에 쓰고 to부정사(구)는 뒤로 보낸다.

07 보기와 ④는 가주어로 쓰였다. ①은 대명사, ②, ③, ⑤는 비인칭 주어이다.

08 사람의 성격을 나타내는 형용사 wise, foolish, kind, careless 등이 보어로 쓰인 경우 의미상 주어는 「of + 목적격」을 쓴다.

09 ⑤는 for가 와야 하고, 나머지는 모두 사람의 성격을 나타내는 형용사가 보어로 쓰였으므로 of가 와야 한다.

10 ①은 비인칭 주어이고 나머지는 모두 가주어이다.

11 보기와 ①은 to부정사가 명사적 용법(보어)으로 쓰였다. ② 형용사적 용법 ③ 부사적 용법(감정의 원인) ④ 부사적 용법(판단의 근거) ⑤ 부사적 용법(목적)

12 ④는 부사적 용법(목적)이고 나머지는 모두 형용사적 용법이다.

13 ②는 명사적 용법(목적어)이고 나머지는 모두 부사적 용법(목적)이다.

14 보기와 ④는 부사적 용법(감정의 원인)으로 쓰였다. ① 형용사적 용법 ② 명사적 용법(주어) ③ 명사적 용법(보어) ⑤ 명사적 용법(목적어)

15 ③은 결과의 의미를 나타내는 부사적 용법이다.

16 복사기를 사용하는 방법에 관해 답하고 있으므로 '~하는 방법'이라는 의미의 「how + to부정사」가 되어한다.

17 「what + 주어 + should + 동사원형」은 「what + to부정사」로 바꿔 쓸 수 있다.

18 「too ~ to」는 '…하기에 너무 ~한 / ~하게'라는 의미이다. 의미상 주어는 「for + 목적격」으로 to부정사 앞에 쓴다.

19 「형용사 / 부사 + enough + to부정사」는 '…할 만큼 충분히 ~한 / ~하게'라는 의미이다.

20 「so + 형용사 / 부사 + that + 주어 + can't + 동사원형」은 「too + 형용사 / 부사 + (for + 목적격 +) to부정사」로 바꿔 쓸 수 있다.

서술형 • 수행평가형

01 to부정사구의 수식을 받는 명사가 전치사의 목적어일 경우 전치사를 생략하지 않도록 주의한다.
(1) ← write with a pencil
(2) ← sit on a bench

02 (1) generous는 사람의 성격을 나타내는 형용사이므로 의미상 주어는 「of + 목적격」으로 쓴다.
(2) to부정사의 행위를 하는 주체를 나타낼 때 의미상 주어는 보통 「for + 목적격」으로 쓴다.
(3) 「how + to부정사」는 '~하는 방법'이라는 의미이다.

03 (1) to부정사가 명사 tips를 뒤에서 수식하는 형태가 되도록 help를 to help로 고쳐야 한다.
(2) -thing, -one, -body로 끝나는 대명사가 쓰이는 경우, 어순은 「대명사 + 형용사 + to부정사」이다.
(3) '…하기에 너무 ~한 / ~하게'라는 의미를 나타낼 때는 「too ~ to」를 이용한다.

해석 건강을 유지하는 비결을 알고 있나요? 여기 여러분이 건강을 유지하도록 도울 비법들이 몇 가지 있습니다. 우선, 너무 많은 패스트푸드와 간식을 먹지 마세요. 간식을 먹고 싶을 때는 몸에 좋은 먹을 것을 선택하세요. 두 번째로, 충분한 수면을 취하는 것이 필요합니다. 마지막으로, 규칙적으로 운동을 해야 합니다. 많은 학생이 운동을 하기에는 너무 바쁘다고 말합니다. 하지만 여러분은 운동을 위한 시간을 내야 합니다. 간단한 스트레칭으로 시작할 수 있습니다.

UNIT 05 동명사

개념 17 동명사의 쓰임 p. 82

01 Sitting	02 is
03 riding	04 not getting
05 hanging	06 laughing
07 Taking [To take]	08 finished writing
09 not coming	10 solving
11 busy preparing	12 reading

개념 18 동명사와 to부정사 p. 83

01 to go	02 making	03 going
04 planned	05 gave up	06 to protect
07 crying	08 to join	09 using
10 closing	11 to hide	12 playing

바로 개념 확인 노트 개념 17-18 p. 84

개념 17 동명사의 쓰임

1 -ing, 명사, not [never], 동명사 2 동명사

<동명사의 관용적 표현>

go -ing	~하러 가다
be busy -ing	~하느라 바쁘다
be worth -ing	~할 만한 가치가 있다
feel like -ing	~하고 싶다
spend + 시간/돈 + -ing	~하느라 시간/돈을 쓰다
can't help -ing	~하지 않을 수 없다
It is no use -ing	~해도 소용없다
look forward to -ing	~하기를 고대하다
have trouble [difficulty] (in) -ing	~하는 데 어려움이 있다
keep ... from -ing	…가 ~하지 못하게 하다

개념 18 동명사와 to부정사

동명사를 목적어로 쓰는 동사		enjoy, finish, keep, stop, quit, practice, recommend, imagine, mind, avoid, give up, put off 등 *cf.* stop + to부정사: ~하기 위해 멈추다
to부정사를 목적어로 쓰는 동사		want, hope, wish, plan, need, learn, choose, decide, expect, agree, promise, pretend 등
둘 다 목적어로 쓸 수 있는 동사	의미 차이 없는 것	start, begin, like, love, hate, prefer, continue 등
	의미 차이 있는 것	forget, remember, try 등

forget	+ 동명사	(과거에) ~한 것을 잊다	remember	+동명사	(과거에) ~한 것을 기억하다
	+ to부정사	(앞으로) ~할 것을 잊다		+ to부정사	(앞으로) ~할 것을 기억하다
try	+ 동명사	시험 삼아 ~해보다			
	+ to부정사	~하기 위해 노력하다			

바로 기본 확인 노트 개념 17-18 p. 85

A

01 riding	02 Skating [To skate]
03 becoming [to become]	04 to move
05 managing	06 seeing
07 is	08 crying
09 to be	10 to check

B

01 내 꿈은 이루어지고 있는 중이다.
02 나의 계획은 세계 여행을 하는 것이다.
03 나를 어린애 취급하는 걸 그만둬 줄래?
04 그 버스는 승객을 태우기 위해 멈추었다.
05 나는 너를 런던에서 봤던 것을 기억한다.
06 너는 난방기를 끌 것을 기억해야 한다.

교과서에서 뽑은 *360* 문장 마스터하기 pp. 86-87

121 Learning [To learn] from people is more fun.
122 I enjoy making new friends.
123 I can just stop using paper cups.
124 The other change is breaking [to break] one of my bad habits.
125 There were a lot of stores, and people were busy talking and shopping.
126 I am looking forward to winning a prize!
127 Do you have trouble starting conversations?
128 I forgot to bring my music book.
129 Beginning a new school year is stressful to many students.
130 Seongmin spends a lot of time using his smartphone.
131 Dad was busy looking at the map and asking for directions.
132 Maibon tried to destroy the stone, but it kept coming back.
133 Participating in club activities is a great way to enjoy your school life.
134 Are you interested in watching horror movies?
135 This will keep your eyes from becoming dry.

REVIEW TEST pp. 88-90

01 ③	02 ①, ⑤	03 ⑤	04 ④	05 ①
06 ④	07 ③	08 ②	09 ④	10 ⑤
11 ①, ②	12 ①	13 ②	14 ⑤	15 ①
16 ①	17 ④	18 ②	19 ③	20 ②

서술형 • 수행평가형

01 (1) enjoys taking pictures
(2) hopes to be

02 (has already) finished writing a letter to his mom

03 (1) Healthy foods can keep you from getting sick.
(2) He spent much time cleaning his house.

01 빈칸에는 보어 역할을 하는 동명사 winning 또는 to win이 올 수 있다.
02 빈칸에는 주어 역할을 하는 명사(구)가 와야 하므로 동사로 시작할 수 없다.
03 ⑤는 보어 역할을 하고 나머지는 모두 목적어 역할을 한다.
04 「go + 동명사」: ~하러 가다 / 전치사의 목적어로 동명사를 써야 한다.
05 보기와 ①은 보어 역할을 하는 동명사이다.
②, ⑤: 주어 역할 ③, ④: 목적어 역할
06 동명사(구) 주어는 단수 취급한다.
07 ⓐ to get → to getting ⓔ are → is
08 ②는 진행형에 쓰인 현재분사이고 나머지는 모두 동명사이다.
09 ④는 진행형에 쓰인 현재분사이고 나머지는 모두 동명사이다.
10 보기와 ⑤는 주어로 쓰인 동명사이다. 나머지는 현재분사이다.
11 love는 동명사와 to부정사를 모두 목적어로 쓸 수 있고 enjoy는 동명사를 목적어로 쓰는 동사이다.
12 plan은 to부정사를 목적어로 쓴다.
13 hate는 to부정사와 동명사를 모두 목적어로 쓸 수 있다.
14 put off는 동명사를 목적어로 쓴다. ⑤ → doing
15 「forget + 동명사」는 '(과거에) ~했던 것을 잊다'라는 의미이므로 ①은 '나는 그녀를 방문했던 것을 잊었다.'라는 뜻이다.
16 wish와 decide는 to부정사를 목적어로 쓴다.
17 agree는 to부정사를 목적어로 쓰므로 ④는 to buy가 와야 하며 나머지는 모두 buying이 쓰인다.
18 「forget + to부정사」: (앞으로) ~할 것을 잊다, 「stop + 동명사」: ~하는 것을 멈추다
19 「remember + 동명사」는 '(과거에) ~했던 것을 기억하다'라는 의미이다.
20 ② avoid는 동명사를 목적어로 쓰는 동사이다. to make → making

서술형 • 수행평가형

01 enjoy는 동명사를 목적어로 쓰고, hope는 to부정사를 목적어로 쓴다.
02 finish는 동명사를 목적어로 쓴다.
03 「keep ... from -ing」: …가 ~하는 것을 막다
「spend + 시간/돈 + -ing」: ~하느라 시간/돈을 쓰다

UNIT 06 분사와 분사구문

개념 19 현재분사와 과거분사 p. 92

01 명사 수식
02 현재분사
03 진행
04 명사 수식
05 현재분사
06 동명사
07 left
08 reading
09 finished
10 crying
11 written
12 running

개념 20 감정을 나타내는 분사 p. 93

01 boring
02 pleased
03 disappointed
04 satisfying
05 surprising
06 amazing
07 exciting
08 confused
09 depressed
10 touching
11 surprised
12 embarrassing

바로 개념 확인 노트 개념 19-20 p. 94

개념 19 현재분사와 과거분사

1 형용사 2 앞, 뒤 3 용도

	현재분사	과거분사
형태	동사원형+-ing	동사원형+-ed 또는 불규칙 과거분사형
의미	① 능동 (~하는) ② 진행 (하고 있는)	① 수동 (~되는, 당하는) ② 완료 (~된)
역할	① 명사 앞이나 뒤에서 명사 수식 ② 주격 보어나 목적격 보어로 쓰임 ③ 시제 표현에 쓰임	

개념 20 감정을 나타내는 분사

1 형용사 2 현재분사, 과거분사

현재분사(능동)		과거분사(수동)	
boring 지루한	pleasing 즐거운	bored 지루해하는	pleased 기뻐하는
exciting 신나는	confusing 혼란스러운	excited 신이 난	confused 혼란스러워 하는
touching 감동적인	disappointing 실망스러운	touched 감동한	disappointed 실망한
surprising 놀라운	interesting 재미있는	surprised 놀란	interested 관심 있어 하는
shocking 충격적인	satisfying 만족을 주는	shocked 충격을 받은	satisfied 만족하는

바로 기본 확인 노트 개념 19-20 p. 95

A
01 interesting
02 smiling
03 fried
04 fascinating
05 fallen
06 swimming
07 leaning
08 arrived

B
01 tired
02 used
03 disappointing
04 falling
05 drawn
06 shocking

교과서에서 뽑은 *360* 문장 마스터하기 pp. 96-97

136 I was surprised at the size of the waterfall.
137 The book written by a famous cook is interesting.
138 Something unexpected happened.
139 Riding a roller coaster makes me excited.
140 Look at the falling leaves.
141 The characters were painted with a soft brush.
142 I feel bored when I listen to classical music. 또는 When I listen to classical music, I feel bored.
143 The seafood fried rice was amazing.
144 Look at the flying birds in the sky.
145 Are you interested in taking pictures?
146 She was shocked because their lives were very difficult.
147 The Amazon River is interesting in many ways.
148 It looks like a woman walking down a road.
149 My father suggested a surprising event.
150 Who is the man playing the piano?

개념 21 분사구문 1 p. 98

01 Playing
02 saw
03 Seeing
04 Not knowing
05 Being late
06 Taking
07 Entering
08 Not having
09 Being

개념 22 분사구문 2 p. 99

01 After
02 Because
03 If
04 While
05 If you do
06 Because [Since, As] he is
07 After she graduated

바로 개념 확인 노트 개념 21-22 p. 100

개념 21 분사구문 1

1 부사절, 부사구 2 분사 3 Being, Being

분사구문 만드는 법

When I watched TV, (부사절) I fell asleep. (주절)

When I watched TV, I fell asleep. ① 접속사 생략
I watched TV, I fell asleep. ② 부사절의 주어 생략 (주절의 주어와 같을 때)
Watching TV, I fell asleep. ③ 동사를 현재분사로 바꾸기 (주절의 시제와 같을 때)

개념 22 분사구문 2

2 접속사

분사구문 의미	부사절에 쓰이는 접속사
시간	when(~할 때), before(~ 전에), after(~ 후에) 등
이유	because, since, as(~ 때문에)
동시동작	as(~하면서), while(~하는 동안)
조건	if(~라면)
양보	though, although(~임에도 불구하고)

바로 기본 확인 노트 개념 21-22 p. 101

A
01 Doing yoga
02 Arriving at the theater
03 Going upstairs
04 (Being) So surprised
05 Finishing dinner

B
01 When he came into the classroom
02 If you get up 30 minutes earlier
03 Though I am not shy
04 After she took a bath
05 Because he caught a cold

교과서에서 뽑은 *360* 문장 마스터하기 pp. 102-103

151 Listening to music, I cleaned my room.
152 Being [Feeling] hungry, he ate a sandwich.
153 Visiting Seoul, I met my old friend.
154 My father made some pizza, waiting for me.
155 Having too much homework, I could not watch my favorite TV show.
156 Being curious about the boat, they climbed onto it.
157 We are in the coffee shop, drinking coffee.
158 (Being) Tired of touring, the band spent more time writing songs.
159 I walked my dog, enjoying the fresh air.
160 She played the piano, singing a song.
161 While working together, people become friends.

162 I ate some snacks, watching TV.

163 Being sick, she had to stay at home all day.

164 Shouting questions, reporters took the pictures.

165 He made funny poses, imitating monkeys.

REVIEW TEST

pp. 104~106

01 ③	02 ④	03 ①	04 ⑤	05 ①
06 ①	07 ④	08 ②	09 ③	10 ①
11 ⑤	12 ④	13 ①	14 ⑤	15 ③
16 ②	17 ④	18 ①	19 ⑤	20 ②

서술형 • 수행평가형

01 (1) rising (2) amazing (3) boiled (4) disappointed

02 (1) Being very sick
(2) Turning to the left

03 Watching a movie, we ate popcorn.

01 뒤에 있는 명사(car)를 수식하는 말이 와야 하고, '이미 사용되었다'는 완료의 의미를 가진 과거분사가 알맞다.

02 '그는 외출할 때 항상 집에 있는 창문을 잠가 놓는다.'는 의미이다. 목적격 보어이면서 창문이 '잠기는' 수동의 의미여야 하므로 과거분사를 쓴다.

03 '도난당한'이라는 수동의 의미로 과거분사를 쓰고 과거 시제이므로 was를 쓴다.

04 '불타는(뜨거운) 태양'이라는 능동의 의미이므로 현재분사 burning을 쓴다.

05 분사에 수식어가 붙어 명사를 수식하는 경우 분사를 명사 뒤에 쓴다. Electronics made in Korea(한국에서 만들어진 전자제품)

06 The language spoken in Monaco is French.

07 ④ 여자가 경찰에 의해 잡혔다는 수동의 의미이므로 과거분사(caught)를 쓴다.

08 wear: '갈색 스웨터를 입은 소년'이라는 의미로 능동의 현재분사 wearing이 적절하다. play: 앞에 be동사 is가 있고 능동의 의미이므로 진행형을 만드는 현재분사 playing이 알맞다.

09 ③은 전치사의 목적어로 쓰인 동명사이고 나머지는 모두 현재분사이다. ①, ⑤ 명사 수식 ② 과거 진행형 ④ 목적격 보어

10 침낭(sleeping bag)의 sleeping은 뒤에 나오는 명사의 용도를 나타내는 동명사이다. <보기>와 나머지는 모두 현재분사이다.

11 영화는 감정을 유발하는 대상이므로 현재분사를 쓴다.

12 첫 번째 빈칸: 주어가 사람이고 감정을 느끼는 주체이므로 과거분사를 쓴다. 두 번째 빈칸: 주어가 The game이고 감정을 유발하는 대상이므로 현재분사를 쓴다.

13 ① 사람이 주어일 때는 과거분사를 쓴다. → excited

14 부사절과 주절의 주어가 같으므로 접속사와 주어를 생략한 후 felt의 원형인 feel에 -ing를 붙여 분사구문을 만든다.

15 '운전을 하면서 노래를 불렀다'라는 동시동작을 의미하는 분사구문으로, 부사절의 접속사는 as가 적절하다.

16 ②는 주어로 쓰인 동명사이고, 나머지는 모두 분사구문의 현재분사이다. ① 이유 ③ 조건 ④, ⑤ 시간

17 '돈이 없어서 새 자전거를 살 수 없었다.'는 의미로 이유를 나타내는 접속사를 이용하여 부사절로 바꿔 쓸 수 있다.

18 분사구문을 만들 때 부사절과 주절의 주어가 같으면 부사절의 주어를 생략한다. 현재분사 Opening으로 시작하는 분사구문이다.

19 ⑤ 분사구문을 접속사가 있는 부사절로 고치면 Though it is written in English이고, 접속사와 주어를 삭제하면 Being written in English이다. 이때 Being은 생략이 가능하므로 Written in English가 적절하다.

20 Because he did not pay attention to the teacher의 의미이다. 분사구문의 부정은 not을 분사 앞에 쓴다.

서술형 • 수행평가형

01 (1) 떠오르는 '태양'이라는 능동의 의미로 현재분사를 쓴다.
(2) It은 앞 문장에서 언급한 '떠오르는 태양을 본 것'을 의미하고, 이는 감정을 느끼게 한 것이므로 현재분사를 쓴다.
(3) '삶은 닭'이라는 수동의 의미로 과거분사를 쓴다.
(4) 사람이 주어이고 감정을 느끼는 주체이므로 과거분사를 쓴다.

해석 나는 지난 토요일에 부모님과 등산을 갔다. 아침 일찍 우리는 산 정상에서 떠오르는 태양을 보았다. 그것은 굉장했다. 한식당에서 우리는 점심으로 삶은 닭을 먹었다. 그것은 맛있어 보였지만, 우리는 맛에 실망했다. 그것을 빼고는 모든 것이 완벽했다.

02 (1) 아픈 표정의 소년이 11시에 학교에서 조퇴하는 상황으로, 이유를 나타내는 분사구문으로 쓴다. 부사절은 Because he was very sick이다.
(2) 그림 속 인물이 현재 서 있는 위치에서 왼쪽으로 돌면 빵집을 찾을 수 있다는 조건을 나타내는 분사구문으로 쓴다. 부사절은 If he turns to the left이다.

03 부사절과 주절의 주어가 같으므로 부사절에서 접속사와 주어를 생략하고 동사를 현재분사로 바꿔야 한다. Being은 뒤에 현재분사가 있으므로 생략해서 6단어의 문장으로 쓴다.

UNIT 07 대명사

개념 23 부정 대명사 p. 108

01 it
02 one
03 the other
04 Some
05 another
06 the others
07 One, the other
08 One, another, the other
09 Some, others

개념 24 재귀대명사 p. 109

01 myself
02 them
03 ourselves
04 herself
05 by himself
06 yourself
07 myself
08 for himself
09 themselves
10 ourselves
11 itself
12 herself

바로 개념 확인 노트 개념 23-24 p. 110

개념 23 부정 대명사

2 it, one

<짝을 이루어 쓰는 부정 대명사>

one ~ the other ...	(둘 중) 하나는 ~, 다른 하나는 ...
one ~ another ... the other ~	(셋 중) 하나는 ~, 또 하나는 ... 나머지 하나는 ~
one ~ the others ...	(여럿 중) 하나는 ~, 나머지 모두는 ...
some ~ others ...	(불특정 다수 중) 일부는 ~, 또 다른 일부는 ...
some ~ the others ...	(특정 다수 중) 일부는 ~, 나머지 전부는 ...

개념 24 재귀대명사

1 주어, 목적어
2 목적어, 없다

인칭대명사(단수)	재귀대명사	인칭대명사(복수)	재귀대명사
I	myself	we	ourselves
you	yourself	you	yourselves
he / she	himself / herself	they	themselves
it	itself		

<재귀대명사의 관용적 표현>

by oneself	혼자서(=alone)	for oneself	혼자 힘으로
of oneself	저절로	enjoy oneself	즐겁게 지내다
between ourselves	우리끼리 이야기지만	help oneself (to)	(~을) 마음껏 먹다

바로 기본 확인 노트 개념 23-24 p. 111

A
01 the other
02 One, another, the other
03 the others
04 it
05 one
06 them, ones

B
01 myself, 재귀 용법
02 myself, 강조 용법
03 yourselves, 재귀 용법
04 herself, 재귀 용법
05 themselves, 재귀 용법
06 himself, 강조 용법
07 itself, 재귀 용법
08 themselves, 강조 용법
09 herself, 강조 용법
10 ourselves, 재귀 용법

교과서에서 뽑은 360 문장 마스터하기 pp. 112-113

166 One is a dog. The other is a cat.
167 One is white, and the other is black.
168 One is for helping yourself, and the other is for helping others.
169 Think about yourself and prepare for your future.
170 Most people love to talk about themselves.
171 She keeps scratching herself.
172 He always looked at himself in the water.
173 It cannot make copies of itself again.
174 One is a high school girl, and the other is a middle school boy.
175 Others are bad and can make you sick.
176 Robinson thought to himself, "I need to keep calm and focus on baseball."
177 They dance to express feelings, give happiness to others, or enjoy themselves.
178 Mozart himself would be surprised by today's quiet audiences.
179 She traveled around South America by herself last summer.
180 We also have to think about the weight of the balloons themselves and the strings.

REVIEW TEST pp. 114-116

01 ④ 02 ③ 03 ⑤ 04 ③ 05 ②
06 ① 07 ② 08 ② 09 ⑤ 10 ④
11 ③ 12 ④ 13 ① 14 ① 15 ③
16 ① 17 ② 18 ② 19 ④ 20 ①, ③

서술형 • 수행평가형

01 (1) talk to myself

(2) be proud of himself

(3) enjoyed themselves

02 (1) the other is sitting

(2) another is yellow [blue], the other is blue [yellow]

03 (1) of you → of yourself (2) of her → of herself

01 one ~ the other ...: (둘 중) 하나는 ~, 다른 하나는 ...

02 another는 '또 하나(의), 다른 (것)'이라는 의미이다. one ~ another ... the other ~: (셋 중) 하나는 ~, 또 하나는 ... 나머지 하나는 ~

03 one ~ the others ...: (여럿 중) 하나는 ~, 나머지 모두는 ...

04 one ~ another ... the other ~: (셋 중) 하나는 ~, 또 하나는 ... 나머지 하나는 ~

05 some ~ others ...: (불특정 다수 중) 일부는 ~, 또 다른 일부는 ...

06 one ~ the other ...: (둘 중) 하나는 ~, 다른 하나는 ...

07 상자 안의 공들 중 일부는 축구공이고 나머지는 모두 농구공이므로 '(특정 다수 중) 일부는 ~, 나머지 전부는 ...'이라는 의미의 some ~ the others ...를 이용한다.

08 앞에서 언급한 명사와 같은 종류의 불특정한 것을 가리키는 부정 대명사 one이 알맞다.

09 ⑤ 앞에서 언급한 특정한 명사(a bike)를 가리키므로 빈칸에는 it이 적절하다. 나머지는 모두 부정 대명사 one이 알맞다.

10 ④ 부정 대명사 one의 복수형인 ones로 고쳐야 한다.

11 help oneself (to)는 '(~을) 마음껏 먹다'라는 의미이다.

12 ④ 주어와 목적어가 같으므로 재귀대명사 myself로 고쳐야 한다.

13 빈칸에는 순서대로 yourself, itself, himself, ourselves를 써야 한다.

14 by oneself: 혼자서 (= alone)

15 ⓓ 주어가 3인칭 복수이므로 재귀대명사는 themselves가 알맞다. ⓔ 학생들에게 한 말이므로 복수형인 yourselves가 알맞다.

16 ①은 강조 용법으로 쓰였으며 생략할 수 있다. 나머지는 모두 동사의 목적어로 쓰인 재귀 용법이다.

17 <보기>와 ②는 강조 용법으로 쓰였으며 생략이 가능하다.

18 ②는 강조 용법으로 쓰였으며 나머지는 모두 재귀 용법이다.

19 ④는 재귀 용법으로 쓰여 생략할 수 없다.

20 ①, ③은 강조 용법으로 쓰여 생략할 수 있고 나머지는 재귀 용법으로 쓰여 생략할 수 없다.

서술형 • 수행평가형

01 (1) I의 재귀대명사인 myself를 이용한다. talk to oneself: 혼잣말하다

(2) 주어가 3인칭 단수이고 남자이므로 himself를 이용한다.

(3) 주어가 3인칭 복수이므로 themselves를 이용한다.

02 (1) one ~ the other ...: (둘 중) 하나는 ~, 다른 하나는 ...

(2) one ~ another ... the other ~: (셋 중) 하나는 ~, 또 하나는 ... 나머지 하나는 ~

03 주어와 목적어가 같을 때 재귀대명사를 써야 한다.

UNIT 08 수동태

개념 25 수동태의 의미와 형태 p. 118

01 is mowed
02 will be made
03 sang
04 was hit
05 bakes
06 is watched
07 was caused by
08 should be cleared by
09 will be translated by
10 were picked by

개념 26 수동태의 부정문과 의문문 p. 119

01 was not
02 will be
03 not be
04 were not
05 be caught
06 Was the painting drawn
07 Can the project be
08 will be broadcast
09 Was the tower visited
10 Are the plants watered
11 should not be driven
12 was not invited

바로 개념 확인 노트 개념 25-26 p. 120

개념 25 수동태의 의미와 형태

1 대상
2 생략

수동태 문장	의미	"주어"가 (~에 의해) ~되다 *cf.* 능동태: 행위를 하는 주체를 강조
	형태	주어 + be동사 + 과거분사 (+ by + 행위자)
	쓰임	행위의 주체보다 대상을 강조할 때
수동태의 시제	현재	주어 + am/is/are + 과거분사 ...
	과거	주어 + was/were + 과거분사 ...
	미래	주어 + will be + 과거분사 ...
수동태와 조동사		주어 + 조동사 + be + 과거분사 ...

개념 26 수동태의 부정문과 의문문

1 not, 앞
2 뒤, 앞

수동태	부정문	주어 + be동사 + not + 과거분사 ...
	의문문	Be동사 + 주어+ 과거분사 ...?
조동사가 있는 수동태	부정문	주어 + 조동사 + not + be + 과거분사 ...
	의문문	조동사 + 주어 + be + 과거분사 ...?

바로 기본 확인 노트 개념 25-26 p. 121

A
01 was painted
02 was made
03 was enjoyed
04 change
05 be
06 were
07 surprise
08 is visited

09 will be　　10 were
11 were　　12 is checked

B 01 is not fixed　　02 were not composed
03 was not cleaned　　04 Can the river be
05 not be cut　　06 should be taken
07 Will the accident be　　08 will be printed
09 can be found
10 Should the emails be deleted

교과서에서 뽑은 *360* 문장 마스터하기 pp. 122–123

181 It will be created by Kevin.
182 Those were made by Hajun.
183 Energy can be changed into heat.
184 The process should be repeated again and again.
185 How many cakes are baked in a day?
186 The store is visited by lots of tourists.
187 The forest was destroyed by a fire.
188 The work was not completed in a day.
189 Art can be made out of all kinds of old things around us.
190 I thought that the books should be returned to Korea.
191 The house is lifted by thousands of balloons in the animation.
192 I was impressed by the building's size and unique design.
193 He hopes comic books will be used in school.
194 The dirt is hidden by the dark colors of the uniforms.
195 The little plastic bag was rolled into a ball and thrown onto a truck.

개념 27 4형식 문장의 수동태 p. 124

01 was given　　02 was told
03 to　　04 English
05 for the family　　06 the video clip
07 were sent　　08 was given
09 were asked　　10 be found
11 be bought　　12 are brought

개념 28 5형식 문장의 수동태 1 p. 125

01 is called　　02 called
03 made　　04 was made
05 made　　06 are kept
07 is kept　　08 was named Max
09 am called Ally　　10 was kept warm
11 was made late　　12 was made a soccer player

바로 개념 확인 노트 개념 27–28 p. 126

개념 27 4형식 문장의 수동태

1 간접목적어, 직접목적어, 직접목적어　　2 전치사

4형식 문장의 형태	주어 + 동사 + 간접목적어(A) + 직접목적어(B)	
간접목적어가 주어가 될 때	주어(A)(간접목적어) + be동사 + 과거분사 + B(직접목적어) + by + 행위자(주어)	
	주어(B)(직접목적어) + be동사 + 과거분사 + 전치사 + A(간접목적어) + by + 행위자(주어)	
직접목적어가 주어가 될 때	전치사 to를 쓰는 동사	give, teach, bring, send, show, tell, lend, write 등
	전치사 for를 쓰는 동사	buy, choose, find, get, make, cook 등
	전치사 of를 쓰는 동사	ask 등

개념 28 5형식 문장의 수동태 1

1 목적어, 목적격 보어

5형식 문장의 형태	주어 + 동사 + 목적어(A) + 목적격 보어(B)	
	5형식으로 자주 쓰이는 동사	call, name, make, keep 등
5형식 문장의 수동태	주어(A)(목적어) + be동사 + 과거분사 + B(목적격 보어) + by + 행위자(주어)	

바로 기본 확인 노트 개념 27–28 p. 127

A 01 to　　02 ×
03 to　　04 to
05 ×　　06 of
07 to　　08 for
09 ×　　10 for

B 01 Sonny, his family　　02 Bolt, me
03 strong, the coach　　04 for me, him
05 healthy, a balanced diet
06 some candies, Judy

교과서에서 뽑은 *360* 문장 마스터하기 pp. 128–129

196 The rice cake was called *songpyeon*.
197 We are kept warm by our clothing.
198 She was made a famous pianist by her father.
199 It was brought to Lewis by me.
200 It should be called a webtoon.
201 I was given a movie ticket by Ms. Brown.
202 Marco is taught math by his mother.
203 A difficult favor was asked of him by Ed.
204 She is called "Little Sherlock" by her neighbors.
205 The napkins were made for us by Minji.

206 The doll was named Angel by my brother.
207 This desk was bought for me by my father.
208 This army was named the white blood cells by scientists.
209 Hangeul was made for the Joseon people by King Sejong.
210 The email was written to the professor by John.

개념 29 5형식 문장의 수동태 2 p. 130

01 to come
02 singing
03 to keep
04 to leave
05 was made to go out
06 was seen to run to the bank
07 was heard barking in the yard

개념 30 주의해야 할 수동태 p. 131

01 in
02 of
03 from
04 with
05 with
06 after by Mr. Green
07 away by the writer
08 was filled with
09 am tired of
10 you satisfied with
11 was surprised at
12 were turned on

바로 개념 확인 노트 개념 29-30 p. 132

개념 29 5형식 문장의 수동태 2

1 to부정사, 현재분사
2 to부정사

5형식 문장의 형태		주어 + 동사 + 목적어 + 목적격 보어(동사원형 또는 현재분사)
지각동사일 때 5형식 문장 수동태	목적격 보어가 동사원형일 때	주어(목적어) + be동사 + 과거분사 + to부정사(목적격 보어) + by + 행위자(주어)
	목적격 보어가 현재분사일 때	주어(목적어) + be동사 + 과거분사 + 현재분사(목적격 보어) + by + 행위자(주어)
사역동사일 때 5형식 문장 수동태		주어(목적어) + be동사 + 과거분사 + to부정사(목적격 보어) + by + 행위자(주어)

개념 30 주의해야 할 수동태

2 전치사/부사

be surprised at	~에 놀라다	be covered with	~으로 덮여 있다
be interested in	~에 흥미가 있다	be filled with	~으로 가득 차다
be tired of	~에 싫증나다	be pleased with	~에 기뻐하다
be worried about	~에 관해 걱정하다	be satisfied with	~에 만족하다
be made of + 성질이 변하지 않는 재료	~으로 만들어지다	be made from + 성질이 변하는 재료	~으로 만들어지다

바로 기본 확인 노트 개념 29-30 p. 133

A
01 to exercise
02 playing
03 to shout
04 picked up
05 to play
06 thrown out

B
01 in
02 about
03 with
04 of
05 at
06 of
07 with
08 with

교과서에서 뽑은 360 문장 마스터하기 pp. 134-135

211 The classroom was filled with students.
212 This desk is made of wood and steel.
213 She was heard to sing. 또는 She was heard singing.
214 My brother was made to water the flowers.
215 The floor is covered with sand.
216 The TV was turned on by Theo.
217 I was pleased with the test results.
218 He was heard talking to Ella by Sienna.
219 Max's eyes were filled with tears.
220 Henry was heard to talk to himself by them.
221 I was made to drink carrot juice by my mother.
222 The eraser was taken out from the pencil case by Sophie.
223 I was seen running from the dog by Daisy.
224 The critics were satisfied with the play.
225 By whom was the car seen to hit the boy?

REVIEW TEST pp. 136-138

01 ③	02 ③	03 ①	04 ②	05 ④
06 ⑤	07 ③	08 ③	09 ②	10 ②
11 ⑤	12 ③	13 ⑤	14 ①	15 ④
16 ④	17 ⑤	18 ②	19 ③	20 ②

서술형 • 수행평가형

01 (1) was written by (2) was made by
02 (1) The kids were heard jumping and shouting in the next room by them.
(2) The birds in the park are fed by the visitors.
(3) The baseball cap will be bought for me by Bill.
03 (1) is filling → is filled
(2) worried at → worried about
(3) cancel → be canceled

01 행위자를 나타내는 'by a lot of children'으로 보아 수동태가 들어가는 것이 알맞다. 주어가 단수이므로 is를 써서 is played로 쓴다.

02 ③ The movie를 Ms. Allen이 감독하는 것이 자연스러우므로 밑줄 친 부분의 directed는 수동태 was directed로 바꿔 써야 한다.

03 ① 동사를 수동태로 쓰는 것이 자연스러우므로 was giving을 was given으로 고쳐야 한다.

04 'I don't eat meat.'이라는 문장으로 보아 '스테이크는 내가 주문한 것이 아니며, 다른 사람이 주문한 것 같다.'라는 의미가 되어야 한다. 첫 번째 빈칸 앞에서는 the steak가 주어이므로 동사를 수동태로 쓰고 '주문하지 않았다'는 뜻을 나타내기 위해 부정형으로 쓴다. 두 번째 빈칸 앞에서는 somebody가 주어이므로 동사를 능동태로 쓴다.

05 ① teached → taught ② by I → by me ③ wrote → written ⑤ the students → by the students

06 대명사 It은 둘 다 the Eiffel Tower를 가리키므로 '설계되고' 또 '지어졌다'는 의미로 수동태를 써야 한다. 과거의 일이고 주어가 단수이므로 be동사는 was를 쓴다.

07 전치사 to가 들어가야 하는 ③을 제외한 나머지 문장은 빈칸에 모두 전치사 for를 써야 한다.

08 전치사 to가 들어가야 하는 ③을 제외한 나머지 문장의 빈칸에는 모두 행위자를 나타내는 전치사 by를 써야 한다.

09 우리말 의미로 보아 주어가 I이고 사역동사 make를 사용한 수동태 문장으로 쓰는 것이 알맞다. 'Ha made me clear the table.(그는 내가 탁자를 치우게 했다.)'이라는 문장을 수동태 문장으로 바꾼 것과 같다.

10 ① is hit → was hit ③ was killed → were killed ④ was closed → will be closed ⑤ will been → will be

11 ⑤ 수동태의 의문문은 「be동사 + 주어 + 과거분사 ~?」로 쓴다. Was sent the letter → Was the letter sent

12 ③ 조동사가 있는 수동태의 부정문은 「주어 + 조동사 + not + be + 과거분사 ~」로 쓴다. should be not put → should not be put

13 ① The vase wasn't broken by him. ② Wasn't this book written by Tom? ③ My eyes were tested by the doctor. ④ The iPhone was made by Steve Jobs.

14 주어진 문장을 능동태 문장으로 바르게 고친 것을 찾는다.

15 5형식 문장을 수동태로 고칠 때 목적격 보어인 형용사나 명사는 동사 바로 뒤에 쓴다.

16 ④ 지각동사의 수동태에서 목적격 보어였던 동사원형은 to부정사로 고치고, 현재분사는 그대로 동사 뒤에 쓴다.
studied → to study [studying]

17 지각동사 문장을 수동태 문장으로 고치는 것이므로 목적격 보어인 현재분사를 그대로 동사 뒤에 써서 만든다.

18 ② be satisfied with: ~에 만족하다

19 '돌보다'라는 의미의 take care of를 수동태로 쓸 때 「be동사 + taken care of + by + 행위자」로 써야 한다.

20 ② of many people → by many people

서술형 • 수행평가형

01 질문에 사용된 동사를 활용하여 수동태로 쓰되, 둘 다 과거 시제로 써야 한다.

02 (1) 지각동사가 있는 문장의 수동태이므로, 목적격 보어인 현재분사를 동사 뒤에 그대로 쓴다.
(2) 목적어였던 the birds in the park가 수동태 문장의 주어가 된다. 동사는 the birds의 수에 맞춰 복수형으로 써야 한다.
(3) 4형식 문장의 수동태이며 동사 buy가 쓰였으므로 직접목적어를 주어로 하는 수동태 문장으로 바꾼다. 간접목적어였던 me 앞에 전치사 for를 써야 한다는 점에 주의한다.

03 (1) '공원이 꽃으로 가득 채워지는' 것이므로 is filling을 수동태 is filled로 고쳐야 한다.
(2) be worried about: ~에 관해 걱정하다, worried at → worried about
(3) '소풍이 취소되는' 것이 자연스러우므로 will cancel을 수동태 will be canceled로 고쳐 써야 한다.

UNIT 09 관계사

개념 31 주격 관계대명사 p. 140

01 who　02 which　03 which grow
04 likes, is　05 that flows　06 interested
07 who [that] can speak
08 which [that] have unhappy endings
09 who [that] is throwing a ball

개념 32 목적격 관계대명사 p. 141

01 which　02 who　03 that
04 whom　05 that she met　06 I got
07 who [whom / that] Sally invited
08 which [that] you lost yesterday
09 to whom Chris is talking 또는 who(m) [that] Chris is talking to

바로 개념 확인 노트 개념 31-32 p. 142

개념 31 주격 관계대명사

1 접속사, 대명사, 명사　3 동사　4 be동사

선행사	주격 관계대명사
사람	who
사물, 동물	which
사람, 사물, 동물	that

개념 32 목적격 관계대명사

2 주어, 동사　　3 전치사, 관계대명사

선행사	목적격 관계대명사
사람	who(m)
사물, 동물	which
사람, 사물, 동물	that

바로 기본 확인 노트　개념 31-32　p. 143

A
01 who [that] treats
02 ○
03 which can
04 ○
05 which [that]
06 ○
07 she takes care of
08 who [that]

B
01 A sea horse is a fish which is the slowest in the sea.
02 The lady (who is) wearing glasses is my aunt.
03 I know the girl (who) you met in the library.
04 I bought the bread from the baker who is John's father.
05 Look at the birds (which are) flying over the horizon.
06 These are the paintings (which) Vincent van Gogh painted in 1888.

교과서에서 뽑은 *360* 문장 마스터하기　pp. 144-145

226 This is a bird which can talk.
227 It is popular with tourists who want to see Korea's past.
228 A plantain is a fruit which looks like a banana.
229 There once was a little boy who had a bad temper.
230 Here are two stories which I read yesterday.
231 He was the person who Kenneth respected the most in the world.
232 Scientists who were studying crows did an experiment.
233 My dog ate all the cookies which I made for my grandma.
234 People who live in Singapore come from many different cultures.
235 There is a knock on the door, and a woman whom Ms. Gambini invited walks in.
236 When they were talking to someone whom they loved, they didn't stop smiling.
237 If you are lucky, you may see female monkeys that are teaching flossing to their babies.
238 Dancers who are playing good characters paint their faces green.
239 The little black dress which she wore in a movie is famous even today.
240 Anyone who crosses the finish line can do anything.

개념 33　소유격 관계대명사　p. 146

01 whose　02 of which　03 which
04 whose　05 whom　06 whose
07 whose nickname was Spiderman
08 whose [of which the] cover is black
09 whose hair is long and curly

개념 34　관계대명사 that *vs.* 접속사 that　p. 147

01 접속사　02 관계대명사
03 접속사　04 관계대명사
05 관계대명사　06 접속사
07 접속사　08 관계대명사
09 that I can trust
10 The oranges that are in the fridge
11 a sandwich that he made
12 the first man that walked

바로 개념 확인 노트　개념 33-34　p. 148

개념 33 소유격 관계대명사

1 소유격　　2 명사

선행사	소유격 관계대명사
사람	whose
사물, 동물	whose / of which

개념 34 관계대명사 that *vs.* 접속사 that

1 who, which　　2 소유격, 전치사

관계대명사 that	접속사 that
형용사절을 이끎	명사절(주어, 보어, 목적어 역할)을 이끎
선행사 있음	선행사 없음
관계대명사 that + 불완전한 문장	접속사 that + 완전한 문장

바로 기본 확인 노트　개념 33-34　p. 149

A
01 whose
02 which [that] 또는 삭제
03 which [that] makes
04 whose

05 ◯
06 whose
07 which [that]
08 ◯
09 ◯
10 which [that]

B 01 whose house burned down
02 whose eggs are the biggest
03 that looked like an elephant
04 whose hobby is
05 that I told you about
06 that are painted in bright colors

교과서에서 뽑은 *360* 문장 마스터하기 pp. 150-151

241 That's the man whose car was stolen.
242 People will have robots that do everything for them.
243 There are many animals that have special talents.
244 I know a boy whose dream is to be a vet.
245 The karts that are making loud engine noises are waiting.
246 Do you see the flower pot that Sujin made?
247 The house whose roof is covered with snow is beautiful.
248 He points to the soccer ball that she is holding in her hand.
249 Some bacteria can help you digest the food that you eat.
250 The Sahara is a desert that covers most of northern Africa.
251 I can't find the book that I borrowed from the library.
252 This continent is full of natural wonders that will surprise you.
253 One of the groups that helped her was UNICEF.
254 There are various things you can do to prevent this.
255 Every year millions of birds die after hitting buildings that have bright lights.

개념 35 관계대명사 what p. 152

01 that
02 what
03 that
04 what
05 what
06 What
07 what
08 that
09 what
10 What
11 that
12 what

개념 36 관계부사 p. 153

01 where
02 when
03 how
04 why
05 which
06 when
07 when
08 why
09 how
10 where
11 where
12 why

바로 개념 확인 노트 개념 35-36 p. 154

개념 35 관계대명사 what

1 주어, 보어, 목적어
2 ~하는 것, 없다

관계대명사 what	관계대명사 that
명사절을 이끎	형용사절을 이끎
선행사 없음	선행사 있음
관계대명사 what + 불완전한 문장	관계대명사 that + 불완전한 문장

개념 36 관계부사

1 접속사, 부사
2 전치사
3 how

	선행사	관계부사	전치사 + 관계대명사
시간	the day, the time, the week, the year 등	when	in / at / on + which
장소	the place, the house, the city, the country 등	where	in / at / on + which
이유	the reason	why	for which
방법	(the way)	how	in which

바로 기본 확인 노트 개념 35-36 p. 155

A 01 that [which] 또는 삭제
02 What
03 what
04 when
05 what
06 삭제
07 the way 또는 how
08 that [which] 또는 삭제
09 where
10 why 또는 삭제

B 01 when I entered middle school
02 how she made a lot of money
03 where my sister and I used to go
04 when kids dress up as ghosts and monsters
05 where my grandparents live
06 why Freddie missed the class

교과서에서 뽑은 360 문장 마스터하기 pp. 156-157

256 The Genie can give Aladdin what he wants.
257 What Aladdin says will come true.
258 I'm sure what she really meant was "yes."
259 Why should I listen to what you say now?
260 Today's quiet concerts began in the 19th century when many big concert halls were built.
261 I went to a concert hall at the Seoul Arts Center where Jo Seongu's piano concert was held.
262 That's (the reason) why this lock looks like a fish.
263 Jean took some expensive items from the house where he spent the night.
264 That's what I'm saying.
265 I'm going to keep a diary of what I did without my phone for 24 hours.
266 Leipzig is the city where Wagner was born in 1813.
267 He did not do what the Japanese told him to do.
268 There were a lot of hungry people in the 19th century when Jean was living.
269 That's why we have survived for millions of years.
270 This is how the human brain works.

REVIEW TEST pp. 158-160

01 ②	02 ①	03 ③	04 ②, ③	05 ②
06 ①, ⑤	07 ③	08 ①	09 ⑤	10 ④
11 ②	12 ①	13 ⑤	14 ②	15 ⑤
16 ②	17 ③	18 ④	19 ⑤	20 ③

서술형 • 수행평가형

01 (1) Mr. Rogers is my neighbor who works for a computer company.
(2) She saved a man whose life was in danger.
(3) The magic show which we saw last Sunday was great.
02 (1) who is watering the flowers
(2) who is playing the guitar
(3) which is sleeping on the bench
03 pictures which [that] you took in Paris

01 동물 선행사(sea animals) 다음의 빈칸에는 관계대명사 which [that]가, 사람 선행사(volunteers) 다음의 빈칸에는 관계대명사 who [that]이 알맞다.

02 시간 선행사(the year) 다음에는 관계부사 when이, 이유 선행사(the reason) 다음에는 관계부사 why가 알맞다.

03 관계대명사 what은 선행사를 포함하여 the thing(s) which [that]와 바꿔 쓸 수 있다.

04 ② 빈칸 다음에 명사가 있으므로 소유격 관계대명사 whose가 알맞다. ③ 사물 선행사(the ring) 다음에는 관계대명사 which [that]이 알맞다.

05 ② 선행사 nothing 다음에는 주로 관계대명사 that이 온다. 이때 that은 생략 가능하다. 나머지는 모두 선행사가 없으므로 관계대명사 what이 알맞다.

06 This is the town. + I grew up in the town. → This is the town where I grew up. 또는 This is the town in which I grew up. [This is the town which I grew up in.]

07 사람 선행사(the girl)를 꾸며 주는 목적격 관계대명사 whom을 이용한다. 관계대명사 who [that]와 바꿔 쓸 수 있다.

08 명사 다음에 목적격 관계대명사를 쓴 다음 「주어 + 동사」의 순으로 쓴다. Mom liked the cookies which I baked.

09 ⑤의 that은 주격 관계대명사인데 선행사가 없으므로 문장이 성립되지 않는다.

10 관계대명사절인 'who ~ in 1933'이 선행사인 a pilot from the United States를 수식하도록 관계대명사의 위치는 ④가 알맞다.

11 ②는 접속사이고 나머지는 모두 관계대명사이다. 접속사로 쓰인 that 앞에는 선행사가 없고 완전한 문장이 뒤따른다.

12 ①은 목적격 관계대명사이고 나머지는 주격 관계대명사이다. 목적격 관계대명사 뒤에는 「주어 + 동사」가 오고, 주격 관계대명사 뒤에는 동사가 온다.

13 ⑤는 간접의문문에서 의문사로 쓰였으며 나머지는 관계대명사로 쓰였다.

14 <보기>와 ②는 관계대명사로 선행사를 꾸미는 형용사절을 이끈다.
① '저, 그'를 뜻하는 지시형용사
③ '그렇게, 그만큼, 그 정도'를 뜻하는 부사
④, ⑤ 접속사

15 ⑤는 주격 관계대명사로 생략할 수 없다. ①, ②, ③은 목적격 관계대명사이므로 생략할 수 있다. ④는 분사 앞에 쓰인 「주격 관계대명사+be동사」이므로 생략할 수 있다.

16 ②는 주격 관계대명사로 생략할 수 없다. ①, ③, ⑤는 목적격 관계대명사이므로 생략할 수 있다. ④는 접속사로 쓰인 that으로 생략 가능하다.

17 'Patricia는 누구나 안전하게 사용할 수 있는 상품을 디자인했다'라는 의미로, 이때 선행사가 products이므로 관계대명사 that은 ③에 와야 알맞다.

18 ① → whose: 관계대명사 that은 소유격 관계대명사를 대신할 수 없다.
② → who [that]: 주격 관계대명사가 와야 한다.
③ → that [which]: 관계대명사 what은 선행사를 포함하므로 앞에 선행사를 쓰지 않는다.

⑤ → how 삭제: 관계부사 how와 선행사 the way는 둘 중 하나만 써야 한다.

19 ① → Mr. Kim is a farmer who [that] grows oranges.
② → Tim is the roommate with whom I used to live. 또는 Tim is the roommate who(m) [that] I used to live with.
③ → This is the hospital where I was born. 또는 This is the hospital in which I was born. [This is the hospital which I was born in.]
④ → The travelers who(m) [that] he met were kind.

20 주어 역할을 하는 주격 관계대명사가 필요하므로 I want a country which [that] is ruled by law.로 고쳐야 한다.

서술형 • 수행평가형

01 (1) 사람 선행사이므로 주격 관계대명사 who를 이용한다.
(2) 소유격(His)을 대신하는 소유격 관계대명사 whose를 이용한다.
(3) 사물 선행사이므로 목적격 관계대명사 which를 이용한다.

02 (1), (2) 사람 선행사이므로 주격 관계대명사 who를 쓴다.
(3) 동물 선행사이므로 주격 관계대명사 which를 이용한다.

03 사물 선행사 pictures 다음에 목적격 관계대명사 which [that]을 쓴 다음 「주어 + 동사」를 쓴다.

UNIT 10 접속사

개념 37 상관접속사 p. 162

01 or	02 but	03 either
04 and	05 Neither	06 work
07 was	08 Neither, nor	09 both, and
10 not, but	11 not only, but also	

개념 38 명령문, and / or p. 163

01 or	02 and	03 or
04 and	05 and	06 or

07 and you can focus better in class
08 or you will get wet
09 or you will miss the show

바로 개념 확인 노트 개념 37-38 p. 164

개념 37 상관접속사

1 상관접속사 2 동등

상관접속사	의미	주어로 쓰일 때 동사의 수
both *A* and *B*	A와 B 둘 다	복수 취급
not only *A* but also *B*	A뿐만 아니라 B도	B에 맞춤
A as well as *B*	B뿐만 아니라 A도	A에 맞춤
not *A* but *B*	A가 아니라 B	B에 맞춤
either *A* or *B*	A 또는 B 둘 중 하나	B에 맞춤
neither *A* nor *B*	A도 B도 아닌	B에 맞춤

개념 38 명령문, and / or

형태	의미
명령문, and ...	~해라, 그러면 …할 것이다
명령문, or ...	~해라, 그렇지 않으면 …할 것이다

바로 기본 확인 노트 개념 37-38 p. 165

A	01 well	02 and
	03 but	04 as
	05 Both	06 Neither
	07 Not	08 or
	09 nor	10 only, also
B	01 and	02 or
	03 and	04 or
	05 or	06 and
	07 or	08 and

교과서에서 뽑은 360 문장 마스터하기 pp.166-167

271 Both Grace and I want to eat pizza.
272 Chloe is not only funny but also diligent.
273 Put on your coat, and you won't catch a cold.
274 Neither Lily nor Harry can help you.
275 Leave now, or you can't meet them.
276 Not Ava but her sisters prepare dinner.
277 I like not only eating cookies but also baking them.
278 I will visit either Seoul or Busan.
279 Both my father and I like to sleep under the tree in our garden.
280 I want not only the old one but also the new one.
281 Change the topic, or your partner will fall asleep.
282 Not only plankton but also crabs and fish live there.
283 I will make either pizza or pasta for lunch.
284 Not I but Amelia wants to take tennis lessons.
285 Put others first, and everyone will want to talk with you.

개념 39 명사절을 이끄는 that p. 168

01 that
02 that
03 that
04 없음
05 that
06 that
07 that
08 that
09 that
10 that
11 that
12 that

개념 40 간접의문문 p. 169

01 첫 번째
02 두 번째
03 두 번째
04 첫 번째
05 두 번째
06 첫 번째
07 두 번째
08 if I can tell you this news
09 Where do you suppose
10 why we call her "Mad Hatter"
11 whether they use real fruit

바로 개념 확인 노트 개념 39-40 p. 170

개념 39 명사절을 이끄는 that

1 주어, 보어, 목적어
2 it
3 생략

	역할	의미
that + 주어 + 동사	주어	~하는 것은(「It ~ that ...」 형태로 쓸 수 있음)
	보어	~하는 것(이다)
	목적어	~하는 것을(that 생략 가능)

개념 40 간접의문문

1 목적어
2 if, whether

종류	간접의문문의 형태
의문사가 없는 의문문	if + 주어 + 동사 whether + 주어 + 동사
의문사가 있는 의문문	의문사 + 주어 + 동사 주절의 동사가 think, believe, guess, suppose, imagine 등일 때: 의문사 + do you think [believe, guess, ...] + 주어 + 동사 ...?

바로 기본 확인 노트 개념 39-40 p. 171

A
01 ②
02 ②
03 ②
04 ②
05 ①
06 ②
07 ①
08 ①

B
01 how I can lock this door
02 if [whether] he was satisfied with my new book
03 where Joan's Bakery is
04 What, she does in her free time
05 if you want to learn foreign languages
06 Where, your mother sent the package

교과서에서 뽑은 *360* 문장 마스터하기 pp. 172-173

286 I thought that Chagall was a great artist.
287 I hope that he will be happy again.
288 Do you think that light can cause pollution?
289 I don't know when she came here.
290 What do you think he is talking about?
291 The police found out that he was guilty.
292 He didn't realize that he could help the children.
293 The fact is that many animals are in danger.
294 Tell me when the guests will arrive.
295 I don't know who stole my camera.
296 The truth is that Noah doesn't like you.
297 Do you know how long the mountain range is?
298 I promise (that) I will never tell his secrets again.
299 I will ask Mary where she lives.
300 What do you think the artist is trying to tell us?

개념 41 부사절을 이끄는 접속사 1: 시간, 이유 p. 174

01 As
02 while
03 as soon as
04 since
05 while
06 because
07 when
08 As
09 While
10 since
11 because [as, since]
12 as soon as

개념 42 부사절을 이끄는 접속사 2: 조건, 양보, 결과 p. 175

01 if
02 even though
03 Unless
04 Though
05 If
06 so
07 so
08 unless
09 that
10 If
11 Though [Although]
12 that

바로 개념 확인 노트 개념 41-42 p. 176

개념 41 부사절을 이끄는 접속사 1: 시간, 이유

1 앞
2 미래

시간을 나타내는 접속사	when	~할 때	이유를 나타내는 접속사	because	~ 때문에
	while	~하는 동안		as	~ 때문에
	as	~하면서		since	~ 때문에
	as soon as	~하자마자			
	since	~ 이후로			

개념 42 부사절을 이끄는 접속사 2: 조건, 양보, 결과

1 미래 2 목적

조건을 나타내는 접속사	if	만일 ~라면
	unless	만일 ~ 아니라면 (= if ~ not)
양보를 나타내는 접속사	though, although, even though	비록 ~이지만, ~에도 불구하고
결과를 나타내는 접속사	so	그래서
	so ~ that	매우 ~해서 …하다 (*cf.* so that: ~하기 위해서)
	so ~ that ... can	매우 ~해서 …할 수 있다 (= ~ enough + to부정사)
	so ~ that ... can't	너무 ~해서 …할 수 없다 (= too ~ to부정사)

바로 기본 확인 노트 개념 41-42 p. 177

A
01 As soon as Mom went out
02 Since she moved to this city
03 while I'm cleaning the room
04 because [since, as] she had a stomachache
05 As the days began to grow longer
06 unless you know the password
07 Though [Even though, Although] many years have passed

B
01 unless 02 so, that
03 Even though 04 too short to

교과서에서 뽑은 *360* 문장 마스터하기 pp. 178-179

301 If they win the fight, you get well.
302 Don't watch TV while you're eating.
303 Unless you give her this book, she can't take the class.
304 He had a headache, so he got some medicine.
305 As time goes by, many things will change.
306 He was so sick that he could not do his homework.
307 When I read a book, I take notes.
308 I was so cold that I drank hot tea.
309 The glasses were so thick that she couldn't see well with them.
310 The seeds must be light so that the wind can blow them far away.
311 I feel nervous when I don't have my smartphone with me. / When I don't have my smartphone with me, I feel nervous.
312 Uncle Bob liked machines, so the shop was full of cooking machines.
313 I used to read SNS postings while I was doing my homework. / While I was doing my homework, I used to read SNS postings.
314 We were really excited because we found some old comic books. / Because we found some old comic books, we were really excited.
315 Even though you didn't win the race, you did your best. / You did your best even though you didn't win the race.

REVIEW TEST pp. 180-182

01 ⑤	02 ④	03 ⑤	04 ⑤	05 ①
06 ⑤	07 ④	08 ③	09 ⑤	10 ①
11 ②	12 ③	13 ③	14 ④	15 ①, ⑤
16 ①	17 ②	18 ⑤	19 ⑤	20 ①

서술형 • 수행평가형

01 (1) Neither Stan nor I am against you.
(2) Do you know what the sign means?
(3) As soon as spring comes, they will start to build a new house.

02 (1) The jacket is so thin that I don't wear it when it's cold.
(2) The park is so far from here that we can't walk there.

03 (1) If you feel hungry, have this sandwich. / Have this sandwich if you feel hungry.
⇨ 네가 배고프면, 이 샌드위치를 먹어라.
(2) Unless the tree is very tall, the cat can climb it.
⇨ 나무가 매우 높지 않다면, 그 고양이는 나무를 오를 수 있다.
(3) Although the girl was short, she ran very fast.
⇨ 그 소녀는 키가 작음에도 불구하고, 매우 빨리 달렸다.

01 neither *A* nor *B*: A도 B도 아닌
02 ④ → tennis as well as badminton
A as well as *B*: B뿐만 아니라 A도
03 not only *A* but also *B* = *B* as well as *A*
04 ⑤ '~해라, 그러면 …할 것이다'라는 의미가 자연스러우므로 or 대신 and를 써야 한다.
05 '~해라, 그러면 …할 것이다'라는 의미가 자연스러우므로 빈칸에는 and가 자연스럽다.
06 빈칸 뒤의 절이 동사 know의 목적어가 될 수 있도록 명사절을 만드는 접속사 that이 알맞다.
07 ④ that이 이끄는 명사절이 목적어로 쓰였을 때에는 that을 생략할 수 있다. ① 주어 ② 보어 ③ 주어 ⑤ 보어

08 첫 번째 문장에는 빈칸 뒤의 절이 동사의 목적어가 될 수 있도록 명사절을 만드는 접속사가, 두 번째 문장에는 or 앞의 this와 대조되는 대명사가 들어가야 하므로 that이 알맞다.

09 ⑤ 주절의 동사가 think, guess, suppose 등일 때 간접의문문의 의문사는 문장 맨 앞에 쓴다. → What do you guess your cat likes to do?

10 ①을 제외한 나머지는 모두 간접의문문의 어순이므로 빈칸에 들어갈 수 있지만 ①은 의문문의 어순이다.

11 간접의문문의 어순은 「의문사 + 주어 + 동사」이다. ② who is the tall guy → who the tall guy is

12 첫 번째 문장은 빈칸 뒤의 절이 앞 절의 이유가 되므로 because, since, as 등이 어울린다. 두 번째 문장은 빈칸 앞뒤의 절 내용이 상반되므로 though, although 등이 어울린다.

13 '~하는 동안'이라는 의미의 접속사는 while이다.

14 '만일 ~ 아니라면'이라는 의미의 접속사는 unless이다.

15 조건이나 시간의 부사절에서는 현재 시제로 미래를 나타낸다.
① will buy → buy ⑤ will arrive → arrive

16 ①의 when은 의문사이고, 나머지는 모두 접속사이다.

17 빈칸 뒤의 절이 앞 절의 결과를 나타내므로 '그래서'라는 의미의 so가 어울린다.

18 '~하자마자'라는 의미의 접속사는 as soon as이다.

19 too ~ to부정사 = so ~ that ... can't

20 '쿠키가 너무 딱딱해서 이가 부러질 뻔 했다'라는 의미이므로 「so ~ that ...」 구문이 되도록 hard 앞에는 so를 쓰는 것이 자연스럽다.

서술형 • 수행평가형

01 (1) 「neither *A* nor *B*」가 주어일 때 동사는 B에 맞춘다. 따라서 is는 I에 맞게 am으로 고쳐 써야 한다.
(2) 간접의문문은 「의문사 + 주어 + 동사」 형태로 써야 한다.
(3) 조건이나 시간의 부사절에서는 현재 시제로 미래를 나타낸다.

02 보기와 같이 '매우 ~해서 …하다'라는 의미의 「so ~ that ...」 구문을 활용하여 바꿔 쓴다.

03 두 절의 내용이 자연스럽게 연결되는 것을 골라 한 문장으로 연결하여 쓴다.

UNIT 11 비교 구문

개념 43 비교급 - 최상급 만들기 p. 184

01 hotter
02 more
03 more boring
04 finer
05 funniest
06 more important
07 most dangerous
08 farther
09 further
10 eldest
11 oldest
12 less

개념 44 원급 비교 / 배수 비교 p. 185

01 twice
02 cold
03 as
04 so
05 times
06 is as delicious as my grandma's
07 works twice as fast as the old one
08 not feeling as good as yesterday
09 is three times as expensive as my TV set

바로 개념 확인 노트 개념 43-44 p. 186

개념 43 비교급 - 최상급 만들기

		원급	비교급	최상급
대부분의 형용사 / 부사		- soft	+ -(e)r softer	+ -(e)st softest
「단모음 + 단자음」으로 끝날 때		- fat	+ 단자음 + -er fatter	+ 단자음 + -est fattest
「자음 + -y」로 끝날 때		- pretty	-y → -ier prettier	-y → -iest prettiest
3음절 이상 / -ful, -ous, -able, -less, -ing 등으로 끝날 때		- exciting	more + 원급 more exciting	most + 원급 most exciting
불규칙 변화	old	나이 먹은	older	oldest
		손위의	elder	eldest
	far	먼	farther	farthest
		더한	further	furthest
		little	less	least

개념 44 원급 비교 / 배수 비교

1 원급

원급 비교 긍정	A ~ as + 원급 + as + B 의미: A가 B만큼 ~하다	원급 비교 부정	A ~ not so [as] + 원급 + as + B 의미: A는 B만큼 ~하지 않다
배수 표현을 사용한 비교	A ~ 배수 표현 + as + 원급 + as + B 의미: A는 B보다 …배만큼 ~하다 배수 표현: twice, 「3 이상의 수 + times」		

바로 기본 확인 노트 개념 43-44 p. 187

A
01 sweeter – sweetest
02 closer – closest
03 worse – worst
04 more – most
05 more delicious – most delicious
06 luckier – luckiest
07 more adorable – most adorable
08 louder – loudest
09 fancier – fanciest
10 crueler – cruelest
11 slimmer – slimmest
12 more talented – most talented

B
01 as slowly as
02 as useful as
03 so[as] well as
04 not so [as] valuable as
05 twice as large as
06 three times as long as

교과서에서 뽑은 *360* 문장 마스터하기 pp. 188-189

316 Less packaging makes less trash.
317 A half moon will grow bigger.
318 August is the hottest month of the year.
319 I was as diligent as Jacob at first.
320 He is most pleasant when he plays baseball.
321 Walking fast is as good as jogging.
322 This string is three times as long as that stick.
323 Science is as interesting as music to me.
324 Their movements look as beautiful as flowers or flying birds.
325 Comics can make information clearer and easier to learn.
326 She cared for Stella as warmly as Stella's mom did.
327 A year on Mars is about twice as long as a year on Earth.
328 How many of us are as lucky as Van Gogh?
329 Only the greatest runners on the planet can take part in the race.
330 The blue whale's tongue alone can weigh as much as an average African elephant.

개념 45 여러 가지 비교급 표현 / 비교급의 강조 p. 190

01 higher
02 and
03 a lot
04 much
05 harder, better
06 higher
07 stronger, stronger
08 much [a lot, far, even] louder
09 much [a lot, far, even] shorter
10 The friendlier, the more

개념 46 여러 가지 최상급 표현 p. 191

01 the busiest
02 the best
03 the worst
04 the greatest
05 things
06 the most expensive
07 in
08 have ever
09 in
10 of
11 have ever
12 one

바로 개념 확인 노트 개념 45-46 p. 192

개념 45 여러 가지 비교급 표현 / 비교급의 강조

2 강조

비교급 표현	의미
A ~ 비교급 + than + B	A는 B보다 더 ~하다
much / a lot / far / even + 비교급	훨씬 더 ~한
비교급 + and + 비교급	점점 더 ~한
the + 비교급 ~, the + 비교급 ...	더 ~할수록 더 …하다

개념 46 여러 가지 최상급 표현

1 the

최상급 표현	의미
the + 최상급 ~ + in + 장소, 집단	…에서 가장 ~한
the + 최상급 ~ + of + 복수 명사	… 중에서 가장 ~한
one of the + 최상급 + 복수 명사	가장 ~한 … 중의 하나
the + 최상급 + 명사 (+ that) + 주어 + have ever + 과거분사	지금까지 …한 것 중 가장 ~한

바로 기본 확인 노트 개념 45-46 p. 193

A
01 weaker than
02 the oldest building in
03 much younger than
04 bigger and bigger
05 the hardest work, ever done

B
01 the more tired you will be
02 the fastest runner of these students
03 the most boring movie I have ever seen
04 one of the most useful devices
05 the most popular student in her school
06 a much cheaper backpack than this one

교과서에서 뽑은 *360* 문장 마스터하기 pp. 194-195

331 Jupiter is even bigger than Earth.
332 My room is much larger than yours.

333 It is the richest of the three cities.
334 It is the scariest scene in this movie.
335 The girl is the smartest student I have ever taught.
336 The older the dog got, the more he slept.
337 Who is the most famous actor in Korea?
338 I am luckier than he is.
339 I think you are the happiest bird in the world.
340 I want to take more pictures than I took last year.
341 In summer, the Eiffel Tower gets 15 cm taller than in winter.
342 The second room is much harder to escape than the first one.
343 The Atacama is one of the best places on Earth to watch stars.
344 I think the light bulb is more important than the airplane.
345 I think the guitar has the most beautiful sound of all musical instruments.

REVIEW TEST

pp. 196–198

01 ④	02 ⑤	03 ①	04 ④	05 ③
06 ①	07 ③	08 ②, ④, ⑤		09 ①
10 ②	11 ③	12 ④	13 ③	14 ⑤
15 ③	16 ④	17 ⑤	18 ③	19 ③
20 ③, ⑤				

서술형 • 수행평가형

01 (1) getting higher and higher
(2) the most passionate, have ever seen
02 (1) twice as tall as (2) four times as big [large] as
03 (1) is hotter than (2) not so [as] cold (3) the warmest of

01 ④ 최상급 앞에 the를 써야 한다. most important thing → the most important thing
02 ⑤ '손위의'라는 의미로 쓸 때에는 old의 변화형이 elder – eldest가 된다. '가장 큰언니'이므로 'my eldest sister'로 써야 한다.
03 앞에 more를 쓰지 않고 -er을 붙여 비교급을 만드는 형용사는 빈칸에 들어갈 수 없으므로, 이에 해당하는 것은 heavy이다.
04 「A ~ 배수 표현 + as + 원급 + as + B」: A는 B보다 …배만큼 ~하다, 2배는 twice로 쓰고 그 이상의 배수 표현은 「숫자 + times」로 쓴다.
05 '버스는 택시만큼 빠르지 않다'라는 문장은 '택시는 버스보다 빠르다'라는 의미로 해석할 수 있다.
06 빈칸 앞뒤의 as로 보아 형용사의 원급이 들어가야 한다.
07 ③ 원급 비교의 부정은 「A ~ not so [as] + 원급 + as + B」로 쓴다.
08 빈칸에는 비교급을 강조하는 표현이 들어가야 한다. much, a lot, far, even 등이 비교급을 강조할 수 있다.
09 비교급을 강조하는 표현은 much, a lot, far, even 등이다.
10 ②를 제외한 나머지는 모두 소파가 침대보다 비싸다는 의미를 나타낸다. ① 소파는 침대보다 더 비싸다. ② 침대는 소파보다 더 비싸다. ③ 소파는 침대만큼 싸지 않다. ④ 침대는 소파보다 싸다. ⑤ 침대는 소파만큼 비싸지 않다.
11 「the + 비교급 ~, the + 비교급 …」: ~할수록 더 …하다
12 첫 번째 문장의 small은 뒤의 than으로 보아 비교급으로 쓰는 것이 알맞다. 두 번째 문장은 '더 걸을 수 없어서 더 이상 가지 못했다'라는 의미이므로 '정도'를 나타낼 때의 far의 비교급 further가 알맞다.
13 ③ 비교급을 강조할 때에는 앞에 a lot of가 아닌 a lot을 써야 한다.
14 ⑤ 「the + 비교급 ~, the + 비교급 …」 구문이 되어야 하므로 tired를 비교급 more tired로 써야 한다.
15 ③ 비교 범위를 나타내는 in the class라는 표현으로 보아 밑줄 친 more diligent student는 최상급을 사용하여 the most diligent student로 쓰는 것이 적절하다.
16 '가장 ~한 … 중의 하나'라는 의미를 나타낼 때 「one of the + 최상급 + 복수 명사」로 쓴다. 따라서 ④의 mountain은 복수 mountains로 써야 한다.
17 「the + 최상급 + 명사 (+ that) + 주어 + have ever + 과거분사」를 활용한 구문이므로 밑줄 친 beautiful의 알맞은 형태는 the most beautiful이다.
18 최상급 표현에서 범위를 나타낼 때 장소 앞에는 in을 쓰고 복수 명사 앞에는 of를 쓴다.
19 Dana는 Erin보다 키가 작으므로 'Erin만큼 키가 크지 않다'라는 의미로 첫 번째 문장을 완성한다. Liam은 넷 중 키가 가장 크므로 두 번째 문장의 빈칸에는 the tallest가 알맞다. 세 번째 문장은 Kyle이 넷 중 가장 어리므로 the youngest one으로 표현할 수 있다.
20 ③ 최상급 앞에는 the를 쓴다. → the longest river ⑤ 뒤의 'we have ever met'으로 보아 앞에는 최상급 표현이 들어가는 것이 자연스럽다. → the wisest person

서술형 • 수행평가형

01 (1) '점점 더 ~한'이라는 의미는 「비교급 + and + 비교급」으로 나타낸다.
(2) 「the + 최상급 + 명사 (+ that) + 주어 + have ever + 과거분사」를 활용한 구문으로 완성해야 한다.
02 「A ~ 배수 표현 + as + 원급 + as + B」: A는 B보다 …배만큼 ~하다, 2배는 twice로 쓰고 그 이상의 배수 표현은 「숫자 + times」로 쓴다.
03 (1) 서울이 다른 두 도시보다 7월에 더우므로 형용사 hot을 사용한 비교급 구문을 쓴다.
(2) 강릉은 1월에 서울만큼 춥지 않으므로 형용사 cold를 사용하여 원급 비교의 부정 표현으로 쓴다.
(3) 부산은 1월에 세 도시 중 가장 따뜻하므로 형용사 warm의 최상급을 사용한다.

UNIT 12 가정법

개념 47 가정법 과거 p. 200

01 were	02 will
03 is	04 were
05 would not be	06 walk
07 studied	08 were
09 loved	10 did not [didn't] rain
11 would take	12 were not [weren't] busy

개념 48 I wish 가정법 / as if 가정법 p. 201

01 were	02 had
03 allowed	04 understood
05 were	06 as if
07 as if he needed	08 I wish I had
09 I wish you would do	10 as if she knew
11 I wish I could get	12 as if he were

바로 개념 확인 노트 개념 47–48 p. 202

개념 47 가정법 과거

1 만약 ~라면, …할 텐데 2 were

if절			주절		
If	주어	were ~, 동사의 과거형 ~,	주어	조동사 과거형 (would, could, might 등)	동사원형 ~.

개념 48 I wish 가정법 / as if 가정법

1 ~라면 좋을 텐데 2 마치 ~인 것처럼 3 were

I wish 가정법 과거	I wish + 주어 + were 또는 (조)동사의 과거형	I wish I got a scholarship. 장학금을 받으면 좋을 텐데.
as if 가정법 과거	as if + 주어 + were 또는 (조)동사의 과거형	The man climbs a tree as if he were Spiderman. 그는 마치 스파이더맨인 것처럼 나무를 탄다.

바로 기본 확인 노트 개념 47–48 p. 203

A

01 could be
02 I could
03 arrived
04 she tried
05 would happen
06 could finish
07 there were

B

01 I wish I had
02 If you were, would not be
03 as if he were
04 If I were not, could play
05 as if she had
06 I wish I were

교과서에서 뽑은 360 문장 마스터하기 pp. 204–205

346 If she were not under 19, she could drive a car.
347 If I had big wings, I could fly.
348 If she lived alone, she could have a cat.
349 I wish I could speak English well.
350 We felt as if we were in a different world.
351 If I had a vacation, I would take a trip to Dokdo.
352 I wish I were stronger.
353 If you were wise, you would listen to me.
354 If I were free, I would be so happy. / I would be so happy if I were free.
355 If you were an adult, you could make it. / You could make it if you were an adult.
356 I wish I could talk to animals.
357 If you were in outer space, you would experience zero gravity. / You would experience zero gravity if you were in outer space.
358 If I spoke five languages, I would work at the UN. / I would work at the UN if I spoke five languages.
359 If I had enough time, I would watch my favorite drama all day. / I would watch my favorite drama all day if I had enough time.
360 I felt as if I could touch the sky.

REVIEW TEST pp. 206–208

01 ④	02 ③	03 ①	04 ②	05 ②
06 ⑤	07 ⑤	08 ①	09 ④	10 ⑤
11 ④	12 ③	13 ①	14 ④	15 ④
16 ④	17 ①	18 ①	19 ⑤	20 ③

서술형 • 수행평가형

01 (1) I wish I could turn back time.
(2) As I am not a pilot, I can't fly all over the world.
(3) If the jacket were not small for him, he could wear it.

02 (1) If he were not sick, he could hang out with his friend.
(2) If she had enough money, she would buy a new dress.

(3) If I owned a dog, I would walk it [the dog] every day.

03 They treat me as if I were ten.

01 가정법 과거 문장으로 주절의 동사는 「조동사 과거형 + 동사원형」을 쓴다.

02 '내가 아프지 않다면, 너와 함께 할 텐데.'라는 의미의 가정법 과거로 바꿔 쓸 수 있다.

03 '그는 깨어있지 않아서 네 말을 들을 수 없을 것이다.'라는 의미의 직설법으로 바꿀 수 있다.

04 가정법 과거 문장이므로 if절에는 동사의 과거형을 쓴다.

05 가정법 과거이므로 주절의 조동사는 과거형 would를 쓴다.

06 가정법 과거는 「If + 주어 + 동사의 과거형 ~, 주어 + 조동사 과거형 + 동사원형 ~.」이다.

07 맥락상 if절과 주절의 주어가 같아야 하며 가정법 과거의 if절에서 be동사는 주어의 인칭과 수에 관계없이 were를 쓴다.

08 ①은 조건을 나타내는 부사절을 이끄는 if이고, 나머지는 모두 가정법 과거에 쓰인 if이다.

09 ④의 if절은 조건을 나타내는 부사절이므로 don't go로 쓴다. 조건의 부사절에서는 현재 시제로 미래를 나타낸다.

10 첫 번째 문장: 조건을 나타내는 부사절에서는 미래를 나타낼 때 현재 시제를 쓴다. 두 번째 문장: 가정법 과거로 주절에는 「조동사 과거형 + 동사원형」을 쓴다.

11 I wish 가정법 과거는 I wish 뒤에 동사나 조동사의 과거형이 와야 하므로 doesn't를 didn't로 바꾼다.

12 현재 사실에 대한 아쉬움을 나타내는 I wish 가정법 과거로 that절에는 바다 근처에 살지 않는다는 내용이 와야 한다.

13 I wish 가정법 문장은 「I wish + 주어 + (조)동사의 과거형 ~」이므로 had를 쓴다.

14 현재 이루기 힘든 소망을 나타내는 I wish 가정법으로 쓰는 것이 적절하므로 문장의 형태는 「I wish + 주어 + (조)동사의 과거형」이다. 직설법은 I'm sorry that she will not forgive me.이다.

15 → The boy behaves as if he were an adult.

16 가정법 과거에서 be동사는 were를 쓴다. 그 책상은 돌로 만들어진 것처럼 보인다.

17 '지민이는 마치 미국인인 것처럼 영어가 유창하다'는 의미를 가진 as if 가정법 과거 문장이다.

18 → They look as if they hated each other.

19 첫 번째 문장: 다리가 부러지지 않았다면, 하이킹을 갔을 텐데. 두 번째 문장: I wish 가정법 과거로 (조)동사의 과거형을 쓴다. 세 번째 문장: as if 뒤에 오는 절에서 be동사는 were를 쓴다.

20 ③ 가정법 과거이므로 주절에 will 대신 would를 쓴다.

서술형 • 수행평가형

01 (1) 현재 이루기 힘든 소망을 나타내는 I wish 가정법 과거로 나타낸다. 시간을 돌릴 수 있으면 좋을 텐데.

(2) '만약 내가 파일럿이라면 전 세계를 비행할 수 있을 텐데.'라는 의미이다. 파일럿이 아니기 때문에 전 세계를 비행할 수 없다는 의미의 직설법으로 바꾼다.

(3) 현재 사실과 반대되는 일을 나타내는 가정법 과거는 if절의 동사가 be동사일 때 were를 쓴다.

02 가정법 과거는 「If + 주어 + were 또는 동사의 과거형 ~, 주어 + 조동사 과거형 + 동사원형 ~.」으로 쓴다.

03 '마치 ~인 것처럼'은 as if 가정법 과거로 나타낸다.

해석 **A** 너 실망한 표정이네. 무슨 일이야?

B 친구들과 캠핑을 가고 싶은데, 부모님께서 내가 가는 것을 허락하지 않으셔.

A 부모님께서는 네가 걱정되어서 그러시는 것 같아.

B 알아, 그런데 나는 18살이야. 그들은 마치 내가 열 살인 것처럼 나를 대하셔.

memo

memo

정답은
이안에
있어 !

문장

바로 쓰는 문법

LEVEL

2

핵심 개념노트

✓ 1등하는 공부 습관

1. 개념노트 항상 가지고 다니기
2. 수업 전, 후에 한 번씩 살펴보기
3. 개념 표를 만들어 스스로 채워보기

CHUNJAE
EDUCATION, INC.

CONTENTS

BACKGROUND KNOWLEDGE

01 문장의 기본 구성 요소

문장은 단어들이 일정한 순서로 모여 의미를 전달하는 것이다. 문장을 이루는 기본 구성 요소에는 뼈대가 되는 주어, 동사, 목적어, 보어와 살을 붙이는 수식어가 있다.

These books are interesting.
주어 동사 보어

My uncle teaches Korean in America.
주어 동사 목적어 수식어

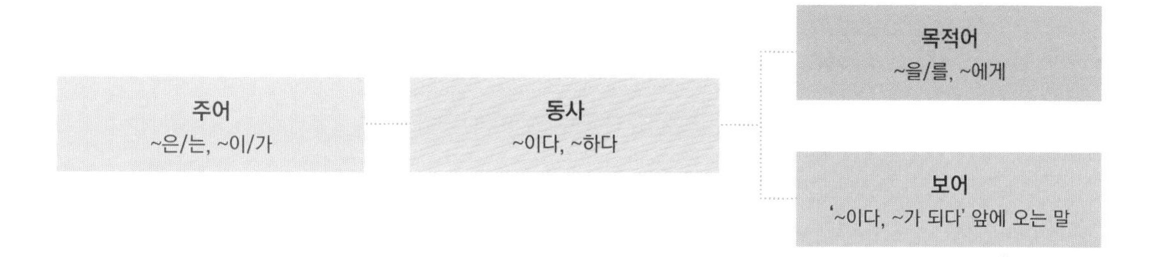

주어 Subject 동사가 나타내는 동작이나 상태의 주체가 되는 말로, 주로 문장 맨 앞에 쓴다.

I am a middle school student. 나는 중학생이다.

My parents love me. 나의 부모님은 나를 사랑하신다.

동사 Verb 주어의 상태나 주어가 하는 동작을 나타내는 말로, 주로 주어 뒤에 쓴다.

Julia and I are good friends. Julia와 나는 좋은 친구이다. 〈상태〉

I walk to school with my friend. 나는 친구와 학교에 걸어간다. 〈동작〉

BACKGROUND KNOWLEDGE

목적어 Object | 동사가 나타내는 행위의 대상이 되는 말로, 주로 동사 뒤에 쓴다.

My grandfather wears glasses. 나의 할아버지께서는 안경을 쓰신다.

Mark bought his sister a guitar. Mark는 그의 누나에게 기타를 사 주었다.
(his sister: 간접목적어, a guitar: 직접목적어)

보어 Complement | 주어나 목적어를 보충해서 설명하는 말로, 주로 동사나 목적어 뒤에 쓴다.

He is my uncle. 그는 나의 삼촌이다. 〈주어 He를 보충 설명: 주격 보어〉

The sofa looks comfortable. 그 소파는 편하게 보인다. 〈주어 The sofa를 보충 설명: 주격 보어〉

Her voice makes me sleepy. 그녀의 목소리는 나를 졸리게 한다. 〈목적어 me를 보충 설명: 목적격 보어〉

수식어 Modifier | 문장의 요소를 꾸며 그 의미를 더 자세하고 풍부하게 해 주는 말로 주어, 동사, 목적어, 보어를 수식한다.

The book on the desk is mine. 책상 위에 있는 책은 내 것이다. 〈주어 수식〉

They talked loudly. 그들은 큰 소리로 말했다. 〈동사 수식〉

바로 개념 확인 1 상자 안에 제시된 부분이 어떤 문장 구성 요소인지 쓰시오.

01

Bill	knows	us	very well
주어	동사	목적어	수식어

02

Her dogs	always	made	her	happy
주어	수식어	동사	목적어	보어

02 8품사

단어를 성격이 비슷한 것끼리 분류한 것으로, 영어에는 8개의 품사가 있다.

Ah, that looks wonderful.
감탄사 대명사 동사 형용사

The small and lovely parrot in the cage is very noisy.
관사 형용사 접속사 형용사 명사 전치사 관사 명사 동사 부사 형용사

동사 Verb

사람이나 사물, 동물 등의 상태(~이다) 또는 동작(~하다)을 나타내는 말

walk

- be동사: '~이다, ~에 있다'의 의미로 주어의 신분이나 상태를 나타내는 동사
  현재형: am, are, is 과거형: was, were
- 조동사 (助도울 조動詞): be동사나 일반동사 앞에서 의미를 더하는 동사
  can(~할 수 있다), may(~일지도 모른다), will(~할 것이다), must(~해야 한다) 등
- 일반동사: be동사와 조동사를 제외한 나머지 동사
  walk(걷다), speak(말하다), write(쓰다) 등

명사 Noun

사람, 사물, 개념 등의 이름을 나타내는 말로 문장에서 주어, 목적어, 보어로 쓰임

dog

- 셀 수 있는 명사:
  ★보통명사: 일정한 모양이 있어서 하나만 있어도 무엇인지 쉽게 알 수 있는 것
  dog, bus, book, ring 등
  ★집합명사: 여럿이 모여야 무엇인지 알 수 있는 것
  family, class, team 등
- 셀 수 없는 명사:
  ★고유명사: 세상에 딱 하나뿐인 것(첫 글자는 항상 대문자)
  Korea, the Eiffel Tower, 사람 이름 등
  ★물질명사: 일정한 형태가 없는 air, water, sugar 등
  ★추상명사: 눈으로 볼 수 없는 love, peace, beauty 등
- 명사 짝꿍 [관사 Article]: 셀 수 있는 명사 앞에 쓰는 a, an
  서로 알고 있는 것을 가리킬 때 쓰는 the

BACKGROUND KNOWLEDGE

대명사 Pronoun

명사의 반복을 피하기 위해 명사 대신 쓰는 말로 명사처럼 주어, 목적어, 보어로 쓰임

지시 대명사

가까이 있는 것을 가리킬 때: this / these
멀리 있는 것을 가리킬 때: that / those

인칭대명사

사람이나 사물을 대신해서 가리키는 말
Julia is my best friend. She is nice.

Look at the dog. It is cute.

부정(不定정할 정) 대명사

불특정한 사람·사물이나 일정하지 않은 수량을 나타내는 말
one, other, some, any 등

형용사 Adjective

사람·사물의 상태나 모양, 성질, 수량 등을 설명하는 말로 명사를 꾸밈

성질, 상태, 종류 등을 나타내는 형용사

She is happy. (주어의 상태를 설명)
Mia is a kind girl. (명사의 성질을 설명)

수량 형용사

I have many friends. (많은 친구)
↳ 셀 수 있는 명사
We don't have much time. (많은 시간)
↳ 셀 수 없는 명사

부사 Adverb

시간, 장소, 방법, 정도, 빈도 등을 나타내는 말로 동사, 형용사, 다른 부사, 또는 문장 전체를 꾸밈

It is very expensive. (매우 비싼: 형용사 expensive 꾸밈)

They live happily. (행복하게 산다: 동사 live 꾸밈)

You got up too late. (너무 늦게: 부사 late 꾸밈)

Fortunately, I passed the test. (다행스럽게도: 문장 전체 꾸밈)

전치사 Preposition

명사나 대명사 앞에 쓰여 시간, 장소, 방향, 이유, 수단 등을 나타내는 말

- The store opens at 10 on Sundays. (시간)
- Mom is in the living room. (장소)
- We ran to the park. (방향)
- I go to school by bus. (수단)

접속사 Conjunction

'그러나', '그리고'처럼 두 말(단어와 단어, 구와 구, 문장과 문장)을 이어주는 말

등위 접속사 and, but, or	문법적으로 대등한 것을 연결 *I'm Jenny* and *I'm from Canada.* Do you like *dogs* or *cats*?
종속접속사 that, when, before, because 등	대장 역할을 하는 문장에 속해 있는 문장을 연결 I think that you are right. He stays at home when it rains. (= When it rains, he stays at home.)

감탄사 Interjection

놀람, 기쁨, 슬픔 등의 감정을 나타내며 저절로 나오는 말

ah, oops, oh, ouch, hooray, hey, wow 등	Ouch! It hurts. (아픔) Hooray! We won the game. (기쁨) Wow! What a beautiful day! (놀람)

바로 개념 확인 2

상자 안에 주어진 단어의 품사가 무엇인지 쓰시오.

A

He	looks	nice	and	happy	in	the	picture.
대명사	동사	형용사	접속사	형용사	전치사	관사	명사

B

Oh,	I	think	so,	too.
감탄사	대명사	동사	부사	부사

UNIT 01 문장의 형식

개념 01 1형식과 2형식

1 1형식에서 전치사구는 형용사나 부사처럼 다른 것을 꾸미는 수식어 역할을 하며, 문장을 구성하는 요소에는 포함되지 않는다.

2 2형식에서 보어가 명사이면 '주어 = 보어'의 관계이고, 형용사이면 보어가 주어의 성질이나 상태를 나타낸다.

3 감각동사 뒤에는 형용사만 쓰며, 명사(구)가 오면 동사 뒤에 전치사 like(~처럼, ~같은)를 쓴다.

1형식	주어 + 동사	
	There / Here + 동사 + 주어	* 존재, 왕래 등을 나타내는 동사: be동사, live, go, come 등 ** 주어가 대명사인 경우 「There / Here + 주어 + 동사」로 씀
2형식	주어 + be동사 + 보어(명사, 형용사)	
	주어 + 상태동사* + 보어(명사, 형용사)	*keep, stay, get, become, grow, turn 등
	주어 + 감각동사* + 보어 (형용사만 가능)	*look, sound, feel, taste, smell

개념 02 3형식과 4형식

1 4형식에 쓰이는 수여동사는 두 개의 목적어를 가지며 '~에게 …을 해 주다'라는 뜻이다.

2 4형식 → 3형식: 간접목적어와 직접목적어의 위치를 바꾸고 동사에 따라 간접목적어 앞에 전치사 to, for, of를 쓴다.

to를 쓰는 동사	give, lend, send, pass, sell, tell, show, teach, bring, write, offer 등
for를 쓰는 동사	make, buy, cook, get, find, build 등
of를 쓰는 동사	ask

3형식	주어 + 동사 + 목적어
4형식	주어 + 수여동사 + 간접목적어 + 직접목적어 사람(~에게) 사물(~을[를])
4형식 → 3형식	주어 + 동사 + 간접목적어 + 직접목적어 주어 + 동사 + 직접목적어 + 전치사 + 간접목적어

개념 03 5형식 1

1 5형식은 「주어+동사+목적어+목적격 보어」로 이루어져 있고, 목적격 보어로 형용사, 명사, to부정사, 동사원형, 분사 등을 쓸 수 있다.
2 목적격 보어가 명사이면 '목적어 = 보어'의 관계이고, 형용사이면 보어가 목적어의 성질이나 상태를 나타낸다.
3 목적격 보어가 to부정사일 때 보어는 목적어가 하는 동작을 나타내며, 부정은 「not+to부정사」로 나타낸다.

5형식	주어 + 동사* + 목적어 + 형용사	*find, keep, leave, make 등
	주어 + 동사* + 목적어 + 명사	*name, call, choose, think, make 등
	주어 + 동사* + 목적어 + to부정사	*want, ask, tell, allow, expect, advise, order 등

개념 04 5형식 2

1 5형식에서 '시키다, ~을 하게 하다'라는 의미를 가지는 사역동사를 쓸 경우 목적격 보어로 동사원형을 쓴다.
2 준사역동사 get은 목적격 보어로 to부정사를 쓰며, '~하도록 시키다'라는 의미이다.
3 준사역동사 help는 목적격 보어로 동사원형 또는 to부정사를 둘 다 쓰며, 의미상의 차이는 없다.
4 5형식에서 지각동사를 쓸 경우 목적격 보어로 동사원형이나 현재분사(진행 중인 동작 강조)를 쓴다.

5형식	주어 + 사역동사* + 목적어 + 동사원형	*make, have, let 등
	주어 + 지각동사* + 목적어 + 동사원형 / 현재분사(-ing) *see, watch, hear, smell, feel, look at, listen to 등	

UNIT 02 시제

개념 05 과거, 현재, 미래 시제

1 가까운 미래의 확정된 계획이나 비행기, 영화 등의 스케줄은 현재 시제로 미래를 나타낼 수 있다.
2 왕래발착동사(go, come, depart, arrive, leave, begin, start 등)는 현재 시제로 미래를 나타낼 수도 있다.
3 시간과 조건을 나타내는 부사절(접속사 when, after, if 등이 있는 절)에서는 미래에 일어날 일도 현재 시제로 쓴다.
4 **will *vs*. be going to**: will은 주로 예정되지 않은 미래의 일을 나타내고, be going to는 미리 계획한 일을 나타낸다.

과거 시제	현재 시제	미래 시제
was, were / **일반동사 과거형**	am, are, is / **일반동사 현재형**	will / be going to
① 과거의 동작 · 상태 ② 역사적 사실	① 현재의 동작 · 상태 ② 일반적인 사실, 습관 ③ 불변의 진리, 속담	미래에 일어날 일이나 계획
yesterday, ago, last ~, in+과거년도, at that time, then 등	now, always, every ~, on weekends, at this moment, once a week 등	tomorrow, soon, in the future, next ~ 등

개념 06 진행 시제

1 진행 시제는 특정 시점에 진행 중인 동작이나 상태를 나타낼 때 사용하며 「be동사 + 동사원형 + -ing」의 형태이다.
2 현재 진행 시제로 가까운 미래에 이미 예정된 일이나 계획을 나타낼 수도 있다.
3 소유(have, own, belong, need, want 등), 감정(like, love, hate 등), 감각(see, taste, smell, sound 등), 인식(know, understand, believe 등)과 같이 상태를 나타내는 동사는 보통 진행형으로 쓰지 않는다. 단, have가 '먹다'와 '시간을 보내다'의 의미일 때는 진행형으로 쓸 수 있다.

과거 진행 시제	현재 진행 시제
was / were + 동사원형 + -ing	am / are / is + 동사원형 + -ing
~하고 있었다, ~하는 중이었다	~하고 있다, ~하는 중이다
과거 특정 시점에 진행 중이었던 동작이나 상태	현재 진행 중인 동작이나 상태

개념 07 현재완료 시제 1

1 현재완료는 「have [has]+과거분사」의 형태로, 과거에 시작한 일이 현재까지 영향을 줄 때 사용한다.
2 부정문에서 have not은 haven't로, has not은 hasn't로 줄여 쓸 수 있다.
3 과거 시점을 나타내는 부사(구)인 yesterday, ago, last weekend 등과 의문사 when은 현재완료와 함께 쓸 수 없다.

긍정문	주어 + have [has] + 과거분사 ~.	He has worked as a nurse.
부정문	주어 + have [has] + not + 과거분사 ~.	He has not worked as a nurse.
의문문	Have [Has] + 주어 + 과거분사 ~? — Yes, 주어 + have [has]. / No, 주어 + haven't [hasn't].	Has he worked as a nurse? — Yes, he has. / No, he hasn't.
	의문사 + have [has] + 주어 + 과거분사 ~?	How long has he worked as a nurse? — For five years.

개념 08 현재완료 시제 2

1 ever, never, just, already는 주로 과거분사 앞에 쓰고, once, ~ times, before, yet은 주로 문장 끝에 쓴다.
2 「전치사 for + 기간(a month, ten years 등)」, 「전치사 since + 과거 시점(childhood, 과거년도 등)」, 「접속사 since+주어+동사(과거 시제)」로 쓴다.
3 have [has] been to(~에 가 본 적이 있다)는 경험을 나타내고, have [has] gone to(~에 가고 없다)는 결과를 나타낸다.

용법	의미	함께 자주 쓰이는 표현
경험	~해 본 적이 있다	once, ~ times, ever, never, before 등
계속	(지금까지 계속) ~해 왔다	since(~부터), for(~ 동안), so far(지금까지), how long 등
완료	(지금) 막 ~했다	just(방금), already(이미), yet(아직, 벌써) 등
결과	~해 버렸다	go, lose, grow, leave 등

동사의 불규칙 변화표

A-A-A 형의 동사

원형	과거형	과거분사형
put 두다, 놓다	put	put
set 놓다, 맞추다	set	set
cost 비용이 들다	cost	cost
cast 던지다	cast	cast
read 읽다 [ri:d]	read [réd] 발음에 주의	read
let 놓아두다, 허락하다	let	let
hurt 다치다	hurt	hurt
hit 때리다, 치다	hit	hit
quit 그만두다	quit / quitted	quit / quitted
burst 터지다	burst	burst
spread 펼치다, 펴다	spread	spread
shut 닫다	shut	shut

A-B-B 형의 동사

원형	과거형	과거분사형
bring 가져오다	brought	brought
buy 사다	bought	bought
seek 찾다, 구하다	sought	sought
fight 싸우다	fought	fought
think 생각하다	thought	thought
teach 가르치다	taught	taught
catch 잡다	caught	caught
keep 유지하다	kept	kept
lend 빌려주다	lent	lent
send 보내다	sent	sent
build 짓다, 건설하다	built	built
feel 느끼다	felt	felt
spend 쓰다	spent	spent
flee 달아나다	fled	fled
bleed 피를 흘리다	bled	bled
leave 떠나다, 출발하다	left	left
mean 의미하다	meant	meant
meet 만나다	met	met
sleep 잠자다	slept	slept
light 불을 붙이다	lit / lighted	lit / lighted
hear 듣다	heard	heard
lose 잃어버리다	lost	lost
shoot 쏘다	shot	shot
dig 파다	dug	dug
hold 지니다, 잡다	held	held
shine 빛나다	shone / shined	shone / shined
hang 걸다, 매달다	hung / hanged	hung / hanged
sell 팔다	sold	sold
tell 말하다	told	told
feed 먹이다	fed	fed
lead 이끌다	led	led
sit 앉다	sat	sat
make 만들다	made	made
say 말하다	said	said
pay 지불하다	paid	paid

원형	과거형	과거분사형
lay 놓다, (알을) 낳다	laid	laid
get 얻다	got	got / gotten
have 가지다, 먹다	had	had
win 이기다	won	won
bend 구부리다	bent	bent
find 발견하다	found	found
stand 서다	stood	stood
understand 이해하다	understood	understood
spill 엎지르다	spilt / spilled	spilt / spilled

A-B-A 형의 동사

원형	과거형	과거분사형
come 오다	came	come
become 되다	became	become
run 달리다	ran	run

A-B-C 형의 동사

원형	과거형	과거분사형
be ~이다, ~에 있다	was / were	been
eat 먹다	ate	eaten
fall 떨어지다	fell	fallen
give 주다	gave	given
forgive 용서하다	forgave	forgiven
hide 숨기다, 숨다	hid	hidden
write 쓰다	wrote	written
bite 깨물다	bit	bitten
forget 잊다	forgot	forgotten
freeze 얼다	froze	frozen

원형	과거형	과거분사형
take 가지고 가다	took	taken
break 부수다	broke	broken
choose 고르다	chose	chosen
speak 말하다	spoke	spoken
wake 깨다	woke	woken
show 보여 주다	showed	shown / showed
fly 날다	flew	flown
throw 던지다	threw	thrown
grow 자라다	grew	grown
draw 그리다	drew	drawn
blow 불다	blew	blown
know 알다	knew	known
lie 눕다	lay	lain
steal 훔치다	stole	stolen
see 보다	saw	seen
go 가다	went	gone
drive 운전하다	drove	driven
rise 오르다	rose	risen
ride 타다	rode	ridden
wear 입다	wore	worn
bear 낳다, 견디다	bore	born
begin 시작하다	began	begun
drink 마시다	drank	drunk
ring 울리다	rang	rung
sing 노래다	sang	sung
swim 헤엄치다	swam	swum

UNIT 03 조동사

개념 09 can / may / will

1 can과 be able to는 둘 다 '~할 수 있다'는 의미이다. 조동사 can은 다른 조동사와 함께 쓸 수 없지만 be able to는 will be able to처럼 다른 조동사와 함께 쓸 수 있다.

2 will과 be going to는 미래의 일을 예측하거나 주어의 의지를 나타낸다.

조동사	의미		부정
can	능력 · 가능	~할 수 있다 (= be able to)	cannot [can't]
	허가	~해도 된다 (= may)	
may	약한 추측	~일지도 모른다	may not (축약형 없음)
	허가	~해도 된다 (= can)	
will	미래 예측 · 의지	~할 것이다, ~하겠다 (= be going to)	will not [won't]

개념 10 must / should / used to

1 must의 부정 ① must not: ~해서는 안 된다 ② don't have to [don't need to/need not]: ~할 필요가 없다
2 should는 의무, 충고, 조언의 의미를 나타내며 had better(='d better)와 바꿔 쓸 수 있다.
3 used to는 현재 지속되지 않는 과거의 습관이나 상태를 나타내고, would는 과거의 습관을 나타낸다.

조동사	의미		부정
must	의무	~해야 한다(= have to)	must not [mustn't]
	강한 추측	~임이 틀림없다	*cf.* cannot(~일 리가 없다)
should	의무, 충고, 조언	~해야 한다, ~하는 것이 좋다 (= had better)	should not [shouldn't] / had better not
used to	현재 지속되지 않는 과거의 습관 · 상태		~ 하곤 했다, ~이었다
would	과거의 습관		~하곤 했다

UNIT 04 to부정사

개념 11 to부정사의 명사적 용법

1 to부정사의 기본 형태는 「to + 동사원형」이고, to부정사의 부정은 to부정사 앞에 not [never]을 쓴다.
2 to부정사가 명사처럼 문장의 주어, 보어, 목적어로 쓰일 때 '~하는 것, ~하기'라고 해석한다.

주어 역할	~하는 것은
보어 역할	~하는 것(이다)
목적어 역할	~하는 것을, ~하기를

★ to부정사를 목적어로 취하는 동사

want	hope	wish	+	to부정사
plan	need	learn		
choose	decide	expect		
agree	promise	pretend		

개념 12 It ~ to / to부정사의 의미상 주어

1 to부정사가 주어로 쓰일 때 주로 가주어 it을 주어 자리에 쓰고 to부정사(구)를 뒤에 쓴다.
2 문장의 주어와 to부정사의 행위자가 서로 다를 때 to부정사 앞에 「for / of + 목적격」으로 to부정사의 의미상 주어를 쓴다.

★ 가주어 it과 to부정사

It (가주어) ~ (for / of + 목적격) ~ to부정사 (진주어)

의미상 주어

★ to부정사의 의미상 주어 나타내기

생략하는 경우	① 의미상 주어가 일반인일 때 ② 의미상 주어가 문장의 주어와 일치할 때
for + 목적격	to부정사의 행위자가 일반인이나 문장의 주어가 아닌 대부분의 경우
of + 목적격	사람의 성격을 나타내는 형용사가 보어로 쓰일 때 * 성격 형용사: kind, polite, wise, rude, foolish, stupid, careful, brave 등

개념 13 의문사 + to부정사

1 「의문사 + to부정사」는 명사 역할을 하며 주로 목적어 자리에 쓰인다.
2 「의문사 + to부정사」는 「의문사 + 주어 + should + 동사원형」으로 바꿔 쓸 수 있다.
3 「why + to부정사」는 쓰이지 않는다.

what + to부정사	무엇을 ~할지
when + to부정사	언제 ~할지
where + to부정사	어디로 ~할지
how + to부정사	어떻게 ~할지, ~하는 방법
which + to부정사	어느 것을 ~할지
who(m) + to부정사	누구를 ~할지

개념 14 to부정사의 형용사적 용법

1 to부정사가 형용사처럼 명사 또는 대명사를 뒤에서 수식하는 역할을 하며, 이때 '~하는, ~할'로 해석한다.
2 to부정사의 수식을 받는 명사가 to부정사에 이어지는 전치사의 목적어일 때 전치사를 반드시 써야 한다.
3 -thing, -one, -body로 끝나는 대명사가 형용사의 수식을 받을 때에는 「대명사 + 형용사 + to부정사」로 쓴다.

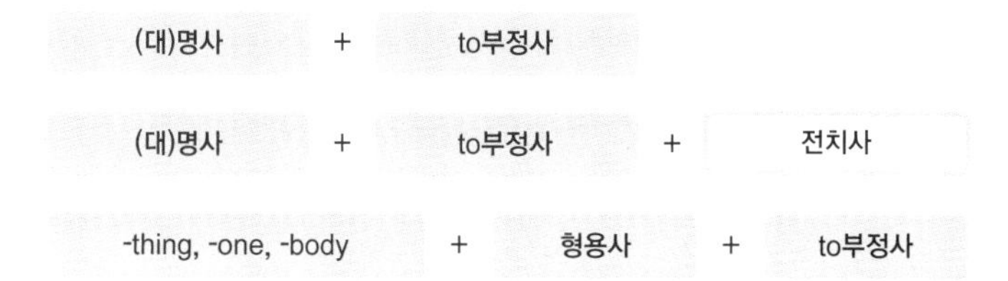

UNIT 04 to부정사

개념 15 to부정사의 부사적 용법

1 to부정사가 부사처럼 동사, 형용사, 다른 부사를 수식한다.
2 to부정사의 부사적 용법은 목적, 감정의 원인, 판단의 근거, 결과 등 여러 가지 의미가 있다.

목적	~하기 위해서	「in order to [so as to] + 동사원형」과 바꿔 쓸 수 있음
감정의 원인	~해서, ~하니	감정을 나타내는 형용사를 뒤에서 수식
판단의 근거	~하다니	주로 함께 쓰는 표현: must 등
결과	…해서 (결국) ~하다	주로 함께 쓰는 표현: live, grow up, wake up 등
형용사 수식	~하기에	형용사를 뒤에서 수식

개념 16 too ~ to / enough to

1 「too ~ to」는 '…하기에 너무 ~한 / 하게'라는 부정의 의미를 나타낸다. 「so ~ that ... can't」로 바꿔 쓸 수 있다.
2 「enough to」는 '…할 만큼 충분히 ~한 / 하게'라는 긍정의 의미를 나타낸다. 「so ~ that ... can」으로 바꿔 쓸 수 있다.

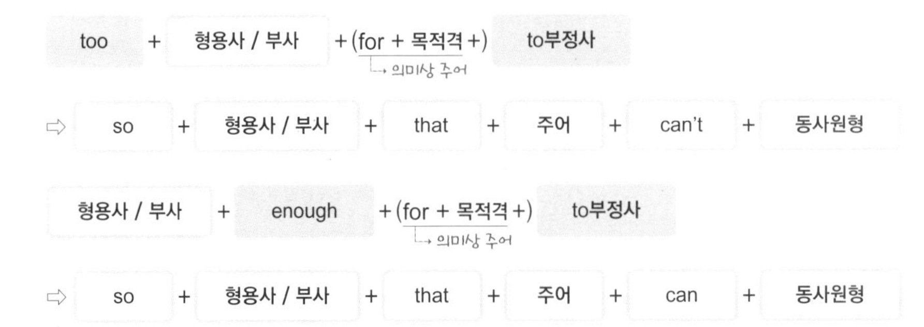

UNIT 05 동명사

개념 17 동명사의 쓰임

1 동명사는「동사원형 + -ing」의 형태로 명사 역할을 하며 '~하는 것', '~하기'로 해석한다.
(동명사의 부정: not [never]+동명사)

2 동명사와 to부정사는 모두 명사(주어, 보어, 목적어) 역할을 한다. 전치사의 목적어로는 동명사만 가능하다.

3 현재분사는 동명사와 같은 형태이지만 진행형을 만들 때 쓰인다.

〈동명사의 관용적 표현〉

go -ing	~하러 가다	can't help -ing	~하지 않을 수 없다
be busy -ing	~하느라 바쁘다	It is no use -ing	~해도 소용없다
be worth -ing	~할 만한 가치가 있다	look forward to -ing	~하기를 고대하다
feel like -ing	~하고 싶다	have trouble [difficulty] (in) -ing	~하는 데 어려움이 있다
spend + 시간/돈 + -ing	~하느라 시간/돈을 쓰다	keep ... from -ing	…가 ~하지 못하게 하다

개념 18 동명사와 to부정사

1 동사에 따라 to부정사를 목적어로 쓰거나 동명사를 목적어로 쓴다.

2 to부정사와 동명사를 둘 다 목적어로 쓰지만 의미 차이가 있는 동사로는 forget, remember, try 등이 있다.

동명사를 목적어로 쓰는 동사	enjoy, finish, keep, stop, quit, practice, recommend, imagine, mind, avoid, give up, put off 등 *cf.* stop + to부정사: ~하기 위해 멈추다	
to부정사를 목적어로 쓰는 동사	want, hope, wish, plan, need, learn, choose, decide, expect, agree, promise, pretend 등	
둘 다 목적어로 쓸 수 있는 동사	의미 차이 없는 것	start, begin, like, love, hate, prefer, continue 등
	의미 차이 있는 것	forget, remember, try 등

보기 hope, finish, start, wish, begin, like, keep, stop, quit, plan, forget, need, love, learn, practice, recommend, choose, hate, imagine, mind, decide, remember, expect, agree, avoid, try

forget	+ 동명사	(과거에) ~한 것을 잊다
	+ to부정사	(앞으로) ~할 것을 잊다
remember	+ 동명사	(과거에) ~한 것을 기억하다
	+ to부정사	(앞으로) ~할 것을 기억하다
try	+ 동명사	시험 삼아 ~해보다
	+ to부정사	~하기 위해 노력하다

UNIT 06 분사와 분사구문

개념 19 현재분사와 과거분사

1 분사는 동사원형에 -ing나 -ed를 붙인 것으로, 동사의 의미를 가지면서 형용사처럼 쓰인다.

2 분사가 단독으로 명사를 수식할 때는 분사를 명사 앞에 쓰고, 목적어나 수식어구가 붙어 있는 경우에는 명사 뒤에 쓴다.

3

현재분사 *vs.* 동명사	현재분사 (형용사 역할)	동명사 (명사 역할)
명사 앞	명사 수식 running time(영화 상영 시간)	명사의 용도 설명 running shoes(달리기용 운동화)
be동사 뒤	진행형 I am biting my nails.(물어뜯는 중이다)	주격 보어 My habit is biting my nails.(물어뜯는 것)

	현재분사	과거분사
형태	동사원형 + -ing	동사원형 + -ed 또는 불규칙 과거분사형
의미	① 능동 (~하는) ② 진행 (하고 있는)	① 수동 (~되는, 당하는) ② 완료 (~된)
역할	① 명사 앞이나 뒤에서 명사 수식 ② 주격 보어나 목적격 보어로 쓰임 ③ 시제 표현에 쓰임	

개념 20 감정을 나타내는 분사

1 감정을 나타내는 분사는 bore(지루하게 만들다)나 surprise(놀라게 하다)처럼 감정을 나타내는 동사로 만든 현재분사나 과거분사가 형용사처럼 굳어진 것이다.

2 현재분사는 주어가 감정을 일으키는 대상일 때 쓰고, 과거분사는 주어가 감정을 느끼는 주체일 때 쓴다. 현재분사는 주로 사물이 주어이거나 사물을 수식할 때 쓰고, 과거분사는 사람이 주어이거나 사람을 수식할 때 쓴다.

현재분사(능동)		과거분사(수동)	
boring 지루한	pleasing 즐거운	bored 지루해 하는	pleased 기뻐하는
exciting 신나는	confusing 혼란스러운	excited 신이 난	confused 혼란스러워 하는
touching 감동적인	disappointing 실망스러운	touched 감동한	disappointed 실망한
surprising 놀라운	interesting 재미있는	surprised 놀란	interested 관심 있어 하는
shocking 충격적인	satisfying 만족을 주는	shocked 충격을 받은	satisfied 만족하는

개념 21 분사구문 1

1 분사구문은 부사절(접속사 when, because, if 등+주어+동사)에서 접속사와 주어를 생략하고 동사를 현재분사(동사원형+-ing)로 바꿔 부사구로 만든 것이다. 이때 분사는 동사와 접속사의 역할을 동시에 하고, 분사구문은 문장 전체를 수식한다.
2 분사구문은 문장의 앞이나 뒤, 중간에 올 수 있으며, 분사구문의 부정은 분사 앞에 not이나 never를 쓴다.
3 부사절에 진행 시제나 수동태가 쓰여 분사구문이 「Being + 분사」의 형태인 경우 Being을 생략할 수 있다.

분사구문 만드는 법

When I watched TV, I fell asleep.
(When I watched TV: 부사절 / I fell asleep: 주절)

~~When~~ I watched TV, I fell asleep. ① 접속사 생략

~~I~~ watched TV, I fell asleep. ② 부사절의 주어 생략 (주절의 주어와 같을 때)

Watching TV, I fell asleep. ③ 동사를 현재분사로 바꾸기 (주절의 시제와 같을 때)

개념 22 분사구문 2

1 분사구문은 시간, 이유, 동시동작, 조건, 양보 등 다양한 의미를 나타낸다.
2 분사구문의 의미를 분명하게 나타내기 위해 접속사를 생략하지 않고 남겨 두기도 한다.
3 양보의 의미를 나타내는 분사구문은 잘 사용하지 않으며, 분사구문과 주절의 내용이 상반되면 양보의 의미로 해석한다.

분사구문 의미	부사절에 쓰이는 접속사
시간	when(~할 때), before(~ 전에), after(~ 후에) 등
이유	because, since, as(~ 때문에)
동시동작	as(~하면서), while(~하는 동안)
조건	if(~라면)
양보	though, although(~임에도 불구하고)

UNIT 07 대명사

개념 23 부정 대명사

1 부정 대명사는 정해지지 않은 막연한 대상을 나타내는 명사로 one, the other, another, some, others 등이 있다.

2 대명사 it은 앞에서 말한 특정한 것을 가리키고 부정 대명사 one은 앞에서 말한 명사와 같은 종류의 불특정한 것을 가리킨다.

〈짝을 이루어 쓰는 부정 대명사〉

one ~ the other …	(둘 중) 하나는 ~, 다른 하나는 ...
one ~ another … the other ~	(셋 중) 하나는 ~, 또 하나는 ... 나머지 하나는 ~
one ~ the others …	(여럿 중) 하나는 ~, 나머지 모두는 ...
some ~ others …	(불특정 다수 중) 일부는 ~, 또 다른 일부는 ...
some ~ the others ...	(특정 다수 중) 일부는 ~, 나머지 전부는 ...

개념 24 재귀대명사

1 재귀대명사는 주어와 목적어가 같은 대상일 때 쓰며, 형태는 「대명사의 소유격[목적격] + -self[-selves]」이다.

2 재귀 용법: 재귀대명사가 동사나 전치사의 목적어로 쓰이며 이때 재귀대명사는 생략할 수 없다.

3 강조 용법: 재귀대명사가 주어, 목적어 등과 동격으로 쓰여 그 뜻을 강조한다. 이때 재귀대명사는 생략해도 문장이 성립된다.

인칭대명사(단수)	재귀대명사	인칭대명사(복수)	재귀대명사
I	myself	we	ourselves
you	yourself	you	yourselves
he / she	himself / herself	they	themselves
it	itself		

〈재귀대명사의 관용적 표현〉

by oneself	혼자서(= alone)	for oneself	혼자 힘으로
of oneself	저절로	enjoy oneself	즐겁게 지내다
between ourselves	우리끼리 이야기지만	help oneself (to)	(~을) 마음껏 먹다

UNIT 08 수동태

개념 25 수동태의 의미와 형태

1 수동태는 행위의 대상을 주어로 하는 동사의 형태이다.
2 수동태 문장에서 행위자가 일반적인 사람이거나 알려지지 않은 경우에는 생략할 수 있다.
3 수동태의 시제는 be동사로 나타내며, 조동사가 있을 경우에는 be동사를 원형으로 쓴다.

수동태 문장	의미	'주어'가 (~에 의해) ~되다 *cf*. 능동태: 행위를 하는 주체를 강조
	형태	주어 + be + 과거분사 (+ by + 행위자)
	쓰임	행위의 주체보다 대상(= 주어)을 강조할 때
수동태의 시제	현재	주어 + am/is/are + 과거분사 ...
	과거	주어 + was/were + 과거분사 ...
	미래	주어 + will be + 과거분사 ...
수동태와 조동사		주어 + 조동사 + be + 과거분사 ...

개념 26 수동태의 부정문과 의문문

1 수동태의 부정문은 be동사 뒤에 not을 써서 만들고, 의문문은 be동사를 주어 앞에 써서 만든다.
2 조동사가 있는 수동태의 부정문은 조동사 뒤에 not을 써서 만들고, 의문문은 조동사를 주어 앞에 써서 만든다.

수동태	부정문	주어 + be동사 + not + 과거분사 ...
	의문문	Be동사 + 주어 + 과거분사 ...?
조동사가 있는 수동태	부정문	주어 + 조동사 + not + be + 과거분사 ...
	의문문	조동사 + 주어 + be + 과거분사 ...?

UNIT 08 수동태

개념 27 4형식 문장의 수동태

1 4형식 문장의 수동태는 간접목적어나 직접목적어를 각각 주어로 하는 두 종류의 문장으로 쓸 수 있지만, 동사가 buy, make, get, sell, read, write 등일 때에는 직접목적어만 주어로 쓸 수 있다.

2 4형식 문장의 직접목적어를 주어로 하는 수동태 문장에서는 간접목적어였던 명사 앞에 전치사를 쓰며, 전치사는 동사에 따라 다르다.

4형식 문장의 형태	주어 + 동사 + 간접목적어(A) + 직접목적어(B)	
간접목적어가 주어가 될 때	주어(A)(간접목적어) + be동사 + 과거분사 + B(직접목적어) + by + 행위자(주어)	
직접목적어가 주어가 될 때	주어(B)(직접목적어) + be동사 + 과거분사 + 전치사 + A(간접목적어) + by + 행위자(주어)	
	전치사 to를 쓰는 동사	give, teach, bring, send, show, tell, lend, write 등
	전치사 for를 쓰는 동사	buy, choose, find, get, make, cook 등
	전치사 of를 쓰는 동사	ask 등

개념 28 5형식 문장의 수동태 1

1 5형식 문장의 수동태는 목적어를 수동태 문장의 주어로 쓰고 목적격 보어는 동사 바로 뒤에 쓴다.

5형식 문장의 형태	주어 + 동사 + 목적어(A) + 목적격 보어(B)	
	5형식으로 자주 쓰이는 동사	call, name, make, keep 등
5형식 문장의 수동태	주어(A)(목적어) + be동사 + 과거분사 + B(목적격 보어) + by + 행위자(주어)	

개념 29 5형식 문장의 수동태 2

1 지각동사가 있는 5형식 문장을 수동태로 쓸 때 목적격 보어가 동사원형이면 to부정사로 고치고, 현재분사이면 그대로 동사 뒤에 쓴다.

2 사역동사가 있는 5형식 문장을 수동태로 쓸 때 목적격 보어인 동사원형은 to부정사로 고쳐 동사 뒤에 쓴다. 단, 사역동사 let과 have는 수동태로 쓰지 않는다.

5형식 문장의 형태	주어 + 동사 + 목적어 + 목적격 보어 (동사원형 또는 현재분사)	
지각동사일 때 5형식 문장 수동태	목적격 보어가 동사원형일 때	주어 + be동사 + 과거분사 + to부정사 + by + 행위자 (목적어) (목적격 보어) (주어)
	목적격 보어가 현재분사일 때	주어 + be동사 + 과거분사 + 현재분사 + by + 행위자 (목적어) (목적격 보어) (주어)
사역동사일 때 5형식 문장 수동태	주어 + be동사 + 과거분사 + to부정사 + by + 행위자 (목적어) (목적격 보어) (주어)	

개념 30 주의해야 할 수동태

1 수동태의 행위자를 나타낼 때 by 이외의 전치사를 쓰기도 한다.

2 '동사+전치사/부사'가 하나의 동사 역할을 할 때, 수동태는 이것을 한 덩어리로 보아 「be동사 + 과거분사 + 전치사/부사」로 쓴다.

be surprised at	~에 놀라다	be covered with	~으로 덮여 있다
be interested in	~에 흥미가 있다	be filled with	~으로 가득 차다
be tired of	~에 싫증나다	be pleased with	~에 기뻐하다
be worried about	~에 관해 걱정하다	be satisfied with	~에 만족하다
be made of **+ 성질이 변하지 않는 재료**	~으로 만들어지다	be made from **+ 성질이 변하는 재료**	~으로 만들어지다

UNIT 09 관계사

개념 31 주격 관계대명사

1 관계대명사는 〈접속사 + 대명사〉의 역할을 하고 관계대명사 앞의 명사(선행사)를 수식하는 형용사절을 이끈다.

2 주격 관계대명사는 관계사절 안에서 주어 역할을 하며 종류는 who, which, that이 있다.

3 주격 관계대명사 다음에는 동사가 오며, 이때 선행사의 인칭과 수에 일치시킨다.

4 「주격 관계대명사 + be동사 + 분사(형용사)」 구문에서 「주격 관계대명사 + be동사」는 생략할 수 있다.

선행사	주격 관계대명사
사람	who
사물, 동물	which
사람, 사물, 동물	that

개념 32 목적격 관계대명사

1 목적격 관계대명사는 관계사절 안에서 목적어 역할을 하며 종류는 who(m), which, that이 있다.

2 목적격 관계대명사 다음에는 「주어 + 동사」를 쓰며, 목적격 관계대명사는 생략이 가능하다.

3 선행사가 전치사의 목적어인 경우에 「전치사 + 관계대명사」의 형태로 쓰거나 전치사를 관계사절 끝에 쓴다.

4 「전치사 + 목적격 관계대명사」의 형태일 때는 목적격 관계대명사를 생략할 수 없고, that으로도 바꿔 쓸 수 없다.

선행사	목적격 관계대명사
사람	who(m)
사물, 동물	which
사람, 사물, 동물	that

개념 33 소유격 관계대명사

1 소유격 관계대명사는 관계사절 안에서 사람이나 사물의 소유격인 her, his, their, its 등을 대신한다.

2 소유격 관계대명사의 종류는 whose와 of which가 있고 「소유격 관계대명사 + 명사」의 형태로 쓴다.

3 소유격 관계대명사는 생략할 수 없으며, that과 바꿔 쓸 수도 없다.

선행사	소유격 관계대명사
사람	whose
사물, 동물	whose / of which

개념 34 관계대명사 that *vs.* 접속사 that

1 관계대명사 that은 선행사에 관계없이 주격 또는 목적격 관계대명사 who, which 대신 쓸 수 있다.

2 관계대명사 that은 소유격 관계대명사를 대신할 수 없고 전치사의 목적어로도 쓰일 수 없다.

3 선행사에 다음이 포함된 경우에는 주로 관계대명사 that을 쓴다.

① 「사람 + 사물」 또는 「사람 + 동물」인 경우

② all, the only, the same, -thing, -body, -one, 최상급, 서수 등

관계대명사 that	접속사 that
형용사절을 이끎	명사절(주어, 보어, 목적어 역할)을 이끎
선행사 있음	선행사 없음
관계대명사 that + 불완전한 문장	접속사 that + 완전한 문장

UNIT 09 관계사

개념 35 관계대명사 what

1 관계대명사 what은 명사절을 이끌며 문장에서 주어, 보어, 목적어로 쓰인다.

2 관계대명사 what은 '~하는 것'이라는 의미이고 선행사를 포함하므로 앞에 선행사가 없다.

3 관계대명사 what은 the thing(s) which [that]로 바꿔 쓸 수 있다.

관계대명사 what	관계대명사 that
명사절을 이끎	형용사절을 이끎
선행사 없음	선행사 있음
관계대명사 what + 불완전한 문장	관계대명사 that + 불완전한 문장

개념 36 관계부사

1 관계부사는 선행사를 수식하는 절을 이끌며 접속사와 부사의 역할을 한다.

2 선행사에 따라 알맞은 관계부사를 사용해야 하며, 관계부사는 「전치사+관계대명사」와 바꿔 쓸 수 있다.

3 관계부사 how와 선행사 the way는 함께 쓰일 수 없으므로 둘 중 하나는 생략해야 한다.

	선행사	관계부사	전치사+관계대명사
시간	the day, the time, the week, the year 등	when	in / at / on + which
장소	the place, the house, the city, the country 등	where	in / at / on + which
이유	the reason	why	for which
방법	(the way)	how	in which

UNIT 10 접속사

개념 37 상관접속사

1 두 개 이상의 단어가 함께 쓰여 하나의 접속사 역할을 하는 것이 상관접속사이다.

2 상관접속사가 이어주는 말은 명사와 명사, 동사와 동사 등 문법적으로 동등해야 한다.

상관접속사	의미	주어로 쓰일 때 동사의 수
both *A* and *B*	A와 B 둘 다	복수 취급
not only *A* but also *B*	A뿐만 아니라 B도	B에 맞춤
A as well as *B*	B뿐만 아니라 A도	A에 맞춤
not *A* but *B*	A가 아니라 B	B에 맞춤
either *A* or *B*	A 또는 B 둘 중 하나	B에 맞춤
neither *A* nor *B*	A도 B도 아닌	B에 맞춤

개념 38 명령문, and / or

1 명령문 뒤에 접속사 and 또는 or가 쓰여 예상되는 결과를 나타낼 수 있다.

형태	의미
명령문, and ...	~해라, 그러면 …할 것이다
명령문, or ...	~해라, 그렇지 않으면 …할 것이다

UNIT 10 접속사

개념 39 명사절을 이끄는 that

1 접속사 that이 이끄는 명사절은 문장에서 명사처럼 주어, 보어, 목적어 역할을 한다.

2 접속사 that이 이끄는 명사절이 주어 역할을 할 때 가주어 it을 주어 자리에 쓰고 that절은 문장 끝에 쓴다.

3 접속사 that이 이끄는 명사절이 목적어 역할을 할 때 that은 생략할 수 있다.

	역할	의미
that + 주어 + 동사	주어	~하는 것은 (「It ~ that ...」 형태로 쓸 수 있음)
	보어	~하는 것(이다)
	목적어	~하는 것을 (that 생략 가능)

개념 40 간접의문문

1 의문문이 다른 문장의 일부가 되는 것을 간접의문문이라고 하며, 주로 문장에서 목적어 역할을 한다.

2 의문사가 없는 의문문을 종속절(간접의문문)로 쓰면 접속사 if 또는 whether가 절을 이끈다.

3 의문사가 있는 의문문을 종속절(간접의문문)로 쓰면 「의문사 + 주어 + 동사 ...」가 되며 의문사가 접속사 역할을 한다.

4 주절의 동사가 think, believe, guess, suppose, imagine 등일 때에는 의문사를 문장 맨 앞에 쓴다.

종류	간접의문문의 형태
의문사가 없는 의문문	if + 주어 + 동사 / whether + 주어 + 동사
의문사가 있는 의문문	의문사 + 주어 + 동사
	주절의 동사가 think, believe, guess 등일 때: 의문사 + do you think [believe, guess, ...] + 주어 + 동사 ...?

개념 41 부사절을 이끄는 접속사 1: 시간, 이유

1 부사절은 주절의 앞이나 뒤에 쓰일 수 있다. 단, 주절의 앞에 올 때에는 부사절 끝에 콤마(,)를 쓴다.

2 시간을 나타내는 부사절에서는 미래에 관해 말할 때 현재 시제를 쓴다.

시간을 나타내는 접속사	when	~할 때
	while	~하는 동안
	as	~하면서
	as soon as	~하자마자
	since	~ 이후로

이유를 나타내는 접속사	because	~ 때문에
	as	~ 때문에
	since	~ 때문에

개념 42 부사절을 이끄는 접속사 2: 조건, 양보, 결과

1 조건을 나타내는 부사절에서는 미래에 관해 말할 때 현재 시제를 쓴다.

2 「so ~ that ...」은 결과를 나타내지만 「so that ...」은 목적(~하기 위해)을 나타내는 것에 유의한다.

조건을 나타내는 접속사	if	만일 ~라면
	unless	만일 ~ 아니라면 (= if ~ not)
양보를 나타내는 접속사	though, although, even though	비록 ~이지만, ~에도 불구하고
결과를 나타내는 접속사	so	그래서
	so ~ that	매우 ~해서 …하다 (*cf.* so that: ~하기 위해)
	so ~ that ... can	매우 ~해서 …할 수 있다 (= ~ enough + to부정사)
	so ~ that ... can't	너무 ~해서 …할 수 없다 (= too ~ to부정사)

UNIT 11 비교 구문

개념 43 비교급 - 최상급 만들기

		원급	비교급	최상급
대부분의 형용사/부사		–	+ -(e)r	+ -(e)st
		soft	softer	softest
「단모음 + 단자음」으로 끝날 때		–	+ 단자음 + -er	+ 단자음 + -est
		fat	fatter	fattest
「자음 + -y」로 끝날 때		–	-y → -ier	-y → -iest
		pretty	prettier	prettiest
3음절 이상 / -ful, -ous, -able, -less, -ing 등으로 끝날 때		–	more + 원급	most + 원급
		exciting	more exciting	most exciting
불규칙 변화	old	나이 먹은	older	oldest
		손위의	elder	eldest
	far	(거리가) 먼	farther	farthest
		(정도가) 더한	further	furthest
		little	less	least

개념 44 원급 비교 / 배수 비교

1 두 대상의 성질 또는 수량이 같을 때 형용사와 부사의 원급을 이용하여 '…만큼 ~하다'라는 의미의 원급 비교 구문을 쓸 수 있다.

2 '몇 배'를 나타내는 배수 표현을 원급 비교 구문과 함께 써서 '…배만큼 ~하다'라는 의미를 나타낼 수 있다.

원급 비교 긍정	A ~ as + 원급 + as + B 의미: A가 B만큼 ~하다	원급 비교 부정	A ~ not so [as] + 원급 + as + B 의미: A는 B만큼 ~하지 않다
배수 표현을 사용한 비교	A ~ 배수 표현 + as + 원급 + as + B 의미: A는 B보다 …배만큼 ~하다 배수 표현: twice, 「3 이상의 수 + times」		

개념 45 여러 가지 비교급 표현 / 비교급의 강조

1 비교급을 사용해 두 대상을 비교할 때 「*A* ~ 비교급 + than + *B*」로 쓴다.

2 비교급을 강조할 때 비교급 앞에 much, a lot, far, even 등을 쓴다.

비교급 표현	의미
A ~ **비교급** + than + *B*	A는 B보다 더 ~하다
비교급 + and + **비교급**	점점 더 ~한
the + **비교급** ~, the + **비교급** …	더 ~할수록 더 …하다
much / a lot / far / even + **비교급**	훨씬 더 ~한

개념 46 여러 가지 최상급 표현

1 최상급 앞에는 대개 the를 쓴다.

2 최상급 표현 뒤에는 '~에서, ~ 중에서'라는 의미로 비교 범위를 나타내는 표현이 올 때가 많다.

최상급 표현	의미
the + **최상급** ~ + in + 장소, 집단	…에서 가장 ~한
the + **최상급** ~ + of + 복수 명사	… 중에서 가장 ~한
one of the + **최상급** + **복수 명사**	가장 ~한 … 중의 하나
the + **최상급** + **명사** (+ that) + **주어** + have ever + **과거분사**	지금까지 …한 것 중 가장 ~한

UNIT 12 가정법

개념 47 가정법 과거

1 가정법 과거는 '만약 ~라면, …할 텐데'라는 의미로 현재 사실과 반대되거나 실제로 일어날 가능성이 거의 없는 일을 가정할 때 쓴다. 형태는 과거형이지만 의미상으로는 현재나 미래에 관한 것이므로 해석에 주의한다.

2 if절과 주절의 위치는 바꿔 쓸 수 있고, if절의 동사가 be동사인 경우 주어의 인칭과 수에 관계없이 were를 쓴다.

3 if가 '만약 ~라면'이라는 뜻으로 조건을 나타내는 부사절을 이끄는 경우에는 실제로 일어날 가능성이 있는 일을 나타낸다.

if절			주절		
If	주어	were ~, 동사의 과거형 ~,	주어	조동사 과거형 (would, could, might 등)	동사원형 ~.

개념 48 I wish 가정법 / as if 가정법

1 I wish 가정법 과거는 '~라면 좋을 텐데'의 의미로 현재 이루기 힘든 소망이나 현실에 대한 아쉬움을 나타낸다. 소망하는 시점과 소망하는 내용의 시점이 일치한다.

2 as if 가정법 과거는 '마치 ~인 것처럼'의 의미로, 주절과 같은 시점의 사실과 반대되는 상황을 가정할 때 쓴다.

3 I wish 뒤에 나오는 명사절이나 as if에 이어지는 절에 be동사가 쓰이면 주어의 인칭이나 수에 관계없이 were를 쓴다.

I wish 가정법 과거	I wish + 주어 + were 또는 (조)동사의 과거형	I wish I got a scholarship. 장학금을 받으면 좋을 텐데.
as if 가정법 과거	as if + 주어 + were 또는 (조)동사의 과거형	The man climbs a tree as if he were Spiderman. 그는 마치 스파이더맨인 것처럼 나무를 탄다.

문장

바로 쓰는 문법

핵심은
이 안에
있지!